1 MONTH OF
FREE
READING

at

www.ForgottenBooks.com

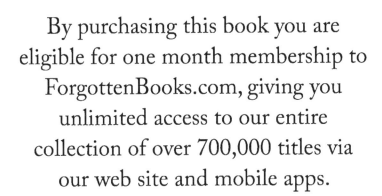

By purchasing this book you are eligible for one month membership to ForgottenBooks.com, giving you unlimited access to our entire collection of over 700,000 titles via our web site and mobile apps.

To claim your free month visit:

www.forgottenbooks.com/free332345

ISBN 978-0-484-62294-3
PIBN 10332345

Zeitschrift für Parasitenkunde.

Herausgegeben

von

Dr. E. Hallier,

Professor der Botanik in Jena.

Vierter Band.

Mit 6 lithographischen Tafeln.

Jena,

Verlag von Hermann Dufft.

1875.

Inhalt.

I. Original-Abhandlungen.

I.
Original-Abhandlungen.

Vegetations found in the Blood of Patients suffering with Erysipalis.

By

J. H. Salisbury, B. N. S. A. M. M. D.

The Microscopic examinations of the blood and secretions in Erysipalis were commenced in 1862. The first case examined, in which were found fungoid filaments and spores in the blood, was that of Miss K. W. who was attacked Nov. 25th 1862 — in face and scalp. She was a lady of fair complexion, fine constitution, sanguine temperament, aged 22. On the fourth day of the disease, while the face and scalp were much swollen and patient delirious, I drew from the temple half an ounce of blood and about the same quantity from the wing of the nose; which parts were greatly swollen and covered with minute blisters. Her physician regarded her case as critical and was willing to do anything that would promise relief and satisfy the anxiety of the family and friends. The blood was peculiarly red and clot soon formed which was very firm; leaving on the surface a large proportion of clear serum. In the serum I found nothing abnormal. The clot I found somewhat difficult to examine, on account of its firmness and its being filled so full of blood globules; which were not readily washed out. I spent many hours in teasing out and washing specimens, before I was able to prepare them for a satisfactory examination. During the evening I, for the first time, — detected in the fibre of the Clot fungoid filaments, reeming in various directions and branched as seen at d and e Fig. I. Taf. I. After making the first discovery of filaments, I had not much difficulty in readily finding them in all parts of the clot. Sprouting spores were also often met with.

The next day I visited the patient, taking along the microscope, and made examinations upon blood freshly drawn, in order to determine whether the filaments found, really existed in the blood when drawn, or whether they developed after it was removed from the body. I readily detected them in the freshly drawn blood in which they were more easily discoverable than in the clot.

The patient was constantly growing weaker and more delirious and the swelling was increasing so that the prognosis was decidedly unfavorable. After consultation with the physician in charge, during which I explained to him what I had found; it was concluded to direct the treatment as much as possible, to the checking the fungoid growth; believing that if this were the cause; and its developement could he checked, a favorable change would result.

Ordered given 2 grains of quinine every two hours and 20 drops of tinct. Feni — chlorid, — in a glass of water every four hours, — and to paint the entire swollen surface wirh dilute tincture of Iron, every 3 or 4 hours. She was to take all the beef tea possible, and bowels were to be opened once daily with cream tartar and bicarb. soda, given in small effervescing draughts.

In about 12 hours, symptoms began to improve. The treatment and diet were continued and the recovery was rapid and perfect.

In order to determine the place of this fungus, I drew half an ounce of blood, — before treatment commenced, into a clean bottle, with ground glass stopper and tightly corked and set aside at a temperature of 75⁰ Fah. In a few days, the surface of the blood was covered with a beautiful crop of fertile threads. On examining these under the microscope, the fertile threads were found to be in full fruit. One of these is represented at a I. Taf. I. The fertile filaments were noticed to branch mostly on one side. The mycelium branched equally in all directions. The fertile head is beautiful and peculiar. Usually the fertile filament is divided at the apex equally into four closely fitting branches, — which go up close together for a distance equal to about four times the diameter of the filament, — where they are intercepted by a joint, at which point they all begin to diverge, and as they extend, — bend upwards in the form of a bell. Soon each branch subdivides into four branchlets, — each of which is terminated with a long moniliform chain of highly transparent, refructive, spherical spores, which are shed by the least disturbance.

The Mycelium (b, c) is jointed and variously branched like that found in the blood in the same case; a. sample of which is seen at d and e I. Taf. I. It will readily be seen that this is a species of Penicillium. This may be the P. crustaceum (glaucum) modified by the soil in which it grew: but the beautiful regularity with which the fertile thread at its apex, is divided and subdivided by fours, — has suggested the specific name, quadrifidum.

Case 2. In December, 1865 — I was called to see Mr. M. 162 Jenica St. Cleveland. He had been attacked with Erysipalis in the wing of the nose six days previous to my visit. The swelling and redness extended rapidly over the whole face and scalp. Found the head swollen to nearly twice the normal size, — eyes closed and patient delirious. Could not keep him in bed without constant watching and much persuasion. He had been passing blood from the Kidneys in large quantities for three days. Urine had the color of blood yet was mostly free from clots. On examining the blood from the swollen face and head, — with the microscope, — found in it the spores of a species of Fusisporium, resembling that which grows upon the potatoe. On examining the bloody urine, found the spores of the same plant, and occasionally a filament with one or more spores attached. At g I. Taf. I. are seen the various formed spores and at h. is seen a short filament with asingle spore, and at k. a filament with nine spores attached.

Mr. M. had spent the previous summer in the Lake Superior Mining region attending bar; — and had much of the time lived mostly upon potatoes and bread, — having but little meat. He returned home only a few weeks before the attack; and having no business to attend to did but little besides eating, sleeping and lounging about.

Ordered given 2 grains of quinine every two hours and 20 drops of tincture Ferri — chlorid — in a full glass of water every 4 hours. The bowels were to be kept open once daily with congress water; and beef tea to be given frequently and all he would take. The face and head were painted every few hours with dilute tincture of iron.

In about 30 hours, the swelling began to subside, and the patient gradually, but steadily improved; and in abont 3 weeks was quite recovered; except the hematuria, which had much les-

1 *

sened; but still colored the urine considerably. This bleeding did not entirely cease till the following April [1]).

In Diptheria, I have found the Mycelium of a species of Peronospora, growing in the exudation and in the subjacent epithelial tissue. This plant is figured and described in a paper on the cause of Diptheria.

Case 3. Mr. J. H. — a carriage maker, — aged 28 — of good constitution and regular habits; but a great vegetable feeder, and especially fond of potatoes; was attacked with Erysipalis of the face, July 18th 1867. He had been living freely upon old potatoes, that were beginning to be affected with the rot. The swelling began just above the right eyebrow. Thinking it a boil he opened it. Swelling continued and extended over the forehead, partially closing both eyes; and on the 21st when I first saw him, he was dizzy and delirious, — one eye was shut and the other nearly so, and face and forehead very much swollen. The urine was high colored and scanty, and bowels costive. On examining the blood under the microscope, found the spores and filaments of one of the mucedinous fungi, — which proved to be, by developing in a closely stopped bottle, the Peronospora infestans, (Botrytis infestans), — the plant that produces the rot in the potatoe. Ordered 2 grains of quinine every 2 hours and 20 drops of Tinct. Feni — chlorid — in a full tumbler of water every 4 hours, the face and scalp to be painted with dilute Tinct. Iron — morning, noon and night, to have bowels kept open once daily with effervescing draughts of cream tartar and Bicarbo. soda, — and to have all the beef tea he can take. Patient began to improve on the following day, and recovered rapidly, so that in ten days he was at his work.

Case 4. Mr. A. O'D. of New York, was attacked with erysipalis at Meadville Pa, — where he had been watching night and day for about two weeks with a friend who died with malignant erysipalis. The swelling began in the wing of the nose and cheek. About 24 hours after the attack, he started for Cleveland. The

1) O'Brien states that potatoes affected with the rot, produced by the Botrytis infestans, excite (when eaten) heat of skin, accellerated pulse and abdominal pains. Second, rose colored spots, migrating and evanescent and diorrhoea. In the third stage, tumefaction of the muscles and neck, shoulders and arms, — acute pain there and in the worst cases, — Erysipalis of the face and scalp and oedema of the eyelids.

cars were crowded and he had to stand most of the day. The weather was cold and damp (during April), and when he arrived in Cleveland, his head was swollen nearly twice its natural size and he was quite dizzy and delirious. Saw him at his lodgings on the evening of his arrival. He was greatly prostrated and chilly. Ordered $2^1/_2$ grains of quinine every 2 hours and 20 drops of Tinct. Feni chlorid, in a tumbler of water every 4 hours, and the face and head to be painted every 4 hours with dilute Tinct. Iron. His bowels were quite costive, and urine scanty and high colored. Ordered congress water to be drank through the night when thirsty, and to take all the beef tea he could.

On examining the blood, found the spores and filaments of a fungus which on developing, proved to be the Penicillium quadrifidum (salisb.) described in the first case and figured at a, b, c, d and e. The following day he was very delirious and was determined to die; refusing to take medicines and food. By much persuading, we succeeded in getting him to continue treatment and diet. During the day the bowels moved and the head became somewhat clearer. The head was however enormously swollen and eyes perfectly closed. In about forty hours the swelling began slowly to subside and the delirium abated and strength improved. From this time improvement was gradual, but steady and in two weeks he was up and about. The Cuticle came off over the whole face, neck and head; the hair, whiskers, and eyebrows all fell out, and it was several months before they again came in and before the unnatural redness of the face and scalp passed away.

Infusorial Catarrh and Asthma.

Discovery of the cause of one Form of Hay Fever, Hay
Asthma, Catarrhal Fever etc.

By

J. H. Salisbury, B. N. S. A. M. M. D.

This is purely a parasitic disease, arising from a peculiar animalcular organism (Asthmatos ciliaris (Salisb.) armed upon one side with Cilia. This organism assumes a great variety of shapes and sizes, — during the different phases of its existence. In the same case, by watching carefully its development and metamorphoses under the microscope, it may be seen to transform it self into all the different forms represented in the figures from 1 to 17 II. Taf. I. The most usual shapes appear to be either spherical or oval; as seen in figures 1 to 8 II. Taf. I. These frequently send out a long proboscis, at the end of which is a dilated and elongated cilium, as represented at 14, 15, 16 and 17 II. Taf. I. This proboscis may be in the centre of the mass of cilia, as at 15 and 16, or at one side as at 14 and 17. It may be drawn in, leaving a nipple like elevation as at 10, or may disappear entirely, leaving the organism oval (8) or spherial (6). The proboscis often only partially disppears, or is only partially drawn in, while a constriction occurs in the form, as represented at 13 and 14. It may be simply a largely dilated cilium, as at 17 and 18 II. Taf. I.; — or the cell walls may go out forming a more or less sharp protuberance as at 15; or the walls may go still farther out forming a more or less fusiform organism as at 16. The cilia are simple extensions of the cell wall, are hollow and communicate with the cell cavity; and can be dilated and elongated at the pleasure of the animal. The parasite consists of a simple sac, — armed upon one side with cilia and inclosing one or more large nuclei, — and many smaller germules of varions sizes as seen in the figures.

The young are developed within the parent cell, and when mature
are discharged at the end of the organism opposite the cilia, as
seen at Fig. 18 II. Taf. I. The parent becomes quite large before deli-
very; and as the young one is discharged the parent cell becomes
shrunken and shrivelled for a time. The aperture soon however
closes, the rinkled shrivelled condition of the sac walls disappear
and the parent moves about again fresh, plump and lively as ever.

The cilia are in active motion during the greater part of the
life existence of the animal, and produce a most aggravating irritation of the mucous surfaces they infest. The young organisms 1,
2, 3, 4, 5 and 6, have a rolling, rocking vibrating motion, from
side to side, making abont one third of a revolution on the transverse axis at each oscillation. The more mature cells, either
vibrate slightly or have a tremulous motion, —, their cilia not
moving alltogether as at 5, — but vibrate in different directions.

Symptoms. After once obtaining a foothold on the mucous
surfaces of the air passages; they multiply rapidly. At first they
attack the mucous surfaces of the eye aud nose, producing sensa-
tiveness of the parts, which results in a free secretion of tears
and thin mucus, and in uncomfortable and often intense paroxysms
of sneezing. The organisms gradually travel from the nasal surfaces down into the fauces, larynx, tracheae, and larger and smaller bronchii. As soon as they reach the fauces there is a burning
heat and irritation in the parts, that excites severe coughing. This
tendency to cough constantly increases as they and the irritation
gradually travel farther and farther down the air passages. When
the larger bronchii are reached, a heavy hot, feverish pain is felt
in the parts they invade, accompanied by more or less flushes of
heat and fever. These symptoms ordinarily and very naturally,
suggest to the physician „Catarrhal Fever" under which head
this disease is usually placed, especially when occurring during the
winter and spring. This stage is accompanied by most intense
paroxysms of coughing, which are frequently long and most painful; especially in the morning.

If the parasite makes its way into the smaller bronchii and
air cells; asthmatic symptoms of a distressing character often
supervene, — and the sufferings already almost unendurable, are
much intensified.

The disease may continue for a long time, if the parasite is
not destroyed; though after a period longer or shorter, — accord-

ing to the temperament and constitution and state of health of
the patient; the irritation assumes a chronic form and the sufferings gradually grow less and less till they disappear. In irritable sensative constitutions, — the irritation in the fauces, larynx,
pharynx and bronchii — become so great that the parts spasmo-
dically close in attempts to swallow, — or to inhale air charged
with anything which excites the inflamed parts. I have no doubt
from what I have seen but that death may have occasionally
occurred in the acute stage of this disease, from spasms of the
pharynx and epiglottis.

Secretion. The cells of the mucus, first secreted from
the surfaces invaded, are large round mucous cells, not differing
materially from those in health. Soon however, they begin to be
shrunken and jagged and in a few days they asume, many of
them, — the appearance and characters of pus cells (muco-pus).
The amount of secretion discharged from the air passages at any
one time is small; yet the presence of this small quantity creates
so much irritation, that it is very difficult, — during the acute
stage of the attack, — to keep, for any length of time from
coughing and sneezing. The secretion is .thin, clear and watery
at first and small in quantity, — soon becoming thicker and more
turbid. The cough is short and somewhat painful and the invaded surfaces feel irritated, raw and hot. The cough raises but
a small quantity at each time, and relieves the irritation and itching but for a few moments.

Whenever the parasites are developing rapidly on the velum
palati, — most intense paroxysms of coughing are excited, which
are long and persistant and painful and sometimes are accompanied by severe spasms of the epiglottis. Often an irritation
and itching will be felt, on one side of the throat only, — exciting constant desire to cough. In such cases the irritation will
always be on the side on which the nasal passage is closed. Under such circumstances, inhaling remedies through the mouth very
often fails to check the coughing for but a few moments only.
By clearing the closed up nasal passage, and inhaling through it,
— the coughing and irritation is soon checked. The reason of
this is, — that the parasites are developing rapidly on the posterior surface of the wing of the palate on the side of the nasal
stoppage; and are constantly working down into the larynx and
pharynx on that side.

Asthmatic symptoms. When the parasites reach the smaller bronchii and air cells, — especially in irritable and sensative constitutions, — Asthmatic symptoms begin to show themselves, — and often become distressing and almost unendurable. Any excitement in the circulation aggravates the symptoms. The evening and night air always increase the sufferings.

Season of Invasion. This disease is much more common from July to November (in this Climate) —. than at any other season of the year, though it may occur at any season. When it occurs during the latter part of the summer and in early Autumn, it is usually called „Hay Fever" or Hay Asthma" and sometimes „Malarial Asthma" of which class it is one form only. During the winter it is freqently called „Catarrhal Fever"; and with very good reason; — as the disease is always accompanied with fever and chilly sensations. The face is usually flushed, head hot and pulse rapid, — especially during the acute stage. How long the disease would continue, if left to itself, I do not know, as I have never let a case run long without the use of remedies to destroy the cause.

Contagion. This disease belongs to those that may be transmitted from one individual to another; though the transmission is not very readily accomplished. In working very closely over about sixty cases of the disease, — examining the sputa under the microscope for many hours together in each instance; and in several severe attacks, devoting days to the examinations, — I have taken the disease but six times myself; and in two instances have transmitted it to my family. I have usually began to feel symptoms of the presence of the parasite in from 4 to 8 days after beginning to treat a case. In all of my late cases — I should state, — that I have taken the precaution to inhale, —, — a solution of crystalised carbolic acid, — $3^1/_1$ to the pint of water, every two or three hours; and to take 20 drops of Tinct. Feni — chlorid, in a tumbler of water 2 hours after each meal. This course has lately protected me from taking the disease.

Name of Disease. I have given to this disease the name that stands at the head of this paper. It has been given after carefully studying for over six years with great interest, the symptoms and peculiarities of the complaint. During that time I have treated about sixty cases of „Infusorial Catarrh and Asthma", and made over one hundred drawings of the parasite, — eighteen of which are given in the accompanying plate.

Treatment. All means ordinarily used for colds and coughs are worse than useless in this disease. While they tend to get the system out of order, — they do not retard the developement and progress of the cause. The only remedies that do any good, are such as either destroy or retard the growth and reproductiveness of the parasites.

Fortunately we have many agents belonging to this class; — among which are carbolic acid, Tinct. Feni-chlorid, quinia sulph, sulphuric acid, sulphurous acid, Nitric acid, Hydrochloric acid etc., all of which remedies should be in solution with sufficient water, so that they can be inhaled without producing irritation. The inhalations should be made freely and as often as every hour or two. In addition to inhaling; — give 2 grains of quinia sulph, every 4 hours and 20 drops of Tinct. Feni chlorid in a glass of water morning, noon and night.

It is surprising how much a single thorough inhalation, will relieve a suffering patient. If the sputa is examined before the first inhalation and then again after it, a remarkable difference will be observed in the condition of the parasites. Before inhalation, they are all in active motion, — after it, — if thoroughly done, — they will nearly all be found either dead or motionless. Occasionally one will be seen that has either not been reached at all, — or has not received a sufficient dose to destroy life. As they develope in the follicles, as well as on the plain surfaces of the air passages, it will be seen that frequent inhalations must be resorted to, or, the parasites will soon again be as numerous as ever. By keeping up the inhaling at short intervals, and inhaling thoroughly; the parasites have no chance to get very numerous; and soon the follicles become permeated with the inhaled materials and the cause is entirely destroyed. The sufferings of the patient, are much relieved, or almost disappear in a short time after entering thoroughly upon the treatment. In fact after they are almost entirely gone in a few minutes after taking the first inhalation. This shows conclusively that the parasite is the cause of the disease.

Asthmatos Ciliaris (Salisbury). I have taken the liberty to give this little parasite a name, — which perhaps a more extended acquaintance may deprive it of. It may be found to be one of the many forms that are already described, — that inhabit stagnant and running waters, — and under certain conditions, — fermenting organic matter. The name Asthmatos ciliaris, here suggested will however answer present purposes. The generic title is indicative of one form of disease it causes, when it attacks the human system; while its specific name is suggested from the cilia with which it is armed. The figures from 1 to 18, represent the different forms and shaper the parasite assumes during the different phases of its existence. They are magnified from 300 to 500 diameters.

Fig. 18 represents the mode in which the parasite reproduces and discharges its young. The young animal grows within the parent cell and when mature is discharged at the posterior part of the organism. In figs. 7, 8, 14, 15, 16 and 17 are seen the young cell developing inside the parent cell. As the young is discharged the parent cell contracts and becomes corrugated and wrinkled and rough outside, as represented in Fig. 18. After the young is discharged, the parent soon begins to assume a more plump appearance, — the opening closes up, the wrinkled, shrivelled condition passes away, the cilia become active and the organism soon assumes the freshness, activity and vigor it had previous to parturition.

Beiträge zur Kenntniss der Pilzeinwanderung auf die menschliche Haut.

Von

Dr. **Gustav Weisflog** in Altstetten bei Zürich.

III. Artikel.

Das Ekzem.

Trotz des begründeten Vorwurfs, welchen man der alten Willan'schen Schule gemacht hat: die Hautkrankheiten nur nach den ersten Erscheinungen ihres Auftretens, nicht nach ihrem Gesammtverlauf aufzufassen, war dieselbe doch so gross in der Einheit ihrer Beobachtungen, dass die spätern Schulen in vielen Beziehungen hinter ihr zurückstehen. Dies tritt ganz besonders beim Ekzem hervor. Ekzem ist nun zwar ein Begriff, der in der Dermatologie noch durchaus nicht feststeht, denn das Ekzem Willan's war ein viel beschränkterer Symptomenkomplex als das der heutigen englischen und französischen Dermatologen und das Ekzem der letzteren ist wiederum ein beschränkteres als das unserer deutschen Schule. Da man indessen in Bezug auf einige Irrthümer Willan's einig ist, nämlich dass die Porrigo larvalis (s. Crusta lactea Auct., s. Impetigo facili, s. Melitagra flavescens Alib.), die Porrigo favosa und die Porrigo furfurans keine besonderen Krankheitsarten darstellen, so wird unter Berücksichtigung des Umstandes, dass die heutigen Engländer und Franzosen die beiden erstgenannten Porrigoformen zur Pustelflechte (Impetigo), die letzteren dagegen theils zum Lichen und theils zur Pityriasis rechnen (Rayer), während Hebra[1]) alle drei noch ins Ekzem

---

1) Das Hebra'sche Ekzem umfasst sonach das Ekzem und die Impetigo der heutigen Engländer und Franzosen, sowie vom Lichen und der Pityriasis derselben alle jene Formen, welche in ihrem Verlaufe noch andere Erscheinungen als Papel- und beziehungsweise Schuppenbildung zeigen. So gehört z. B. der Lichen eczemateux Devergie desshalb zum Ecz. (papulatum) Hebra's, weil sich die Papel später in ein Bläschen umformt.

hineinzieht, der Begriff des letzteren für uns zwar nicht in seiner schärfsten Umgrenzung, wohl aber seinem allgemeinsten Wesen nach ein hinreichend fester.

Es ist nun in hohem Grade bezeichnend, dass wir schon bei Bateman[2]) in Bezug auf die Kopfschuppe folgende Bemerkung finden: „Vernachlässigt man das Uebel, so kann es endlich in Porrigo ausarten." Unter den Porrigoformen, welche für die Willan'sche Schule durchaus kontagiose Leiden darstellten, befindet sich aber zunächst die eben erwähnte Porrigo furfurans, d. h. die Pityriasis alba capitis in solch hohem Grade ihrer Entwickelung, „dass bereits aus zahlreichen kleinen, auf exkoriirten Flächen befindlichen Poren sich eine ichoröse Flüssigkeit ergiesst!" — und an sie reiht sich die Porrigo favosa an, welche „mit grossen, weichen, strohfarbigen Pusteln beginnt, die eine klebrige, nach und nach zu einem grünlichen oder gelblichen, halbdurchsichtigen Grinde gerinnende Materie enthalten und auf dem Kopfe, im Gesichte und überhaupt am ganzen Körper auftreten können."

Man ersieht hieraus unschwer, dass Willan und sein Schüler Bateman einerseits die Möglichkeit der Entstehung des Ekzems (im Sinne Hebra's) aus der Pityriasis alba und andererseits die Uebertragbarkeit gewisser Formen desselben schon kannten. Ja noch mehr; selbst die Zusammengehörigkeit der heute als Mykosen anerkannten Leiden mit der Porrigo decalvans und dem Ekzem war ihnen wahrscheinlich, denn Batemann[3]) bemerkt zur genannten Porrigoform: „Man sah dieses Uebel in einem oder zwei Fällen in einer grossen Versammlung verhindern, unter denen die andern Formen von Porrigo herrschten", was nach dem Vorausgeschickten nichts Anderes heissen kann, als dass man jene Porrigoformen, welche wir heute als Mykosen betrachten, u. A. zugleich neben Ekzemen des Haarbodens gesehen hat[4]).

Leider wurden alle diese Beobachtungen Willan's und

---

2) Bateman a. a. O. S. 60.

3) Bateman a. a. O. S. 209.

4) Dies erlaubt mir, hier zugleich auf den im II. Artikel S. 154 erwähnten Fall hinzuweisen, bei welchem sich ein Porrigo decalvans neben einer eigenthümlichen Form des Ekzems befand, — ich habe sie dort der Analogie mit dem Herpes tonsurans halber Herpes chronicus und Eczema herpetiforme genannt.

B a t e m a n ' s von ihren zeitgenössischen und spätern Kollegen mit
Vergessenheit bedeckt; das Bestreben, ein besseres S y s t e m , eine
rationellere K l a s s i f i k a t i o n , und eine pathologisch-anatomische
B a s i s für dieselbe zu finden, absorbirte so sehr ihre ganze Aufmerksamkeit, dass ihnen nicht nur der „v e r g l e i c h e n d e B l i c k"
zum grossen Theile verloren ging, sondern auch jede neue Wahr-
nehmung welche „e i n e n R i s s i n d a s m i t M ü h e a u f g e b a u t e
n e u e S y s t e m" zu bringen drohte, entweder todtgeschwiegen oder
als unrichtig bekämpft wurde.

Nur D e v e r g i e wagte es noch einmal, für die Kontagiosität
gewisser Hautkrankheiten in die Schranken zu treten. Er hielt
den Lichen Simplex, der durch seinen Lichen eczemateux den
Uebergang zum Ekzem bildet, sowie die Impetigo für e n t -
s c h i e d e n ü b e r t r a g b a r e Hautkrankheiten und widmet namentlich der letzteren in seinem Werke eine weitläufige Beweisführung[5]).

In der neuern Zeit, welche in mehr als einer Beziehung wieder an W i l l a n anknüpfen muss, hat zunächst T i l b u r y F o x die
Uebertragbarkeit der Impetigo wieder aus ihrem Grabe hervor-
geholt, indem er entschieden eine Impetigo contagiosa aufstellte.
Leider folgt dieser berühmte englische Dermatolog dem Zuge aller
derer, welche den B e w e i s d a f ü r s c h u l d i g b l e i b e n , dass sie
von der Untersuchungsmethode auf pflanzliche Parasiten Etwas
verstehen und folgerichtig zu einem Urtheile in Sachen berechtigt
sind. Er spricht sich namentlich entschieden gegen die Möglichkeit aus, dass die Impetigo m y k o s e r N a t u r sei!

Nach F o x war es der e r s t e A r t i k e l meiner „Beiträge"[6]),
welcher, die Beobachtungen über die Kontagiosität der Impetigo
zusammenstellend, zugleich — freilich auf dem indirekten Wege
der Hefebildung — den Beweis führte, d a s s u. A. n i c h t n u r d i e
I m p e t i g o , s o n d e r n a u c h d a s E k z e m e i n e M y k o s e u n d
d a r u m a l s k o n s t i t u t i o n e l l e H a u t k r a n k h e i t z u s t r e i c h e n
sei. Ich wies dabei sogar nach, dass die in den Borken der Im-
petigo enthaltenen Pilzelemente an Lebensfähigkeit abnehmen, je
mehr sie sich in ihrer Lage der mit dem Körper in Berührung
gewesenen Fläche nähern und hielt diesen Uebergang für bedingt
durch die Gährung, welche sie im pathologischen Produkte hervor-
bringen[7]).

---

5) D e v e r g i e a. a. O. S. 339.
6) Erschienen im Mai 1870.
7) Heute ist mir freilich die durch die Borke bewirkte Abschliessung der

Im letzten Jahre war M o r i t z K o h n noch glücklicher als ich, da er in den Impetigobläschen sogar M y z e l m i t H y p h e n u n d F r u c h t b i l d u n g fand. Zwar scheint K o h n, weil er eine Impetigo parasitica aufgestellt wissen will, der Meinung zu sein, dass es n e b e n und a u s s e r derselben auch noch eine Impetigo n o n p a r a - sitica gebe, allein von diesem Irrthume, welcher dem aufmerksamen Leser seiner Arbeiten freilich vielmehr als eine schonende Koncession an die Nichtmykologen der Wiener dermatologischen Schule erscheint, wird sich K o h n bald genug befreien.

Ungeachtet der Missachtung, welche meine Arbeiten von Seiten der Kritiker des „Archivs für Dermatologie und Syphilis" erfahren haben und ungeachtet dieselben Kritiker auch K o h n' s Arbeiten mit ihrer blosen „U n g l ä u b i g k e i t" entkräften zu können meinen, darf es in Folge der vorliegenden positiven Untersuchungsresultate als eine für die Wissenschaft ausgemachte Sache angesehen werden:

d i e I m p e t i g o i s t e i n e M y k o s e.

Therapeutisch wird diese Thatsache dadurch gestützt, dass eine j e d e I m p e t i g o ohne alle innerliche Medikation und durch b l o s e A n w e n d u n g p i l z t ö d t e n d e r S t o f f e i n s e h r k u r z e r Z e i t heilt, bei Anwendung anderer Mittel aber einer unbestimmt langen Zeit bedarf, um ihr — natürlich in diesem Falle s p o n - t a n e s — Ende zu finden [8]).

Pilzelemente von der atmosphärischen Luft ein ebenso wahrscheinlicher Grund für die Selbsttheilung der Impetigo.

8) In der dermatologischen Privatpraxis bieten sich selten Fälle dar, welche in therapeutischer Beziehung als Beweise angeführt werden können, weil man die Kranken nicht fortwährend unter den Augen hat. Indessen steht mir aus meiner eigenen Familie ein solcher zu Gebote. Mein Kind Hanna, das in Frauenfeld erzogen wird und damals 7 Jahre alt war, bekam eine Impetigo am Kinn und wurde von Herrn Bezirksarzt Dr R e i f f e r daselbst behandelt, — ein Arzt, der mit Recht zu den besten der Schweiz gezählt wird. Da nach H e b r a' s Ansicht die Impetigo zum Ekzem gehört und das Ekzem durch V e r s e i f u n g d e r k r a n k e n O b e r f l ä c h e sehr häufig heilt, wurden mehrere Wochen hindurch diese Schmierseifenpflaster aufgelegt; gleichwohl nahm das Uebel nicht ab und als mich das Kind besuchte, bestand d a s g a n z e K i n n i n e i n e r e i n z i g e n s e z e r n i r e n d e n F l ä c h e, welche sich durch peripherische Bläschenbildung noch weiter auszudehnen drohte. Ich bedeckte die kranke Stelle mit Ungt. Hydrarg. oxydul. nitr. und am s i e b e n t e n T a g e kehrte das Kind v o l l s t ä n d i g g e h e i l t zurück. Bei jüngeren Kindern geht der Heilprocess allerdings langsamer, da eine energische Behandlung die Entzündungserscheinungen erhöht.

Sonach kann es sich jetzt nur noch fragen, wie sich nach
Ausscheidung der Impetigo vom Ekzem der verbleibende Rest des
letzteren verhält.

Bevor ich auf diese Frage näher eintrete, muss ich einige
Umstände erwähnen, welche zwar jedem Dermatologen bekannt
sind, deren Zusammenstellung mir aber die Beweisführung bedeutend erleichtern wird.

Hebra lehrt in seinem Werke — und es ist dies jedenfalls
eines seiner bedeutendsten Verdienste um unsere Wissenschaft —
dass es zur Heilung des Ekzems keiner.innerlichen Behandlung bedarf[9]). Diese Lehre ist eine absolut richtige, sie hat
darum auch noch nie von einem deutschen Dermatologen einen
Widerspruch erfahren. Für physiologisch denkende Aerzte
kann nun aber hieraus gar kein anderer Schluss abgeleitet werden
als der:
das Ekzem ist keine konstitutionelle Hautkrankheit.
Wenn es gleichwohl Dermatologen giebt, welche an der konstitu-
tionellen Natur des Ekzems festhalten, so lässt sich dieser Standpunkt von uns natürlich nicht diskutiren; wir können in Bezug
auf sie nur sagen, dass die Meinung, eine mit Schmierseifenab-
reibungen heilbare Krankheit könne auf inneren Bedingungen
beruhen, für uns genau auf derselben wissenschaftlichen Höhe
steht, wie die vieler unserer Landleute, welche gewisse innere
Krankheiten durch das Umhängen von Kräutersäckchen zu heilen
behaupten.

Ausserdem hat Hebra in meisterhafter Weise den Nachweis
geliefert, dass die Impetigo und das Ekzem weder bei ihrem Auftreten noch zu irgend einer Zeit ihres Verlaufes so wesentlich von
einander unterschieden seien, dass sie sich als Sonderarten in
der Dermotologie aufrecht erhalten lassen [10]); darum eben hat er
die Impetigo mit dem Ekzem vereinigt. Diese Thatsache sollte
allein schon in den Augen aller derer, welche die Untersuchungen
über die Einwanderung der Pilze auf den menschlichen Körper
unparteiisch verfolgen, ein deutlicher Fingerzeig sein, denn wenn
die Impetigo eine Mykose und nach dem Zeugnisse unseres grössten Meisters in der Dermatologie von dem Ekzem in ihrem Verlaufe nicht unterscheidbar ist, so zwingt dies doch gewiss einen

9) Hebra a. a. O. I. 391.
10) Hebra a. a. O. I. 566.

Jeden, der eines logischen Gedankens fähig ist, zu dem Schlusse: auch das Ekzem ist sehr wahrscheinlich eine Mykose.

Um freilich den Beweis ganz und in positiver Weise zu erstellen, stösst man auf einige bisher unangefochten gebliebene Forderungen, deren Erfüllung verlangt wird, bevor man jenen Beweis als vollständig geleistet anerkennt. Diese Forderungen sind folgende:

„Jede mykose Hautkrankheit muss auf Gesunde künstlich übertragen werden können;"

„Die durch Kultur aus einer mykosen Hautkrankheit erlangte Pilzspezies muss durch künstliche Uebertragung auf Gesunde dieselbe Hautkrankheit ergeben."

Diese Forderungen sind entweder nur ganz zufällig oder gar nicht erfüllbar, weil sie auf der vollständig irrigen Voraussetzung beruhen, dass die Pilze bei allen Personen den gleichen Grad der Disponibilität zu denselben Hautkrankheiten vorfinden.

Ueberpflanzt man nämlich von Favus, Herpes tonsurans, von der Sykoss, Pityriasis versicolor u. s. w. die Träger der Pilzelemente auf Gesunde, so erhält man theils gar kein Resultat, theils entspricht dasselbe einer andern, als der Krankheit, welche man überpflanzen will; wenn man aber ein Resultat erlangt, welches der gewollten Krankheit ähnlich zu sein scheint, so behält die künstlich geschaffene Affektion immer die Tendenz, von selbst und ohne alle Kunsthülfe wieder abzuheilen, sobald man die Haut nicht mehr beeinflusst, so dass also, da den natürlichen Mykosen diese Tendenz nicht innewohnt, selbst in den gelungensten Uebertragungsversuchen die ursprüngliche Affektion nicht erreicht wird.

In meinen zahllosen Ueberpflanzungsversuchen habe ich vom Favus öfter eine blose stark juckende Röthung der Haut mit nachfolgender Abschuppung, sehr häufig einige Ekzembläschen und in andern, sowohl früheren als späteren Versuchen nur jene gelben Flecken erlangt, welche im I. Artikel S. 167 erwähnt worden sind; letzteres Resultat wird auch von Bazin berichtet.

Mit Schuppen und Haaren vom Herpes tonsurans habe ich bei Erwachsenen nie ein Ueberpflanzungsresultat erzielt, dagegen gelang von 12 Versuchen, die ich an meinen Kindern anstellte, einer und zwar insofern, als er ein winziges Bläschen mit blassem Hofe erzeugte, welch letzterer mit einer tiefer gerötheten Linie vom Ge-

sunden abgeschnitten war, — also ein Bild, welches das Initialstadium der Herpes circinnatus darstellte.

Etwas besser gelingt die Ueberpflanzung der Sykosis, denn
hier schlagen die Versuche viel seltener fehl; allein was man erlangt, sind doch auch nur Ekzembläschen, welche bald wieder
abheilen, sich aber durch ihr unmässiges Beissen und Brennen
vorher in hohem Grade lästig machen.

Und mit diesen Versuchen stimmt die Beobachtung der natürlichen Mykosen durchaus überein. Ich habe im I. Artikel (S. 167)
eines Favus-Kranken erwähnt, welcher seit 2 Jahren in einer Pen-
sion untergebracht war, in welcher sich noch 20 andere Zöglinge
befanden, ohne dass einer der letzteren angesteckt worden wäre.
Seit dieser Zeit sind mir noch einige Favuskranke unter die Hände
gekommen, welche in Familien, bezüglich in Häusern erzogen werden, in denen ein zahlreicher Kindersegen vorhanden ist, ohne dass
durch diese seit 4—6 Jahren bestehenden Leiden noch ein anderes
Kind mit Favus [11]) angesteckt worden wäre. Auch Das ist bemerkenswerth, dass bei allen diesen Favuskranken das Leiden auf
dem Kopfe lokalisirt geblieben ist, während bekanntlich diese Affektion sich auch an haarlosen Stellen festsetzen kann. Solchen
Thatsachen kann das Gewicht direkter Beweise nicht abgesprochen
werden; wenn daher Jahre lang auf die übrigen Körpertheile der
Kranken selbst, wie auf ihre gesammte gesunde Umgebung, sowohl
durch die Verstäubung der Favusnester, wie durch die Ubiquität
der Pilzsporen, tagtäglich „natürliche Uebertragungsversuche" stattgefunden haben und dennoch immer resultatlos blieben, so ist der Schluss ein vollständig berechtigter, „dass die
Einwanderung der Pilze auf die Haut eine — wahrscheinlich anatomisch vermittelte — Disposition voraussetzt, welche
nicht allen Menschen eigen ist, und selbst bei diesen Men-

---

11) Ich sage ausdrücklich mit Favus, denn in einer Familie entstanden
bei allen Kindern und selbst bei der Mutter Ekzeme auf dem Kopfhaarboden. — Zur Zeit der Korrektur dieser Arbeit habe ich einen Fall von
Herpes tonsurans squam in Behandlung. Der Patient ist ein Knabe, gehört
einer Familie an, die noch sechs grössere und kleinere Kinder hat, alle diese
Kinder werden mit demselben Kamme gekämmt, das Leiden besteht
seit 1½ Jahren — und doch sind alle Geschwister frei von demselben. Ich
habe es deshalb sehr begriffen, dass die Mutter des Knaben mich ungläu-
big anlächelte, als ich ihr mittheilte, dass ihr Sohn mit einer ansteckenden Hautkrankheit behaftet sei!

schen nur auf bestimmte Körperregionen beschränkt
sein kann." Aus dieser Konsequenz, die übrigens den stillschwei-
gend eingenommenen Standpunkt wohl aller Dermatologen bezeichnet, folgt aber mit Nothwendigkeit sofort die weitere: „Sobald bei
irgend einem Menschen die natürliche Disposition vorhanden ist,
den sich auf seiner Haut niederlassenden Pilzen die Ansiedelung
zu gestatten, muss die Ubiquität der Pilze in den weitaus meisten
Fällen die Infektion der Haut unerwartet einer Uebertragung
von Person zu Person oder einer künstlichen Ueberpflanzung vermitteln," — oder einfacher gesagt: „alle Ueberpflanzungsversuche
werden bei den Disponirten in der Regel zu spät kommen und
bei den nicht Disponirten müssen sie selbstverständlich verun-
glücken.

Weiter ist aber das Vorhandensein anatomisch verschieden
lokalisirter Pilzkrankheiten einerseits und das Nebeneinan-
dervorkommen derselben andererseits ein Beweis für den Umstand, dass die Disposition der Haut selbst wieder sich — ich
möchte sagen graduell — verschieden verhalten kann. Während
z. B. die Pityriasis versicolor sich stets nur auf die oberste Lage
der Epidermiszellen beschränkt und die Pilze hier nie weder in
die Haarfollikel noch in die Talgdrüsen herabsteigen, kann man
Patienten finden, welche zugleich an einer Sykosis oder an einer
dieser Krankheit entsprechenden Affektion im Gebiete der Achsel-
höhlen leiden. Hebra hat, wie Kohn berichtet [12] neben Pityriasis versicolor dem Herpes circinnatus ähnliche Zustände auftreten sehen. Der Herpes circinnatus wurde bekanntlich von
Cazenave bei denjenigen Kranken gefunden, an welchen er
zuerst den Herpes tonsurans beobachtete; ich selbst habe kürzlich
drei Kameraden behandelt, von welchen zwei an Herpes tonsurans,
der dritte aber nur an Herpes circinnatus der Vorderarme und
der Handrücken litt. Kohn sah, wie sich Herpes circinnatus aus
Herpes iris und letztere Affektion aus Erythema papulatum entwickelte. Ich selbst habe zwei Fälle von Erythema papulatum
beobachtet, von denen der eine in bleibende, fortwährend juckende,
warzenartige Gebilde, der andere in ein deutlich ausgesprochenes
Ekzem überging. Sogar mit Acne setzt sich der Herpes circinnatus
in Verbindung, denn ich habe vor gar nicht langer Zeit einen
Patienten behandelt, bei welchem das Leiden sich im Gesicht, am

---

12) Archiv f. Dermat. 1871. S. 386.

Halse, auf Brust und Rücken ausbreitete und an einzelnen Stellen deutlich ausgesprochene, Thalerstück grosse Kreise des Herpes circinnatus bildete. Uebrigens stellt auch bei den an Herpes tonsurans Leidenden die Affektion, wenn sie auf unbehaarte Hautstellen übergeht, keineswegs immer einen Herpes circinnatus dar, sondern sie kann bei einer hochrothen, knotenartigen Erhebung stehen bleiben, welche der Acne sehr ähnlich ist, — mit dem Unterschiede freilich, dass sich aus ihr in keinem Stadium ihres Verlaufes wurmförmige Massen ausdrücken lassen, was übrigens auch nicht bei jedem Acneknoten möglich ist. Betrachten wir ferner die den Favus und Herpes tonsurans begleitenden Zustände des scheinbar noch gesunden Haarbodens, so finden wir immer kleine gelbliche, das Haar an seiner Basis umgebende Schüppchen, welche sich in Aether mit Hinterlassung von Epidermisschollen und weniger Pilzelemente auflösen; aus der Lösung schiessen Margarinkrystalle an. Diese Zustände finden sich als Initialstadium der Seborrhöe wieder und hier geht ihnen, soweit ich bis jetzt mit meinen Forschungen nachkommen konnte, ausnahmslos eine Pityriasis alba capitis voran. Die Seborrhöe führt aber bei Kindern sehr gewöhnlich zum impetiginosen Ekzem des Haarbodens, von dem es sich dann auf die übrigen Körperregionen ausbreitet; bei Erwachsenen ist dieser Ausgang seltener, häufiger dagegen kommt jener vor, den auch die Pityriasis alba capitis zeigt: zerstreutes Ausfallen der Haare, welches in seiner Fortsetzung haarlose Stellen jeder beliebigen Form zu Stande bringen kann und die Ursache jeder Glatze ist[13]). Wie ich im II. Artikel

---

13) Wenn man das Ausfallen der Haare auf Nervenaffektion, auf Senilität oder auf überstandene Krankheiten zurückführt, so sind dies einfach Suppositionen und nichts weiter. Besonders leicht erklärlich ist das Ausfallen der Haare nach schweren Krankheiten, in welchen eine vorherbestandene Pityriasis durch Schweisse und den Mangel aller Reinigung des Haarbodens die beste aller Gelegenheiten zur Wucherung findet. Ich habe gerade in diesem Augenblicke eine Dame in Behandlung, welche seit 3 Wochen in Zürich angekommen ist und sich vorher in Brüssel befand, wo sie bis 1 Monat vor ihrer Abreise — wie es scheint — an einer Unterleibsentzündung litt. Unmittelbar nach der Krankheit gingen die Haare nicht aus, allein sobald sie in Zürich ankam, begann das Defluvium so massenhaft, dass ich die bis jetzt verlorenen Haare, welche äusserst lang sind, auf 400 Gramm schätze. Der Kopf ist nur noch von wenigen Haaren bedeckt, und ganze Strecken sind vollständig haarlos. Auf dem Kopfhaarboden war seit Langem eine mit allem Bürsten nicht zu vermindernde Schuppenbildung vorhanden gewesen; seit Kurzem zeigten sich sehr vereinzelte Ekzembläschen. Der offenbar geschwellte Haarboden

gezeigt habe, gehört hierher auch die Porrigo decalvans. Von der Pityriasis alba aus gelangt man wieder zur Acne und zwar so regelmässig, dass sich wohl selten ein Patient findet, bei welchem sie sich nicht nachweisen lässt; zuweilen giebt es sogar einzelne Knoten auf dem Haarboden selbst. Kürzlich sah ich eine an Pityriasis alba capitis leidende Frau, bei welcher das Leiden sich nach dem Nacken herunter ausbreitete, auf dem unbehaarten Boden aber eine infiltrirte, stark geröthete, trockene und mit Schuppen bedeckte Fläche bildete. Einen sehr ähnlichen Fall hatte ich schon früher gesehen, bei welchem sich das Leiden in derselben Weise nach der Stirn herab ausdehnte und nach massenhafter Bläschenbildung ein Eczema madidans darstellte.

Hebra's Versuche über Entstehung der Pustel geben für die graduelle Verschiedenheit in der Disposition der Haut zur Erkrankung durch Pilze einen plausiblen Aufschluss. Bekanntlich fand Hebra, dass die Krankheitszustände der Haut, vom Erythem bis zur Pustel hinauf, von der Tiefeneinwirkung des angewandten Reizes abhängen. Es ist darum als wahrscheinlich anzunehmen, dass die erwähnte graduelle Verschiedenheit der Disposition auf einer graduellen Verschiedenheit der in der Haut liegenden Widerstände gegen die Tiefenausbreitung der Pilze selbst und der von ihnen ausgeübten Reize beruht, — Widerstände, die offenbar gar keine andere, als anatomisch vermittelte sein können.

Jedoch nicht blos graduell ist die Disposition zur Pilzansiedelung auf dem menschlichen Körper verschieden, sondern auch zeitlich. Ich habe im ersten Artikel [14]) mehrfach darauf hingewiesen, wie der Beginn mancher Affectionen der heissen Sommerzeit angehört; die zu dieser Zeit vom Schweisse durchfeuchtete Haut bietet, wenn überhaupt die Möglichkeit zu einem Angriffe vorhanden ist, eine ganz besonders günstige Gelegenheit zur bleibenden Niederlassung der Pilze; eigenthümlich bleibt dabei der

---

war im höchsten Grade empfindlich; Kopfschmerzen, Jucken und Brennen plagten die Patientin. Diese Zustände hatten sich nicht vermindert, ungeachtet man fortwährend die von Pincus empfohlenen Waschungen mit kohlensaurem Natron sehr regelmässig angewendet. Als ich die ausgefallenen Haare untersuchte, fanden sich sehr viele, die über dem Bulbus noch das basale Schüppchen trugen; Haare und Schüppchen waren mit massenhaftem Mikrococcus bedeckt.

14) S. 198.

Umstand, dass alle Sommer-Affektionen das Gemeinschaftliche besitzen: nur oberflächliche Leiden der Haut darzustellen (Pityriasis alba et versicolor, Lichen und Eczema lichenodes, Erythema annulare und multiforme mit seinen Uebergängen durch das Erythema papulatum zum Eczema papulatum u. s. w.). Der feuchten Herbst- und mehr noch der feuchten Frühlingszeit dagegen gehört namentlich der Beginn der impetiginosen Leiden an, ohne allerdings jene auszuschliessen, die man auch im Sommer beobachtet, während im eigentlichen Winter wahrscheinlich keine Anfänge von Pilzaffectionen vorkommen, wenigstens habe ich noch keine solchen gesehen. Es scheint daraus hervorzugehen, dass, wenn die Disposition zur Pilzansiedelung auf der Haut eine anatomisch vermittelte ist, die hygroscopische Eigenschaft der Haut überdies modificirend auf sie einwirkt.

Sind schon diese Gründe allein hinreichend, die Forderung, dass man den Nachweis der mykosen Natur einer Hautkrankheit durch künstliche Ueberpflanzung derselben auf Gesunde führe, als eine durchaus unwissenschaftliche hinzustellen, und zwar unwissenschaftlich darum, weil in Sachen der Wissenschaft die Beweisführung nicht an Bedingungen geknüpft werden kann, deren Beherrschung vollständig im Bereiche des Zufälligen und folglich ausserhalb der Macht des Forschers liegen, so leidet sie auch noch an der Voraussetzung von Irrthümern anderer Art.

Einmal nämlich leuchtet es ein, dass, wenn die Ueberpflanzungsversuche von einem Pilz-Kranken auf Gesunde gelingen sollen und müssen, um den ersteren wirklich als pilzkrank anzuerkennen, obgleich eben diese Gesunden durch die Ubiquität der Pilze fortwährend den natürlichen Einwanderungsversuchen ausgesetzt gewesen sind, ohne krank geworden zu sein, eine künstliche Uebertragung nur dann gelingen kann, wenn die in den pathologischen Produkten der Mykosen enthaltenen Pilze eine besondere, namentlich aber grössere Infektionsfähigkeit besitzen. Dieser Schluss ist gewiss ganz unanfechtbar, seinen Inhalt aber bildet eine Absurdität!

Andererseits setzen die Ueberpflanzungsversuche voraus, dass die pathologischen Produkte stets nur den im einzelnen Falle krankmachenden Pilz enthalten. Dies ist bei der Ubiquität der Pilze gar nicht möglich und namentlich die Borken, welche durch Gerinnung flüssiger Sekrete entstehen, werden und müssen häufig Pilze der verschiedensten Art einschliessen. Dass dies so ist, kann Jeder feststellen, der sich viel mit Kulturversuchen abgiebt. Freilich wird in t o t a l e r V e r k e n n u n g des sehr natürlichen Zusammenhangs dieser Verhältnisse jede Kultur, welche mehrere Pilze ergiebt, gewöhnlich als u n r e i n taxirt, was aber natürlich die Thatsache als solche gar nicht ändert. Wie nun aber, wenn sich in den pathologischen Produkten Sporen von mehreren Pilzen befinden, deren Einwanderung sämmtlich möglich ist? Wie soll, selbst die Empfänglichkeit der Versuchsperson vorausgesetzt, nun g e r a d e d i e Hautkrankheit entstehen, welche man übertragen will?

Alle die Einwände, welche sich gegen die Forderung kehren, dass die mykose Natur von Hautkrankheiten durch gelungene Ueberpflanzungsversuche von Kranken auf Gesunde erwiesen werden soll, gelten natürlich auch gegen die andere Forderung, dass, um die Aechtheit und Reinheit einer Kultur aus pathologischen Produkten einer Mykose darzuthan, die Rückübertragung auf Gesunde ausführbar sein müsse.

Es erwächst nun aber die Frage, durch welche a n d e r e u n t r ü g l i c h e M e r k m a l e die Beweisführung für die mykose Natur einer Hautkrankheit geliefert werden kann? Bei Untersuchung derselben muss man die natürlich gegebenen Verhältnisse streng im Auge behalten. Diese erscheinen in der Thatsache, dass sich fortwährend durch die Ubiquität der Pilze f o r t p f l a n z u n g s f ä h i g e E l e m e t e auf die menschliche Haut niederlassen und trotzdem doch nur verhältnissmässig Wenige von ihnen affizirt werden. Hiermit korrelativ ist die weitere Thatsache, dass auf der Haut absolut Gesunder entweder g a r k e i n e, oder, als Ausnahmen, n u r s e h r v e r e i n z e l t e P i l z e l e m e n t e gefunden werden, die dann immer nur eine e i n f a c h e A u f l a g e r u n g darstellen, in die Epidermiszellen selbst n i c h t e i n d r i n g e n, und sich nie in irgend einem Z u s t a n d e d e r V e r m e h r u n g befinden.

Hieraus geht hervor, dass, wenn sich Pilze auf der Haut niederlassen, o h n e eine Affektion zu erzeugen, dieselben auf ihr offenbar n i c h t h a f t e n, folglich auch in keinen der verschiedenen Zustände eintreten können, welche ihre V e r m e h r u n g voraussetzt und vom Begriffe der Ansiedelung ganz unzertrennlich sind. Umgekehrt muss j e d e r U e b e r g a n g i n e i n e n Z u s t a n d d e r V e r m e h r u n g, da diese immer mit Verbrauch von Stoff verbunden ist, welchen nur der Boden der Niederlassung liefern kann,

eine Zersetzung desselben bewerkstelligen und insofern dieser
Nährboden Theil des lebendigen Organismus ist, muss diese Zersetzung als pathologischer Reiz nothwendig krankhafte Effekte
auslösen.

Solchemnach giebt es nur einen einzigen streng wissenschaftlichen Nachweis für die Natur einer .Dermato-Mykose, nämlich
die Aufzeigung der Pilze in den Zuständen ihrer Ver-
mehrung.auf der kranken Haut.

So logisch richtig diese Folgerung einem Jeden erscheinen
sollte, so wenig bilde ich mir ein, dass man ihr allseitig zustim-
men wird. Unsere heutige Zeit leidet in Bezug auf Pilzunter-
suchungen an einer Manie, in Folge welcher sich ein Jeder für
berechtigt hält, den andern mit Anmaassung und Grobheit zu re-
galiren, wenn er nicht „seine Methode", die natürlich „die
allein wissenschaftliche ist", befolgt, — eine Manie, welche
ganze Körperschaften [15]) gelehrter Schulen ergriffen hat, obgleich
es in hohem Grade zweifelhaft ist, ob auch nur ein einziges Glied

---

15) So hat beispielsweise auch die medizinische Fakultät in Zürich meiner
Untersuchungsmethode als unwissenschaftlich und die aus ihr gezogenen
Schlüsse als unbewiesen bezeichnet. Der Zufall hat gewollt, dass ich meine
Schlüsse mit denen eines Mitgliedes der medizinischen Fakultät auf die Waage
des praktischen Erfolgs legen konnte. Der Lichen simplex ist bekannt-
lich nach meinen Forschungen eine Mykose und bildet durch den Lichen ec-
zematodes Dev. den Uebergang zum eigentlichen Ekzem. Nun litt in den
ersten Monaten 1872 ein Herr an Lichen simplex, der sich über den ganzen
Körper ausdehnte und den Kranken durch Beissen und Jucken in hohem Grade
plagte. Da der Kranke „ein Mann von Stande" war, so wurde natürlich ein
„Professor" herbeigeholt; denn wer einmal Professor ist, gilt eo ipso für eine
Autorität — was Wunder, wenn diese Herren schliesslich selbst an ihre Un-
fehlbarkeit glauben und eifersüchtig an diesem Glauben festhalten! Der Herr
Professor verordnete Ruhe und Bäder, verschrieb auch eine Quantität innere
Medikamente. Schliesslich schien das Uebel zu bessern und der Kranke
ward nach 3 Wochen entlassen. Aber das Uebel war durchaus nicht geheilt,
sondern es hatte sich — wahrscheinlich ein Effekt der Bäder — nur der
Pruritus vermindert. Da eine „Sommität der Allopathie" den
Lichen nicht zu heilen vermocht hatte, wandte man sich jetzt an einen Winter-
thurer Homöopathen, der alle Woche einmal in Zürich sein Wesen treibt.
Allein die Homöopathie war ganz eben so erfolglos als die Allopathie. Schliesslich
hatte ich, der Bauerndoktor von Altstetten, die Ehre zum Kranken gerufen zu
werden. Ich behandelte den Lichen, als ein rein äusserliches Leiden
ohne alle innere Medikation und als Mykose nur mit Antiparasiticis: 3 Loth
Glycerat mit hydr. oxydul. nitr. hatte dem Uebel in wenigen Tagen ein Ende
gemacht.

derselben eine kritische Einsicht in diese Materie besitzt. Wenn man das Wort „Methode" fortwährend im Munde führt und ihr noch dazu die Qualifikation der Wissenschaftlichkeit vindizirt, so ist unleugbar die erste Bedingung die, dass die Methode aus dem Material einer vorurtheilsfreien Beobachtung des natürlichen Verhaltens der Dinge anfgebaut sei. Leider sind gerade die Methoden der ärgsten Pilzleugner in Sachen der Dermatologie, wenn sie sich nämlich überhaupt zu einer Methode bekennen, von nichts so sehr entfernt, als von der Kenntniss des natürlichen Verhaltens der Pilze. ——

Die Zustände der Vermehrung zerfallen nun für die Mykosen der menschlichen Haut in

I. den Ansatz von Myzelbildung, also den Beginn der eigentlichen Keimung

II. Hefebildung (Sprossung).

Die Keimung ist subepidermal zuerst von Moritz Kohn in den Impetigopusteln aufgefunden worden [16]); ich selbst habe sie trotz vielfachen Suchens nicht finden können. Damit will ich sie natürlich durchaus nicht in Zweifel ziehen, denn es giebt auf diesem Gebiete rein persönliche Geschicklichkeiten, deren Resultate man damit nicht bestreiten kann, dass man sie nicht selbst besitzt. Soviel steht indessen fest und geht selbst aus den Kohn'schen Arbeiten theilweise hervor, dass sogar bei denjenigen Mykosen, bei welchen sich die subepidermale Keimung findet, diese Art der Vermehrung der vorhandenen Parasiten nicht die einzige ist, habe ich doch bekanntlich beim Impetigo wie bei andern Mykosen das Vorhandensein der Pilze in der Hefeform längst vorher nachgewiesen.

Die Hefebildung, als zweite Art der Vermehrung auf der menschlichen Haut, ist an und für sich keineswegs ein vollständig durchsichtiger Vorgang. Ich habe den Ausdruck auch in allen meinen Arbeiten nur gebraucht, um anzudeuten, dass die Pilze als einzelne Zellenindividuen auftreten und bei ihrer Vermehrung durch Sprossung stets wieder selbständige Zellenindividuen erzeugen, die nur in ganz jugendlichem Zustande mit der Mutter zusammenhängen. Da die Hefebildung sonst nur ein Vor-

---

16) Prof. O. Wyss in Zürich hat mir vor einiger Zeit versichert, ein Haar von Sykosis zu besitzen, in dessen Kanal deutliche Bildung von Myzel mit Scheidewänden vorhanden sei.

gang ist, welcher an der in Flüssigkeiten untergetauchten
Pilzzelle beobachtet wird, so ist ein analoger Vorgang auf der
Haut, wo sich die gleichen Bedingungen auch nicht entfernt vorfinden, von vorn herein in hohem Grade auffällig und ich kann
meine Verwunderung nicht unterdrücken, dass er von den Mykologen von Fach nicht längst schon schärfer ins Auge gefasst worden ist. Am deutlichsten tritt die Hefebildung beim Favus hervor, dessen Nester aus zahllosen, in Fett, Schleim und Epidermisschollen eingeschlossenen grossen Zellen bestehen, ohne dass sich
Myzel oder Fruktifikationsorgane nachweisen lassen; wenn sich
Myzelien finden, so sind dies hier äusserst seltene Vorkommnisse,
keinesfalls aber werden sie zur Pflanze, welche die kolossalen
Zellenmassen zu liefern vermöchten. Das von Hallier berich-
tete Verhalten des Favushaares [17]) habe ich nie gesehen, obgleich ich gerade in diesem Augenblicke wieder einen exquisiten
Favus behandle und somit im Stande gewesen bin, vielfache Untersuchungen in dieser Richtung anzustellen. — Noch deutlicher tritt
der Vorgang nach der Depilation hervor. Die vollständig haar-
freie Fläche bildet eine Ekzemfläche, welche sich an Stelle der
Nester oft mit einer dünnen Kruste überzieht, in der sich zahllose Pilzelemente — aber jetzt nur noch in punktförmiger
Gestalt — eingeschlossen befinden; nach ihrer Abhebung schwitzt
der kranke Haarboden viele Serumtröpfchen aus, gerade so,
wie dies beim Ekzem geschieht. Ganz ähnlich ist das Verhalten der Pilze beim Herpes tonsurans; denn auch hier bleiben
die Zellen nur dann, wenn sie im Haarkanale auftreten, folglich
nicht aus einander fallen können, mit einander im Zusammenhange. Da die Erscheinung der Pilze im Haarkanal beim
Herpes tonsurans keineswegs regelmässig ist [18]) und sich die Pilze
in solchen Fällen nur zusammenhangslos an den Haaren und auf
den Epidermisschuppen befinden, so kehrt hier genau das Bild der
Favusschuppe wieder. Bekanntlich ist auch die Pityriasis versicolor
nichts weiter, als eine subepidermale Vermehrung der einzelnen
Zellengebilde, die zwar oft in Haufen neben einander liegen, dagegen niemals ein eigentliches Myzel bilden und noch weniger
kettenförmig zusammenhängen. Kehre ich jetzt zum Ekzem zurück, so finden sich hier die Pilz-

---

17) Diese Zeitschrift III. Bd. S. 225.
18) Vgl. meinen II. Artikel S. 141.

elemente nur in der Hefeform vor, und zwar sind dieselben nur höchst selten an frisch abgenommenen pathologischen Produkten sofort zur Anschauung zu bringen; es bedarf vielmehr dazu immer, dass das Produkt, möglichst verkleinert, mit frisch bereiteter Kalilauge einen oder mehrere Tage behandelt werde. Man findet dann die Epidermiszellen vom punktförmigen Mikrococcus aufwärts bis zur Zelle mit deutlichem Kern bedeckt, während zugleich viele freie Zellen in die umgebende Flüssigkeit ausgeschwärmt sind. An den Kernzellen hängt gar nicht selten ein punktförmiges Tochterzellchen und daraus, dass man auch mit der Mutter noch verbundene Tochterzellchen mit deutlicher Vacuole trifft, darf man schliessen, dass der letztere Zustand nur einer vorgeschritteneren Periode der Zellenvermehrung angehört. Aber selbst Das kommt vor, dass grösserer Mikrococcus, der noch keine Zellenhöhle erkennen lässt, schon ein kleines punktförmiges Tochterzellchen anhängen hat, so dass die Fähigkeit der Vermehrung selbst den Pilzelementen zuzukommen scheint, die sich unter dem Mikroskope noch nicht als ausgebildete Zellen erweisen [19]).

Dieses Verhalten der Pilzelemente beim Ekzem kann nicht auffallen, wenn man bedenkt, dass dasselbe sehr wahrscheinlich eine durch sehr verschiedene Pilze hervorgerufene Hauterkrankung ist. Meine Kulturen haben bis jetzt ausser der Pinselpflanze mit einfachen und verästelten Sporenketten die Taf. II Fig. 1—5 dargestellten Pilzpflanzen ergeben. Mit Ausnahme des Mucor Fig. 1, dessen Sporen gross sind und auf pathologischen Produkten sofort in die Augen fallen würden, sind die Sporen der Früchte der übrigen Pilze so vollständig „staubförmig" (also nicht zellig) und zugleich so wenig lichtbrechend, dass sie selbst auf dem Kulturgläschen übersehen werden würden, wenn nicht die zerflossene Kapsel darauf aufmerksam machte. Aber auch die Sporen des Mucor Fig. 1 gehen noch dieselbe Wandlung ein, sobald sie in einen dicken Wassertropfen kommen. Da sie hier nicht keimen, lössen sich die Sporenmembranen allmälig auf, und ihr Inhalt geht in

---

19) Wie kommen die Tochterzellen dazu sich von den Müttern räumlich zu entfernen? Sollte, wie die Hefebildung, so auch die Schwärmerbewegung gar nicht absolut an ein flüssiges Medium gebunden sein? Möglicherweise hängt der Pruritus, der bekanntlich am stärksten ist, wenn sich der Blutzutritt zur Haut und somit ihre Durchfeuchtung vermehrt, (Bettwärme) mit der Schwärmerbewegung zusammen.

den Tropfen über. Dass damit aber die fortpflanzungsfähigen
Mucorelemente nicht zerstört sind, erweist sich bald, wenn man
nur ein Stückchen gut ausgekochter Kartoffel darauf legt, denn
allmälig bedeckt sich dasselbe mit der Pflanze. Dieses Experiment
macht es begreiflich, dass wir fortpflanzungsfähige Mucorelemente
auf pathologischen Produkten haben können, ohne dass wir sie
sofort zur Anschauung zu bringen vermögen [20]).

Da sonach der Nachweis der „Pilzzellen im Zustande
der Vermehrung" beim Ekzem jeden Augenblick gegeben werden kann, so ist der Beweis für die mykose Natur desselben, soweit er wissenschaftlicher Weise verlangt werden kann, als erstellt
zu betrachten. —

Was nun die Kulturergebnisse betrifft, so werfen sie ein klares
Licht auf das Multiforme des Ekzems, denn es ergiebt sich aus
ihnen, dass dasselbe ein Sammelbegriff für untereinan-
der ähnliche, aber durch verschiedene Pilze veranlasste Affektionen ist. Dieses Ergebniss lies zwar schon
die einfache klinische Beobachtung ahnen, denn Das war in der
That unwahrscheinlich, dass ein aus Papeln (Ekzema lichenodes)
oder aus noch grössern, rothen warzenförmigen [21]) Erhebungen
hervorgehendes Ekzem auf denselben Kausalmomenten beruhen
sollte, wie ein in zerstreuten Bläschen auftretendes oder aus einem
Erythema nummulare sich entwickelndes. Leider muss ich jedoch
bekennen, dass sich meine Kulturen noch nicht auf alle Formen des Ekzems beziehen; es ist darum wahrscheinlich, dass die
Fig. 1—5 mit Hinzuziehung der Pinselpflanze noch durchaus
nicht alle Pilze darstellen, welche Ekzem zu erzeugen vermögen. Ebenso muss ich hinzufügen, dass nur die Pilze Fig. 1, 2,
3, 5 von Kulturen herrühren, welche ohne alle Beimischung
anderer Pilze erschienen; bei den Kulturen der Pilze Fig. 4
traten zugleich noch der Pilz Fig. 3 und die verästelte Pinselpflanze auf.

---

20) Auch die Favuszelle habe ich in ähnlicher Weise sich auflösen sehen,
nur muss man bei diesem Versuche den Tropfen sehr dick und sehr wenig Zellen nehmen.

21) Neuerdings habe auch ich auf den Händen einer jungen Dame eine
akute, im höchsten Grade juckende und beissende Verucosis gesehen und
den von Richter beobachteten Mikrococcus constatirt. Das Leiden heilte
durch das von demselben Forscher angegebene Mittel.)Acid. carbol. glaciale.)
Leider konnte ich keine Kulturversuche anstellen.

Der Mucor Fig. 1 lässt selbst nach der Fruchtbildung keine Scheidewände in seinem Myzel bemerken. Die Hyphen sind breit, bandartig und von bräunlicher Farbe. Jeder Fruchtträger trägt eine Anschwellung und endet nach Verjüngung derselben in eine grosse, undurchsichtige, runde Kapsel; die unfruchtbaren Fruchtträger sind schwach spiralig gewunden. Wenn die Kapsel platzt, ergiesst sich eine länglich-ovale Sporenmasse und fällt zusammen. Hofmann, dem ich das Präparat vorlegte, hält es für einen Mucor Mucedo, H a l l i e r glaubte sich nicht mit Bestimmtheit aussprechen zu können.

Das von diesem Mucor veranlasste Ekzem ist ein ganz eigenthümlich geformtes. Es kam dies bei einer Bauersfrau vor, die einige Tage hintereinander Wäsche gewaschen, dabei aber die Stallfütterung ihres Viehes mit besorgt hatte.

Zuerst erschien unter Jucken und Beissen ein scharf von der gesunden Haut abgegrenztes kleines r o t h e s F l e c k c h e n auf dem rechten Vorderarme. Dasselbe vergrösserte sich innerhalb zweier Tage zum Umfang eines Thalers und nun erschien der Flecken bräunlich-roth sowie deutlich über der gesunden Haut erhaben. Seine Fläche war jedoch schon jetzt nicht mehr eben, sondern höckerig, ohne dass indessen die Erhabenheiten als vergrösserte Papillen angesprochen werden konnten. So stellte der Flecken uns ein Erythema dar. Am dritten Tage wurden die höckerigen Erhebungen zu Pusteln, die anfangs einen milchigen Inhalt hatten, welcher sich indessen bald eiterig umwandelte. Oeffnete man diese Pusteln, so drang eine unverhältnissmässig grosse Masse Eiter heraus, der massenhaften Micrococcus enthielt. Es zeigte sich dabei, dass die ganze kranke Fläche von Eitergängen unterhöhlt war. Die Pustelöffnungen klafften als kleine kreisrunde Krater. Da jetzt das Leiden behandelt wurde, so bemerke ich nur noch, dass es ohne Narbenbildung, wie jedes andere Ekzem, heilte. Während der Behandlung, die sich natürlich nur auf die kranke Stelle beschränkte, traten jedoch auch am Handrücken, sowie am Vorderarme und dem Handrücken der linken Seite k l e i n e z e r s t r e u t e, w a r z e n a r t i g e, r o t h e E r h e b u n g e n, — ein ausgesprochenes Erythema papulatum auf. Auf diesen Erhebungen bildete sich am dritten Tage ein Bläschen mit milchig trübem Inhalt, der sich nicht deutlich eiterig matamorphosirte. Die Behandlung ward jetzt auch auf diese Eruptionen ausgedehnt und nach 14 Tagen war die Heilung vollständig. Zur Kultur wurden

Eitertropfen und Bläschendecken verwendet. Es gelangen sowohl die auf gekochtem Kartoffel eingeleiteten, als eine im Laugentropfen vorgenommene, obgleich die Kulturen des Mucor auf sehr wasserreichem Nährboden selten glücklich ausfallen.

Der Mucor Fig. 2 trat bei der knotigen Sykosis eines Pferdeknechtes auf, die sich ausserhalb des behaarten Gesichtes in der Form eines einfachen Ekzems fortsezte. Es wurde zur Kultur ein Haar mit einem Börkchen verwendet; sie erfolgte auf dem Kartoffelschnitt — eine mir von Hofmann gefälligst angerathene Methode, die ich jetzt ausschliesslich benutze. Sie ist in der That vortrefflich, denn der den Pilzen gebotene Nährboden ist ein viel entsprechenderer als der Laugentropfen, auf welchem namentlich die Mucorkulturen sicherer gelingen. Uebrigens ist das Wasser bei aller angewandten Vorsicht ein verdächtiger Kulturgehülfe, dessen Desinfektion immer noch Zweifel übrig lässt.

Auch das Myzel dieses Mucor ist nicbt septirt, jedoch ebenfalls bandartig und bräunlich tingirt. Die Fruchtträger spalten sich entweder in mehrere gleich lange Zweige und letztere tragen, öfter noch eine kleine Anschwellung unmittelbar vorher einschaltend, an ihren Spitzen eine einzige, länglich runde Kapsel, die etwas kleiner als die Kapsel des Mucor Fig. 1 ist, oder die Zweige stehen opponirt und die Hyphe schliesst ohne weitere Verzweigung mit einer Kapsel ab. Wenn die Kapsel springt, zerfliesst sie, und ihr Inhalt liegt pulverförmig in einer schleimigen Masse.

Dieser Pilz ist jedenfalls nicht der einzige, welcher die Sykosis veranlassen kann, denn ich habe seitdem noch verschiedene Kulturen von andern Sykositen ausgeführt und nur Pinselformen erhalten.

Der Pilz Fig. 3 kommt bei Mykosen sehr häufig vor. So erscheint er besonders häufig bei den Kulturen von Favus und Herpes tonsurans. Ganz allein trat er bei verschiedenen Kulturen des eiterigen Inhaltes der Pusteln vom stalaktiforme Krusten bildenden Impetigo auf, während ich von der Crusta lactea nie etwas anderes als Pinselformen erhielt. Ebenso kam er ganz allein bei jenen Ekzemen des Kopfes vor, welche durch klaffende kreisrunde Oeffnungen an Stelle der geplatzten Bläschen charakterisirt sind und so eine Sykosis nachahmen. Schliesslich erhielt ich ihn einige Male ganz allein bei Blepharadenitis sowie aus der Thränenflüssigkeit bei einer pustulosen Conjuntivitis. Sein Myzel ist septirt. Die Hyphen können einfach bleiben oder sich verästeln und selbst verzweigen. Die Frucht ist eine Kapsel, welche mit pulverigen Sporen (also ohne Zellenhöhle) angefüllt sind. Die Kapsel zerfliesst nach Entleerung. Bei starken Exemplaren variirt die Grösse der Fruchtkapseln ungemein, die Kapsel wächst mit der Reifung ihres Inhalts an Umfang.

Der Pilz Fig. 4 hat ein septirtes Myzel und septirte Hyphen. Die Früchte sind zapfenförmig und bis 9fach quergekammert. Sie sind immer endständig und zuweilen stehen nur ein, zuweilen zwei, zuweilen drei, nie dagegen mehr Zapfen auf demselben Fruchtträgerende. In den Kammern liegen die pulverförmigen Sporen. Der Pilz stammt von einem alten Ekzeme des Gesichtes, dass sich durch Bildung mehrerer Bläschen auf einzelnen, hochrothen unregelmässigen, daher oft länglichen, Erhebungen vor andern Ekzemen auszeichnete. Neben diesem Pilze erschien noch der Fig. 3.

Der Pilz Fig. 5 endlich, eine durchaus reine Kultur, gehört einer höchst hartnäckigen Schusterkrätze an. Neben den massenhaften zerstreut stehenden Bläschen, welche die Finger, den Handrücken und den Vorderarm bedeckten, war eine vollständige Xerodermie auffällig, die übrigens mit der Heilung vollständig verschwand. Das Myzel dieses Pilzes wie die Hyphen und Fruchtträger sind septirt. Die Früchte bestehen aus zapfenartigen Kapseln, welche 3—4, nie mehrfach quergekammert sind und in den Kammern die pulverförmigen Sporen enthalten. Die Früchte hängen kettenförmig aneinander. —

Ich bescheide mich gern, dass ich mit all diesem Material nur zwei Thatsachen festtellen kann:

I. das Ekzem im Sinne Hebra's ist eine Mykose.

II. das Multiforme seiner Erscheinung beruht auf seiner Entstehung durch verschiedene Pilze.

Leider erweitert sich hierdurch das dunkle Gebiet, in welches das Ekzem gehüllt war, noch bedeutend mehr und es wird noch viele Arbeit bedürfen, bevor auf demselben Licht wird. Soll aber die Forschung hier wie überhaupt auf dem Gebiete der Mykosen, von einem günstigen Resultat begleitet sein, so bedarf es mehr, als dies heut zu Tage anerkannt wird, der vergleichenden Beobachtung: wir müssen, wie ich schon Eingangs andeutete, die Willan'sche Schule in dieser Beziehung wieder zum Muster nehmen. Wer bei den Hautkrankheiten nur die „pathologische Läsion" im Auge hat, ohne sich zu fragen, wie sich das Bild des Leidens aus der Beobachtung vieler von ihm Befallener gestaltet; wer auf das gleichzeitige oder auf einander folgende Auftreten verschiedener chronischer Hautkrankheiten bei derselben Person kein Gewicht legt, und es darum versäumt, dem möglichen Zusammenhang derselben nachzuspüren; wer endlich bei chronischen Hautleiden nie nach dem Haut-Gesundheitszustande der Umgebung mit eigenem Auge forscht — der wird sicher ein erfolgloser Arbeiter auf diesem Gebiete bleiben. Von dieser Ueberzeugung durchdrungen, habe ich schon am Schlusse des I. Artikels [22]) die Forderung gestellt: „die durch Pilzeinwandung hervorgerufenen Haut-Affectionen sind neuen Beobachtungen zu unterwerfen, aufs Neue zu beschreiben und in ihrem Zusammenhange als Infektionen, nicht auseinander gerissen als einzelne Lokalisationen, zu behandeln", und dieser Forderung gingen folgende durch klinische Beobachtungen und mikroskopische Untersuchung erlangten Sätze [23]) voraus, die ich, weil sie auch mit Kohn's Forschungen im Einklang sind, hier zum Schlusse noch einmal wiederhole:

„Jede Pilzaffection kann sich allmählig über den ganzen Körper ausdehnen;

jede hierdurch entstehende neue Lokalisation kann, je nach dem Sitze und der Disposition der Haut, in Bezug auf die sichtbaren Aeusserungen der gesetzten Reizzustände ihre besondere Form haben;

diese Formen bewegen sich stets innerhalb jener mit welchen die Haut auf die Einwirkung äuserer oder innerer Reize zu antworten pflegt, so dass sie also nichts Besonderes in ihrem Wesen besitzen;

aus diesen Gründen ruft die Infektion einer Person durch die andere bei der angesteckten Person nicht nothwendig denselben Reizzustand hervor, von welcher bei der ansteckenden Person das Pilzcontagium ausging."

22) S. 225.
23) S. 191.

Altstetten, Februar 1872.

Description of two New Algoid Vegetations, one of which appears to be the Specific Cause of Syphilis, and the other of Gonorrhoea*).

By

J. H. Salisbury, B. N. S. A. M. M. D.

Hierzu Tafel I, Figur III, 1—16.

I. Syphilis. The specific cause of syphilis attacks especially those histological elements, the characteristic, proximate, organic principle of which is either gelatine, osteine, or chondrin. These are connective tissue proper, bone, and cartilage. It first attacks the connective tissue at the points of inoculation, and next the connective tissue of the lymphatic glands, in the vicinity of the primary lesion. After the primary sore or sores have healed, the specific cause may remain, apparently, dormant in the system, for from a few days to some months, or even years. It may then show itself in blotches over a part or the whole surface of the body, resulting frequently in hard swellings of the connective tissue[1]; which may or may not be followed by a breaking down of the histological elements involved. Sooner or later the poison may attack the periosteal and perichondrial membranes, especially in those parts of the body where they are covered but thinly by the softer tissues. From the periosteal and perichondrial membranes the lesions extend to bone and cartilage.

---

*) Der Herr Verfasser ersuchte uns um den Abdruck dieser im Jahr 1868 erschienenen Arbeit, weil der in Wien erregte Streit über die Aetiologie der Syphilis gezeigt hat, dass Salisbury's Arbeit in Deutschland theils noch ganz unbekannt, theils in Vergessenheit gerathen ist. Salisbury ist der erste Entdecker der begleitenden oder causal wirkenden Organismen der meisten Infectionskrankheiten. -

1) These swellings are caused by a too rapid development of the glue tissue cells, excited by the active growth among them of the Crypta syphilitica.

The primary sores represent the primary disease. The lesions of the connective tissue of the lymphatic glands and loose connective tissue of the body, which accompany or immediately follow the primary sore, indicate that the poison has permeated the system. These may be called the primary constitutional disturbances, to distinguish them from the primary local lesions at the point or points of inoculation.

After an interval of longer or shorter duration, following the primary manifestations, the sub-epidermic and sub-mucous connective tissues begin to show signs of invasion in the shape of blotches, mucous patches, tumours, condylomata, &c. These disturbances are called secondary. Following the secondary manifestations, at a more or less remote period, the periosteal and perichondrial membranes, and the bony and cartilaginous tissues become involved. The invasion of these last-named tissues marks the tertiary stage of the disease.

With these few prefatory remarks I will proceed to briefly narrate the results which I have arrived at by long-continued, patient, and careful labour. It is possible that I over-estimate what I have found, but whether I do or not, time and careful investigation only can determine.

My microscopic examinations, connected with syphilis, were commenced in 1849. It was not, however, till the winter of 1860 that I made any satisfactory progress, for plants of this character had been but little studied, on account of their habitat, their resemblance to connective-tissue filaments, and their extreme minuteness. From the commencement of my microscopic studies I have made it a rule to figure and describe every new body, and to note all the circumstances connected therewith likely to be of interest. By following this course patiently, although it has been a work of labour, yet it has made me familiar with the genesis and habits of a large class of minute organisms which are almost entirely unknown to science, and which, I conceive, have an important bearing upon disease.

The Crypta syphilitica is one of these minute organisms. No substantial progress was made in my investigations so long as I was examining the pus alone. This seems to have been an almost barren field. The only thing found that seemed to be foreign to pus from other sores, was a small, highly refractive sporoid body, which subsequent discoveries demonstrated to be the spore of the Crypta syphilitica. In studying this minute form, I was led to dissect out the bed of chancres, and subject them to careful microscopic examination, when I soon discovered a peculiar filament, running in all directions, singly and in bundles, through and among the diseased connective-tissue elements. This organism was soon determined to be algoid, It was found in multitudes, in all stages of development, from the spore to the mature filament (figs. 1 to 5). Up to the present time, I have carefully worked up over one hundred cases in this way, dissecting out the base of the primary sore, and have uniformly found this vegetation; and what is still more interesting, this same vegetation shows itself in the blood so soon as the disease becomes constitutional. Its presence or absence in the blood is believed to be a sure guide for continuing or discontinuing treatment.

The filaments, as they occur in the blood, are more highly refractive, and have the peculiar obtusely rounded extremities, in a more marked degree, than those found in the beds of the primary sores. Both are, however, equally homogeneous throughout. The filaments in the blood are frequently found united at one end in bundles, while they radiate at the other in more or less rigid uniform curves. This vegetation has a peculiar tendency to develop in connective tissue, cartilage, and bone. When once planted in the organism, it has a tendency to remain either in a partially dormant or in an active state, till removed by remedial means. It seemingly may remain in the system, under certain conditions, for years, or a lifetime, without producing any serious trouble; or it may, if circumstances are present that favour its development, produce grave and continued disease and suffering. Under favourable states of the system, the tendency seems to be for the vegetation to gradually lessen; and probably, in some few instances, it may eventually entirely disappear. This vegetation may be transmitted from one individual to another, during the secondary and tertiary stages, under the proper conditions, without producing the primary disease. I have noticed many instances in which the father having had the disease previous to marriage and where the poison was not entirely eliminated, even though no outward manifestations of the disease had shown itself in him after marriage, this vegetation was transmitted to, and found in the blood of the wife and children many years after. In many cases of this kind, this vegetation produces no visible impression upon the systems to which it is transferred; while, upon others, it produces more or less marked constitutional disturbance.

Genus. Crypta (Salisbury). — Minute, transparent, highly refractive algoid filaments, which develop in living organic matter from spores.

Species. C. Syphilitica (Salisbury). — A homogeneous filament, with extremities obtusely rounded. The filaments are of such uniform structure throughout that no trace of transverse markings are visible save in their early stage of development; neither can the contents be distinguished from the outside wall of the filament. The filaments are either straight, coiled, or arranged in curves. They develop from spores, which may be active or inactive in the connective tissue, and may be transplanted from one individual to another by inoculation, or by contact with mucous membranes. They are believed to produce the disease known as syphilis. The connective tissues, in their various modifications, furnish a fertile soil for the development and propagation of this plant. When the spores are planted on a mucous surface, they vegetate, the filaments making their way through the basement membrane, instead of extending laterally in the epithelial tissue. The epithelial tissue, in the primary disease, is only destroyed immediately over where the plants first penetrate the glue tissue beneath.

The following is a brief report of a few cases selected from my notebook. The illustrations are drawn from the plants and spores found in the cases here given. I have a great number of other cases of like character recorded, but those given will suffice for the present: —

Case I — Mr. H. B., aet. 28, strong, robust man; called Nov. 9, 1865; labouring under primary syphilis. Never has had the disease before; has a large chancre on the penis, just back of the glans. Eighteen days since exposure, and six since the disease first made its appearance. Cauterized with the liquid pernitrate of mercury, and twelve hours after removed the dead tissue produced by cauterizing. On teasing this out carefully, and placing it under the microscope, discovered a large number of algoid filaments (C. syphilitica, fig. 5), many of them very long and variously coiled, and running in an irregular, zigzag manner in every direction among the connective tissue elements. These filaments were highly refractive, transparent, and homogeneous throughout, having no perceptible transverse markings, or line of demarcation between the outer wall and contents. The filaments were of uniform diameter throughout, and had the peculiarity of having abrupt extremities. The spores (fig. 1), and embryonic filaments (figs. 2, 3, 4) were found in multitudes everywhere through the diseased tissue. The glands in the groin were slightly enlarged and tender. Examined the blood carefully; could find no trace of the filaments or spores of the C. syphilitica. Prescribed as follows: — ℞. — Dilute citrine ointment ℥j; Venice turpentine ℨij—M. S—Apply to chancre morning, noon, and night, after carefully washing. ℞.—Potass. iodid. ℨvj; tr. cinchona comp. ℥vj; sulphur ℨiij.—M. S.—Take a teaspoonful before each meal. ℞. —Acid. nitro-muriatic. dil. ℥vj; quiniae sulphat. ℨiij.—M. S.— Put a teaspoonful in half a pint of warm water, and wash the body and limbs all over every night on retiring, and wipe dry after. ℞.—Pil. hydrarg. prot. iodid. $1/4$ gr. each, No. xxx. S.— Take a pill two hours after each meal. ℞.—Potass. acetat. ℥jss; potass. nitrat. ℥ss; aq. camphor. ℥vij.—M. S.—Take a tablespoonful in a glass of water at night on retiring.

On the eighth day after cauterizing, the chancre was entirely healed, and glandular enlargements in groin nearly gone. On examining the blood carefully again, I found the spores and short filaments of the C. syphilitica in it in considerable quantity. Continued the treatment for two weeks more; then dropped the mercurial, and gave in its place a two-grain quinia pill, and twenty drops of tr. ferri chlorid. in a full glass of water.

This treatment was continued, with slight variation, for a little ower two months, at which time no trace of the C. syphilitica could be discovered in the blood. The iron and quinia are believed to have an important influence in preventing this vegetation from producing spores, and in checking the development of the filaments from spores, from the fact that by the free use of these agents with the ordinary treatment, this vegetation disappeared much more rapidly than when they were not used. They have this effect upon the vegetation of intermittent fever, and they also rapidly destroy the Zymotosis translucens, which is so abundantly present in anaemia, in tubercular conditions, and in inflammatory rheumatism.

Case II. — Mr. K. called April 7, 1867; age, 33; a strong, power-

fullybuilt man, weighing about 185 pounds. Had syphilis about three
years previous; since then has had more or less secondary and
tertiary trouble, in the shape of mucous patches and wandering
pains, especially in shinbones and front part of cranium. Is low-
spirited, languid, and has an uneasy feeling about the heart, with
palpitation on excitement. Blood contains the C. syphilitica in
considerable quantity. The specimen, Fig. 6, was found in the
blood of this patient. It is unusual to find so long a filament in
the blood, and one so evenly coiled. The blood also contains
considerable cystine and stelline. Placed him on the following
treatment: R.—Pil. hydrarg. prot. iodid. ¼ gr. each, No. xxx.
S.—Take a pill two hours after each meal. R.—Sulphur ℥iij;
potass. iodid. ℥vj; potass. bromid. ℥ij; wine colchicum (seeds) ℥j;
tr. cinchona comp. ℥vj.—M. S.—Take a teaspoonful before each
meal. R.—Quiniae sulph. ℥ijss; acid. nitro-mur. dilut. ℥vj.—M.
S.—Put a teaspoonful in half a pint of warm water, and wash
the body and limbs all over every night on retiring, and wipe
dry afterwards. Continued this treatment for four weeks. I then
dropped the hydrarg. prot. iodid., and gave in its place a two-
grain quinia pill and twenty drops of tr. ferri chlorid. in a glass
of water, two hours after each meal. Under this treatment he
improved rapidly, He is still taking the medicine. Lives on
plain diet, avoiding all sweets, acids, and stimulants. Blood at
the present writing (July 27, 1867) is almost entirely free from
the spores and filaments of the C. syphilitica, the mucous patches
and pains and aches are all gone, and he feels well.

Case III. — Mrs. K. called for treatment May 1, 1867; age, 36;
pale, anaemic, and feeble; has not had her courses for four months;
has been sick for the last four years. Does not know that she
has had syphilis, and hence did not question her so as to excite
suspicions. Found that in the early part of her sickness she had
severe ulceration of womb and vulva, with swellings in groin, and
considerable leucorrhoea, for which she was treated locally. About
three months after this, blotches appeared over the whole body;
these were followed by hard swellings, many of which resulted
in sores. Her mouth and throat were ulcerated and very sore.
These manifestations of secondary trouble gradually passed away
under treatment. At the time of her visit to me the surface of
the body was smooth, but had a few mucous patches on roof of
mouth and in fauces. Had a severe cough, with pains in chest,

heart, back, and limbs. For the last two years has raised some blood from lungs at different times. Before raising blood, would get hoarse, have a chill, followed by fever, which was accompanied by the raising of blood. Blood thin and watery, and contained many spores and rigid filaments of the C. syphilitica. The plants and spores represented in Fig. 7 were figured from specimens found in the blood of this patient; they were present in all stages of development. Placed her under the following treatment: ℞.—Dilute citrine ointment ℥jss; Venice turpentine ℥ss.—M. S.—Apply to sores morning, noon, and night. ℞.—Quiniae sulph. ℨij; acid. nitro-mur. dilut. ℥vj.—M. S.—Put a teaspoonful in half a pint of warm water, and wash the body and limbs all over every night on retiring, and then wipe dry. ℞.—Potass. iodid. ℨvj; tr. cinchona comp. ℥vj; sulphur ℨiij.—M. S.—Take a teaspoonful before each meal. ℞.—Pil. hydrarg. prot. iodid. ¼ gr. each, No. xxx. S.—Take a pill two hours after each meal. ℞.— Potass. acetat. ℥jss; potass. nitrat. ℥ss; ammon. hydrochlor. ℨiij; aq. camphor. ℥vij.—M. S.—Take a teaspoonful in a glass of water night and morning. She improved rapidly till she left town, about six weeks after she first called. Ordered her to continue the medicine. The last I heard from her she was progressing finely.

Case IV. — Mr. E., miller, called May 7, 1867. Has secondary and tertiary syphilis. The septum of nose is entirely eaten away, and the parts ulcerating and offensive. Is very hoarse; scarcely able to speak so as to be understood. Tonsils and fauces covered with ulcerating patches. Has severe neuralgic pains in forehead, and suffers much with deep-seated aches in shinbones. Blood full of the filaments and spores of the C. syphilitica. The mass of filaments and spores, represented at Fig. 8, is from the blood of this patient. Placed him on the following treatment: ℞.—Pil. hydrarg. prot. iodid. ¼ gr. each, No. xxx. S.— Take a pill two hours after each meal. ℞.—Potass. iodid. ℨvj; tr. cinchona comp. ℥vj; sulphur ℨiij.—M. S.—Take a teaspoonful before each meal. ℞.—Quiniae sulph. ℨij; acid. nitro-mur. dil. ℥vj.—M. S.—Put a teaspoonful in half a pint of warm water, and wash the body and limbs all over every night on retiring, and then wipe dry. ℞.—Tr. iodinii ℥jss. S.—Paint over temples, back of ears and neck, and over shins every day. ℞.—Dil. citrine ointment ℥j; Venice turpentine ℨijss.—M. S.—Apply to nasal cavity with a soft brush every morning, noon, and night.

Ordered the patient to inhale from an atomizing apparatus every
morning the following: ℞.—Tr. iodinii ʒj; potass. chlorat. ʒiij;
potass. nitrat. ʒiij; tr. conium ʒiij; tr. cimicifugae rac. ℨj; aq.
camphor. ℥xv.—M. S.—Inhale an ounce every evening. Continued this treatment till the neuralgic pains ceased, and then
omitted the mercurial, and gave two grains of quinia and twenty
drops of tr. ferri chloridi in a full glass of water two hours after
each meal. Under this treatment the patient has slowly but steadily improved. The nose, throat, and fauces are well, no blotches on the surface, and the blood is almost entirely free from
the C. syphilitica (July 27, 1867). In addition to the foregoing
treatment, I gave to this patient, to keep up free elimination and
to allay febrile symptoms, the following: ℞.—Potass. acetat. ℨjss;
potass. nitrat. ℨss; ammon. hydrochlor. ʒiij; aq. camphor. ℥vij.—M.
S.—Take a tablespoonful in a glass of water at night on retiring.

II. Gonorrhoea. — The epithelial tissue seems to be the
only one properly adapted for the development and propagation
of the specific poison of gonorrhoea. That portion of this tissue
peculiarly susceptible to the disease is the mucous membranes.
The parent cells of these surfaces, and especially those of the
urinary and genital organs and eye, afford all the necessary conditions for the growth and multiplication of the cause. If once
planted here, it extends from cell to cell, if not prevented by remedial means, till it has invaded all the mucous surfaces in con-
tinuity with each other. That the gonorrhoeal virus multiplies
rapidly under the proper conditions, like the lower cryptogams,
has long been noticed.

As long ago as 1850, I first discovered in gonorrhoeal pus
minute sporelike bodies, multiplying by duplicative segmentation
in and out of the cells. Although I figured these bodies accura-
tely at that time, I was not sufficiently familiar with these minute
cryptogams to determine either their place or significance.

After having discovered the Crypta syphilitica in the beds
of chancres, I was led to examine carefully the tissue invaded
by gonorrhoea. Selecting such cases of the disease as had not
been subjected to treatment, and where the discharge was copious
and the inflammation severe, the patients were directed first to
void their urine; the lips of the meatus were then separated, and
with the clean edge of a small scalpel I scraped the epithelium
from the orifice of the urethra, and placed the scrapings between

the slides of the microscope. The specimens thus obtained were each examined carefully, often for many hours together, watching the changes produced by gradual drying, and making accurate notes of all the abnormal bodies and appearances present. I had not pursued this mode of inquiry long, before I discovered the spores (fig. 9) which I had previously found in the pus scattered about among and in the parent epithelial cells, and here and there found filaments, single and in little knots, in all stages of development. These filaments were soon discovered to emanate from the minute spores previously mentioned. In the embryonic filaments (fig. 13) a moniliform structure could be observed, exhibiting the outlines of the individual spores, while the more advanced and mature filaments were usually homogeneous throughout their entire length (figs. 14 and 15).

From 1862 to the present time I have worked up carefully several hundred cases in this way, and have made careful drawings, with full notes. In all of these cases this peculiar vegetation has been found: in some cases the spores only; in others, the spores and embryonic filaments; and in still others, the spores and filaments in all stages of development were found. Believing this plant to be the specific cause of gonorrhoea — not being able to find it in mucous membranes affected with other inflammatory derangements — I have given it the name Crypta gonorrhoea.

The spores (figs. 9 and 10) are very minute and well defined. They are often discovered in twos and sometimes in fours (fig. 9), undergoing the process of duplicative segmentation. They occur and develop rapidly, in gonorrhoea, in and among the parent cells of the mucous surfaces affected, producing great irritation and inflammation, and a rapid formation of muco-pus cells, which often form around the spores, and thus become vehicles for eliminating the virus from the parent cells. In this way nearly every particle of gonorrhoeal discharge becomes loaded with the specific cause. The spores are represented at figs. 9, 10, 11, and 12. At fig. 12 they are developing in the nucleus of a parent epithelial cell. In and among the epithelial cells this plant is frequently met with in its filamentous stage of development. The filaments are found in all stages of growth, from a length double the diameter of a spore to several inches, when magnified four or five hundred diameters (fig. 14). In their embryonic stages, frequently a moniliform arrangement may be noticed (fig. 13). In later and more advanced stages of development they are usually homogeneous throughout their entire length, no transverse markings being visible (figs. 14 and 15). The outlines of the filaments are generally well defined. They occur either singly or in little knots, running a more or less tortuous course. The filaments are represented at figs. 13, 14, 15 and 16. At fig. 16 the filaments are covered with spores. This is an unusual occurrence.

In some instances the pus-cells become filled with the spores of this vegetation; the spores destroying the nucleus and cell-granules of the mucus or pus-corpuscle, it becoming simply what appears to be a spore-case or sporangium. These apparent spore-sacs vary from the size of a pus-cell to three, four, and even five times the size. They are represented at fig. 11.

It is an interesting fact that this plant is limited in its invasion to the epithelial tissue, while the Crypta syphilitica confines itself mainly to the connective, cartilaginous, and osseous tissues. This explains why, perhaps, the latter produces constitutional derangements, while the former does not.

Erklärung der Abbildungen.

Taf. I.

Fig. 1. Spores of the Crypta syphilitica.

Fig. 2. Embryonic filaments of same.

Fig. 3. 4. Filaments of same farther advanced in development.

Fig. 5. Mature plants of the C. syphilitica as they appear in the beds of chancres.

Fig. 6. Outline of a mature plant regularly coiled. This coiled state of the plant is occasionally found in the blood in old cases. At fig. 6 are also seen spores and embryonic filaments.

Fig. 7. Mature and embryonic filaments and spores as they appear frequently in the blood.

Fig. 8. Knot of embryonic filaments and spores in the blood. This vegetation is some-times met with in the blood in little knots and masses resembling emboli.

Fig. 9. 10. Spores of C. gonorrhoea.

Fig. 11. Spores of same developing in pus-cell.

Fig. 12. Spores of same developing in nucleus of parent epithelial cell.

Fig. 13. Embryonic filaments of same.

Fig. 14. 15. Advanced and mature filaments of same.

Fig. 16. Filaments covered with spores of same.

Notizen zu den Zeichnungen, welche die Arbeit des Herrn Dr. Weisflog begleiten, nach von ihm eingesendeten mikroskopischen Präparaten.

Von

Ernst Hallier.

Herr Dr. Weisflog hatte die Güte, mir seine Präparate einzusenden, wie sie ihm für die seiner Arbeit beifolgenden Zeichnungen zu Grunde gelegen hatten und derselbe bat mich, die in diesen Präparaten enthaltenen Pilze zu bestimmen und einige Bemerkungen hinzuzufügen, wo es mir nöthig scheine.

Ich komme diesem Wunsche gern nach, befinde mich aber dabei in der schwierigen Lage, welche durch den augenblicklichen Standpunkt der Mykologie bedingt ist. Ich glaube durch alle meine Arbeiten immer bestimmter dargelegt zu haben, dass die Schimmelpilze, und um solche handelt es sich hier, unbestimmte und oft äusserst schwer oder gar nicht bestimmbare Formen höherer Pilze sind. Die Schwierigkeit ihrer Bestimmung liegt eben darin, dass Schimmelformen von sehr verschiedenen höheren Pilzen einander für unsere optischen Hülfsmittel oft bis zum Verwechseln ähnlich sind, so wie es im vorigen Jahrhundert manchen Forschern schwer wurde, die Larven gewisser niederer Insekten von einander zu unterscheiden, ja andere sie für Würmer hielten. In dieser kritischen Lage kann man sich nur dadurch helfen, dass man durch Kulturversuche festzustellen sucht, welchen reifen Formen eine Schimmelform zugehöre; — ein langer und gefährlicher Weg der Untersuchung, den ich gleichwohl auch in diesem Fall einzuschlagen nicht scheue, dessen Beendigung aber der Abdruck von Herrn Dr. Weisflogs Arbeit nicht abwarten kann. Da nun meine Ansichten sich bis jetzt keineswegs der allgemeinen Anerkennung von Seiten der Herren Collegen rühmen können, so bleibt

mir nichts übrig, als die betreffenden Pilze vorläufig mit der alten
Nomenklatur zu vergleichen. Das soll im Folgenden in der Kürze
versucht werden.

Figur 1. Ein Mucor, ungefähr von der Gestalt des Mucor
mucedo Fresen., aber mit eigenthümlichen Anschwellungen unter
den Sporenkapseln, welche bei jener Form für gewöhnlich nicht
beobachtet werden. Die mittle Kapsel ist geplatzt und zeigt
die stark vortretende Basalwand (columella der Autoren). Die
Conidien (Sporen der Aut.) sind länglich wie bei Mucor mucedo
Fres., freilich auch bei einer grossen Zahl anderer Mucores.

Figur 2. Ein reicher Rasen eines Stachylidium oder Acro-
stalagmus der Autoren. Eine nähere Bestimmung der Formspecies
dürfte auch hier kaum möglich sein. Der Rasen erscheint dem
blossen Auge blassrosa auf dunkelbraunem Grunde. Wie bei allen
Arten des Formgenus *) Stachylidium, besteht der Pilz aus einem
sehr reich verästelten Mycel, welches an sparrig, meist rechtwink-
lig abstehenden Zweigen in succedaner Folge Conidien abschnürt.
Diese Conidien entstehen durch succedane Sprossung kettenweiss;
da aber jedes Individuum, sobald der neue Spross genau unter
ihm hervorkommt zur Seite geschoben wird und mittelst der sehr
klebrigen gelatinösen Membran mit allen schon vorher hervor-
gesprossten zu einem Ballen zusammenklebt, so macht das Ganze
den Eindruck einer kugeligen Kapsel. Eine gemeinsame Membran
ist aber nicht vorhanden. Das vorliegende Präparat zeigt derartige Conidienmassen vom Ansehn kugeliger Kapseln in grösster
Menge, ausserdem zahlreiche Conidienhaufen, wo die einzelnen
Individua schon aus ihrem kapselartigen Zusammenhang heraus-
gerissen sind und unregelmässig umherliegen.

Uebrigens sind in dem Präparat Nr. 2 die Mycelfäden und
die von ihnen abgeschnürten Conidien von zweierlei Art; nämlich
erstens sehr feine Fäden mit kleinen unter dem Mikroskop farblos erscheinenden Conidien und zweitens weit dickere deutlich gegliederte blassbraune Hyphen mit braunen Conidien. Uebrigens
dürften beide Formen zusammengehören, da sich zwischen ihnen
alle möglichen Mittelstufen vorfinden. Wo die kleineren blassen
Conidien in Masse beisammenliegen, da erscheinen sie dem blossen

---

*) Man wird entschuldigen, dass ich die beliebten Namen: „Formgenus"
und „Formspecies" hier noch beibehalte, obgleich sie eigentlich logischen Un-
sinn enthalten.

Eine neue Krankheit der Kartoffel.

Von

Ernst Hallier.

Herr Dr. Bertram in Apolda hatte die Gefälligkeit, mich auf eine neue Kartoffelkrankheit aufmerksam zu machen, welche in diesem Herbst in dortiger Gegend beobachtet worden ist. Auch den Landwirthen war die Erscheinung durchaus neu und dieselbe ist um so auffallender, da sie in einem für die hiesige Gegend ganz ungewöhnlich trocknen Sommer auftrat. Vom Ende des Maimonats bis gegen Ende Septembers haben wir im Saalthal, einige unbedeutende, die Erdoberfläche kaum anfeuchtende Spritzregen abgerechnet, keine Niederschläge gehabt, da die wenigen Gewitter, wie so häufig, durch den aus dem Saalthal aufsteigenden warmen Luftstrom zerstreut wurden, oder, nach der Auffassung des gemeinen Mannes, rechts und links um den Jenaischen Saalkessel herumbogen.

Freilich ist die Umgegend Apolda's von den erwähnten wenigen Gewittern, zum Theil in Gestalt heftiger Hagelwetter, heimgesucht worden, aber abgesehen davon laborirte auch die dortige Gegend unter dem Einfluss der nämlichen Trockenheit. Der Sommer war im Saalthal in Folge der oben angedeuteten Verhältnisse den Parasiten sehr ungünstig, ja selbst die einjährigen Gartenunkräuter kamen zum Benefiz der Gartenbesitzer nur kümmerlich zur Entwickelung, ein schwacher Ersatz für den grossen Schaden, den die fortgesetzte Dürre verursachte.

Auf mittelschwerem Boden wie derjenige unseres Saalthals war der Kartoffelbau im verflossenen Sommer recht lohnend sowohl an Qualität wie Quantität, freilich nur in der Thalsohle oder in geringer Erhebung über dieselbe, nicht in den Weinbergen, wo der Ertrag zufolge des Wassermangels ein äusserst geringer war. Ich selbst habe in meinem Garten in unmittelbarer Nähe der Stadt ungefähr 15 Tragkörbe Kartoffeln gebaut, von denen ich 8 bereits selbst ausgenommen habe ohne eine einzige kranke Kartoffel anzutreffen.

Apolda hat freilich andere Bodenverhältnisse als Jena (Keuper) und dadurch ist vielleicht theilweise das Auftreten von Kartoffelkrankheiten erklärt. Herr Dr. Bertram bemerkt überdiess ausdrücklich: „Die Kartoffeln stehen in mit Stallmist und Peruguano gut gedüngtem Boden und die Krankheit zeigt sich vorzugsweise an tiefgelegenen Stellen."

Was nun die Krankheit selbst anlangt, so zeigt sich mir an den vorliegenden Kartoffeln Folgendes:

I. Eine noch vollkommen gesunde Kartoffel ist mit einem matt purpurrothen Filz eines Pilzmyceliums zum grossen Theil bekleidet. Ein Eindringen dieses Pilzes in die Schale hat noch nirgends stattgefunden, dieselbe ist durchaus unversehrt.

II. Eine zum grösseren Theil noch gesunde, glatte und pralle Kartoffel ist auf der einen Seite, etwa zu einem Drittheil der Oberfläche, etwas eingesunken. Die Schale ist auf dieser eingesunkenen Stelle noch vorhanden, auch noch ziemlich glatt. Sie ist auf der ganzen eingesunkenen Fläche mit demselben rothen Filz bekleidet wie auf der ersterwähnten Kartoffel; ausserdem aber zeigt sie sich ziemlich dicht und gleichmässig übersäet mit schwarzen dem blossen Auge punktförmig erscheinenden Flecken, welche den Eindruck von Perithecien eines sehr kleinen Pyrenomyceten machen. Die Randlinie des eingesunkenen Theils setzt diesen gegen den gesunden Theil scharf ab; sie erscheint grünlich schwarz und zeigt einen sehr unregelmässigen wie ausgefressenen Verlauf. Unter der Lupe erscheinen die erwähnten schwarzen Pünktchen deutlich knopfförmig; die ganze Oberhaut des kranken Theils der Kartoffel ist unter der Lupe äusserst zart grubig; am deutlichsten treten diese Grübchen auf der Randlinie hervor.

III. Eine Kartoffel ist ungefähr zur Hälfte von einer krebsartig fressenden Krankheit gänzlich zerstört, während die andere Hälfte auf der noch meist unversehrten Oberhaut den purpurrothen Filz hie und da erkennen lässt. Auch hier ist die Grenze zwischen dem erkrankten und dem gesunden Theil noch ziemlich scharf, doch lässt sich die grünlich schwarze Linie nicht mehr deutlich wahrnehmen, vielmehr ist an der ganzen Grenze entlang der kranke Theil plötzlich in der vollkommensten Zerstörung begriffen. Der rothe Filz ist am mächtigsten an der Grenze entwickelt und

IV, 1.   4

überspinnt von hier aus den gesunden Theil der Kartoffel. An
dem kranken Theil bilden überall die stärkeführenden Zellen, bald
glänzend und weiss, bald matt, bald gelbbräunlich verfärbt, die
Oberfläche.

IV. Eine Kartoffel, welche äusserlich kaum noch das Ansehen einer solchen zeigt, da der grösste Theil derselben in dem
soeben geschilderten Zustand der Zerstörung begriffen ist. Die
wenigen Stellen, wo die Schale noch mehr oder weniger unversehrt erhalten blieb, sind mit dem rothen Filz und den schwarzen
Wärzchen bekleidet. An den kranken Stellen ist die Schale entweder ganz zerstört oder aufgesprungen und theilweis abgelöst.

Soweit die Erscheinungen für das blosse Auge. Es ergiebt
sich aus denselben nur soviel:

1) Die Kartoffeln gehen unter dem Einfluss einer krebsartig
um sich greifenden Krankheit zu Grunde.

2) Diese Krankheit ist, soweit das Material Schlüsse auf dieselbe erlaubt, von einem Pilz begleitet, der höchst wahrscheinlich
in irgend einer Beziehung zur Krankheit steht, weil er mit ihrer
Ausbreitung über die Kartoffel in der seinigen gleichen Schritt
hält. Die mikroskopische Untersuchung ergab über die Natur der
Krankheit und des sie begleitenden Pilzes noch Folgendes:

Der matt purpurrothe Filz löste sich bei etwa 250facher Vergrösserung in ein schön kirschroth gefärbtes langgliedriges reich
verzweigtes Pilzmycelium auf, in dessen Zellen sich hie und da
Fetttröpfchen vorfanden. Die Fäden sind bandförmig und von
mässiger Breite. Die Intensität der Färbung ist verschieden: bald
tief kirschroth-purpurn, bald sehr blassroth, ja fast farblos. Der
Träger des Farbstoffes ist die Zellmembran selbst; derselbe ist
in der jugendlichen Zelle am intensivsten, bei der absterbenden
Zelle verschwindet er.

Ein Unterschied in der Beschaffenheit dieses rothen Myceliums
in den vier von mir untersuchten Fällen ist durchaus nicht nachweisbar, daher wohl vorläufig angenommen werden darf, dass es
in diesen vier Fällen einer und derselben Pilzspecies angehöre.
Ueber die Beschaffenheit des Mycels sei noch bemerkt, dass es
sich strangförmig verfilzt und sich unregelmässig netzig über die
Kartoffel verbreitet.

Zunächst entsteht die Frage: Hat das erwähnte Mycelium
irgend einen Zusammenhang mit den erwähnten schwarzen Knöpf-
chen und welchen? Zur Beantwortung dieser Frage war vor

Allem eine genaue Untersuchung der schwarzen Punkte selbst erforderlich.

Diese erscheinen, von ihrer Unterlage abgelöst, unter dem Mikroskop ganz und gar undurchsichtig und schwarz. Zerdrückt man sie unter dem Deckglas, so sieht man, dass sie aus einem Mycel bestehen, welches in den äusseren Schichten ganz dieselbe Beschaffenheit hat wie das vorhin beschriebene purpurfarbene Mycel. Es ist hier schwarzpurpurroth und wird nach innen heller, anfangs bräunlich zuletzt farblos. Die äusseren dicht zusammengedrängten Hyphen sind kurzgliedrig und bilden eine Art Rinde um den kleinen Körper, welche keine Fructification irgend einer Art erkennen lässt. Es ist ein kleiner nach innen lockerer und farbloser, nach aussen dichter und dunkler Mycelknollen, also ein sogenanntes Sclerotium. In de Bary's Uebersicht über die Sclerotien *) würde unsere Form wohl der Rubrik a angehören, nämlich denjenigen Sclerotien, welche vorzugsweise der Gattung Peziza entsprechen und welche aus einer kurzgliedrigen Rinde bestehen mit dichtem langgliedrigem Kern. Bei jungen Sclerotien liess sich leicht der Zusammenhang mit dem rothen Mycelium nachweisen, denn die Rinde ging bei solchen ununterbrochen in das rothe Mycelgeflecht über.

Wenn nun dieses Pilzmycelium die Ursache der Erkrankung der Kartoffel sein sollte: wie bewirkt es dann dieselbe?

Zunächst liegt die Frage nahe genug, ob das Mycelium irgendwo die Schale der Kartoffel durchbohre. Ich untersuchte zuerst jene dunkle Berandung des kranken Theils der Kartoffel Nr. II. Die Schale erschien sowohl an diesem grünlichschwarzen Rande als auch innerhalb desselben kaum irgendwie verändert. Nirgends waren Durchlöcherungen nachweisbar, weder am Rande noch an der eingesunkenen Fläche und das Ansehen der einzelnen Zellen war fast normal. Die erwähnte zartgrubige Punktirung entspricht den einzelnen Zellen des Epiblema; sie ist an dem Rande wohl nur wegen des dunkleren Hintergrundes deutlicher sichtbar. Ueberall wo die Schale der Kartoffel irgendwie verändert ist, da besteht diese Veränderung in nichts Anderem als in der Abhebung ganzer übrigens unversehrter Partieen derselben, die wie durch einen Druck von innen emporgehoben und abgesprengt sind. Wirklich durchbohrt ist aber die Oberhaut der Kartoffel überall da, wo die

---

*) Morphologie und Physiologie der Pilze. Leipz. 1866. S. 30—43.

Sclerotien ihr aufsitzen. Hebt man an einer erkrankten Stelle die Oberhaut vorsichtig ab, so sieht man auf ihrer Innenfläche alle Sclerotien vortreten und zwar um so tiefer, je vollkommener sie ausgebildet sind.

Nun steht zunächst für den Verlauf der Krankheit soviel fest, dass sie nicht etwa durch massenhaftes Eindringen des rothen Myceliums oder des Myceliums der Sclerotien in die Oberhaut direkt bewirkt wird, denn an den stark erkrankten Partieen der Kartoffel zeigen sich ganz andere Erscheinungen, ohne dass von den erwähnten Mycelien eine Spur aufzufinden wäre. Hier befindet sich nämlich das ganze Kartoffelparenchym mit der eingeschlossenen Stärke in einem Zustand hochgradiger Fäulniss, analog derjenigen, welche die schlechthin sogenannte Kartoffelkrankheit auszeichnet. Die Parenchymzellen sind grossentheils bis zur Unkenntlichkeit zerstört; das ganze Gewebe hat sich in einen Brei verwandelt, welcher aus mehr oder minder angegriffenen Amylumkörnern und Ueberresten der Membranen besteht. Ueberall aber finden sich ungeheure Mengen von Micrococcus in Molekularbewegung, theilweise in Theilung, theilweis zu kleinen Mycelfäden von grosser Feinheit ausgewachsen. Wo die Cocci den Amylumkörnern aufliegen, da sind sie zum Theil in diese eingedrungen, sie durchbohrend, nach verschiedenen Richtungen durchziehend und Rissbildungen verursachend. Manche Körner haben dadurch ein stark angefressenes Aussehen.

Das Eindringen von Mycelfäden in Amylum ist zuerst von Martius, später von Schacht beobachtet worden. Mir eigenthümlich ist nur die Beobachtung, dass auch der Micrococcus mit seinen zarten Keimlingen in das Amylumkorn der Kartoffel sich einbohrt. Zunächst wendete ich mein Augenmerk auf die Ursache der dunkeln Färbung des erwähnten Grenzringes. Die Oberhaut ist hier, wie bereits mitgetheilt wurde, unversehrt, aber die zunächst unter ihr liegenden Zellschichten sind mit Micrococcus und seinen zarten Keimlingen durchzogen und die Zellwände tiefbraun missfarbig. Die Farbe ist ein Zersetzungsproduct der Zellwand selbst. Dass dieser Farbstoff sich an der trocknen Kartoffel ganz an den Rand der kranken Stelle concentrirt, hat wohl keinen anderen Grund als die Adhäsion zufolge deren überhaupt eintrocknende Pigmenttropfen eine scharf berandete Fläche zurücklassen und trockene Blut- oder Tintenflecke in der Wäsche scharfe Ränder zeigen. Die ganze von dem schwärzlichen Rand umschriebene

Gewebemasse ist mehr oder weniger missfarbig, bräunlich. Macht man einen Schnitt senkrecht gegen die Kartoffeloberfläche in dem Stadium II der Krankheit, so sieht man den ganzen Boden der kranken Stelle durch jene braune bis schwärzlichgrüne Grenzschicht gebildet. Unterhalb dieser Grenzzone ist die Kartoffel gesund und saftig, über derselben in trockener Fäulniss (dry rot) begriffen. Das Einsinken der ganzen über dieser Zone befindlichen, vom erwähnten Ringe umschriebenen Kartoffelmasse ist daher sehr begreiflich.

Es wäre ja denkbar, dass, wie Payen für die gewöhnliche Kartoffelkrankheit nachgewiesen hat, das Pilzmycelium in den die Kartoffeln erzeugenden Zweigen und Ausläufern bis in die Knolle hinabstiege. Sorgfältig ausgeführte Radialschnitte durch die Ueberbleibsel solcher Tragzweige bis tief in die Knolle hinein, zeigten mir, dass diese Zweige mit der Krankheit keinen Zusammenhang haben und dass kein Mycelium in denselben in die Kartoffel hinabsteige. Da von dem rothen Mycelium die ganze Kartoffel übersponnen sein kann, ohne dass diese im geringsten leidet, so bleibt als einzig möglich die Annahme übrig, dass nur die kleinen Sclerotien die Krankheit erzeugen oder dass der Pilz gar keinen Zusammenhang mit derselben habe, gegen welche letztgenannte Annahme das Bedenken geltend gemacht werden muss, dass in diesem Fall das Auftreten des Micrococcus und des zarten von ihm gebildeten Myceliums unerklärlich wäre. Es musste sich daher naturgemäss die Untersuchung der Frage zuwenden: Steht der Micrococcus in irgend einem Zusammenhang mit den kleinen Sclerotien und in welchem?

Schon bei Lupenbetrachtung sieht man, dass die kleinen Sclerotien nicht auf der Oberhaut, sondern unmittelbar unterhalb derselben entstehen. Man sieht nämlich zuerst nur schwarze Fleckchen an der noch unversehrten Oberhaut, darauf bricht allmählig das Sclerotium von unten durch und erhebt sich immer mehr über die Oberfläche. Ueberall, wo sich Sclerotien befinden, vegetirt das Mycelium auch unter der Oberhaut, ohne jedoch tiefer in die Kartoffel einzudringen.

Auch das ist leicht zu constatiren, dass dicht unterhalb der Sclerotien die Bildung von Micrococcus schon begonnen hat, ohne dass das Mycelium an diese Stellen vorgedrungen wäre.

Es ist selbstverständlich, dass zur Beurtheilung des ganzen Verlaufs und des Wesens der Krankheit die vorstehenden Angaben nicht ausreichen, dass dazu vielmehr ausgedehnte Culturversuche erforderlich sind.

Von einigem Interesse aber mag es sein, diese Krankheit mit der schlechthin sogenannten Kartoffelkrankheit zu vergleichen, als deren Ursache man die Peronospora infestans ansieht.

Wesentlich verschieden ist in den beiden Krankheiten der Angriffspunkt des Parasiten. Die Peronospora infestans befällt zuerst die grünen Pflanzentheile und steigt aus ihnen im Innern des Stengelgewebes in die Kartoffel hinab *).

Ist die Kartoffel einmal in Fäulniss begriffen, so kann sie allerdings, besonders im Keller, andere Kartoffeln anstecken und dadurch die Krankheit verbreiten; aber es ist nicht nothwendig, dass dabei an ihrer Oberfläche Schimmelbildungen oder andere entwickelte Pilzbildungen auftreten. Es fehlt also für gewöhnlich das rosenrothe Mycel mit den kleinen Sclerotien.

Im Uebrigen lässt sich nicht läugnen, dass die beiden Krankheiten einige Aehnlichkeit mit einander haben. Das krebsartige Umsichfressen der Krankheit, das Einfallen der äusseren Zellschichten an den befallenen Theilen, der weissliche, mehlige Zerfall des kranken Gewebes, die Fäulniss unter dem Einfluss des Micrococcus — alle diese Dinge sind in beiden Krankheiten analog. Dagegen zeigt die gewöhnliche Kartoffelkrankheit eine unregelmässigere Gestalt der angefressenen Theile, eine schmutzigere Färbung und jenen bekannten üblen Geruch, welcher nach dem mir vorliegenden Material bei der Krankheit von Apolda fehlt **).

Die Vorsichtsmassregeln, welche man gegen die neue Krankheit empfehlen kann, sind wesentlich dieselben wie bei der gewöhnlichen Kartoffelkrankheit, nur dass diejenigen Massregeln in Wegfall kommen, welche sich zur Beseitigung des Pilzes bei seinem ersten Angriff auf das Laub eignen, da, soviel man weiss, der oben beschriebene Pilz nicht das Laub, sondern direkt die Knolle angreift. Vor allen Dingen sind diejenigen Massregeln zu ergreifen, welche sich der Kartoffelkrankheit gegenüber längst bewährt haben, nämlich:

---

*) A. Payen. Les maladies des pommes de terre, des betteraves, des blés et des vignes. Paris 1853.
**) Für die durch Peronospora hervorgerufene Krankheit habe ich neuerdings schönes Material dem Herrn Dr. Schultze in Paulinzella zu verdanken.

1) Der Anbau frühreifer Sorten, die schon in der trockenen Jahreszeit herausnehmbar sind.

2) Das Legen ganzer, mittelgrosser Kartoffeln, weil die zerschnittenen Mutterkartoffeln dem Pilz ohne Weiteres den Weg bahnen, besonders, wenn die Schnittfläche vor dem Legen nicht völlig abtrocknete. Ganz besonders ist diese Massregel auf feuchtem oder schwerem Boden zu empfehlen.

3) Das Vermeiden niedriger Lage.

4) Gewissenhafter Bodenwechsel.

5) Die Anwendung der Jülich'schen Methode. Auf Gartenboden habe ich es sehr bewährt gefunden, zwischen den Kartoffelreihen tiefe Gräben zu ziehen, mittelst deren Erde die Kartoffeltriebe niedergelegt werden.

6) Anwendung von blossem Mineraldünger, aber gänzliche Vermeidung von vegetabilischem und thierischem Dünger.

Die Parasiten der Infectionskrankheiten.

Von

Ernst Hallier.

(Fortsetzung von Band III Heft 1 Seite 7—56 dieser Zeitschrift.)

Weitere Mittheilungen über den Typhus-Parasiten.

Aus meiner Arbeit über die Keimfähigkeit des Cryptococcus (Bd. III Heft 1 Seite 1 d. Zeitschr.) geht hervor, dass die im Urin des Typhuskranken vorgekommenen Hefezellen oder hefeartigen Zellen keimen, aber über ihr Keimungsprodukt wurde noch nichts Näheres mitgetheilt. Das soll hier zunächst in der Kürze geschehen.

In einem gut nährenden Substrat wie z. B. das von mir mit Nr. 5 bezeichnete Gemisch keimen die Zellen des Typhus-Urins zuletzt in grosser Anzahl und bringen ein reiches Pilzmycelium hervor, welches nach einigen Monaten fructificirt. Dieser Pilz hat ganz die Form des Cladosporium herbarum, wie dasselbe als Conidienbildung von Pleospora herbarum von Tulasne im dritten Bande seiner Selecta Fungorum Carpologia beschrieben und abgebildet ist. Diese Beobachtung stimmt völlig überein mit den Resultaten meiner Arbeit über den Typhus-Parasiten in meinen „parasitologischen Untersuchungen". Ist jene Arbeit richtig, so wäre die Hefe von Pleospora herbarum Tul. der constante Begleiter des Typhus.

Nun fragen wir jeden Arzt, der es aufrichtig mit seiner Wissenschaft meint, ob es nicht der Mühe verlohnt, am menschlichen Körper mit den verschiedenen Formen von Pleospora herbarum Tul. Versuche zu machen; — zu untersuchen, ob eine oder die andere der von Tulasne beschriebenen, diesem Pilz angehörigen Formen, in das Blut des Menschen gebracht, eine dem Typhus

entsprechende Erkrankung herbeiführt. Sollten diese Versuche
am Menschen nicht ausführbar sein, so sind sie es doch vielleicht
an solchen Thieren wie z. B. Pferde, welche am Typhus oder an
sehr ähnlichen Krankheiten leiden. Gern bin ich bereit zur Be-
schaffung des für solche Untersuchungen nothwendigen Materials
sowie zur Assistenz bei der Ausführung derartiger Versuche.
Allein kann ich sie aber nicht unternehmen, weil mir hier alle
Unterstützung in meinen Bestrebungen fehlt und namentlich es
an klinischen sowie veterinären Einrichtungen gänzlich gebricht
wie sie zu solchen Versuchen erforderlich sind. Man glaube übrigens nicht, dass zu den ersten Versuchen ein grossartiger Auf-
wand nothwendig sei. Wenn nur der energische gute Wille da
ist, so lässt sich mit einfachen Mitteln viel erreichen.

Der Form des Cladosporium herbarum auct., von Tulasne
Conidien-Form genannt, geht auch in unserem Falle eine Anzahl
von nicht reifenden — oder Schimmelformen vorher oder es
bleibt sogar auf ungünstigen zu wenig nährenden Substraten bei
diesen Schimmelbildungen, ohne dass sie in reifende Formen übergehen; — namentlich aber entspricht dem Cladosporium ein Oidium im Sinne der älteren Mycologen. Ich will hier von der
Darstellung dieser Formen in Zeichnung und Beschreibung vorläufig ganz absehen, denn für denjenigen, welcher das Auftreten
von Hefe des Cladosporium überhaupt ableugnet, hat auch der
Nachweis der dazu gehörigen Schimmelbildungen keinen Sinn; —
lässt man sich dagegen zur Ausführung von Uebertragungsversuchen herbei, so wird, falls diese positive Resultate ergeben, bald
genug auch die Formenreihe der dahingehörigen Schimmelpilze
die gebührende Beachtung finden.

Zu Anfang Septembers d. J. hatte Herr Dr. Ottmar Hofmann
abermals die Güte, mir Urin von einem schweren Typhus-Kranken
zu übersenden.

Der Befund war ein ähnlicher wie in dem ersten Falle. Der
Urin enthielt in ziemlich grosser Anzahl kleine kugelige Pilzzellen.
Ausserdem fanden sich darin etwas grössere dunkle Zellen, wie
ich sie früher auch in den Darmentleerungen von Münchener Typhuskranken gefunden hatte. Ausserdem fand sich auffallender Weise
im Harn eine nicht geringe Anzahl von Fetttropfen. Ueber die
Bedeutung jener Pilzzellen und ihre etwaige Identität mit denjenigen des ersten Falles bin ich gegenwärtig noch nicht im Stande
Bericht abzustatten, behalte mir aber solchen für das nächste

Heft dieser Zeitschrift vor, falls bis zu dessen Erscheinen die
Culturversuche beendigt sein werden.

Herr Dr. Ottmar Hofmann berichtet in seinem Brief vom
2. September 1872 über den Urin noch Folgendes: „Von einer
früheren Urinportion dieses Kranken habe ich am 27.
August ein
Tröpfchen in einen Kulturapparat gethan und bemerke heute darin einen gelblich weissen Fleck, der unter dem Mikroskop aus
zahlreichen Pilzfäden besteht, die ganz den von Ihnen auf Taf. V
Figur 6 des III. Bandes Ihrer Zeitschrift abgebildeten entsprechen.
Ein Tröpfchen meines eigenen Urins, das ich gleichzeitig in eine
Hilgendorfsche Zelle eingeschlossen habe, ist bis heute ganz frei
von Pilzbildungen geblieben, ein Verhalten, das ich nun schon
mehrmals zu constatiren Gelegenheit hatte."

Der Parasit einer milzbrandähnlichen Krankheit.

Das Blut milzbrandiger Rinder erhielt ich durch die Güte
des Herrn Thierarzt Maisel zu Gerolzhofen, desselben Herrn,
der mich vor einigen Jahren so freundlich durch Uebersendung
von Material von der Rinderpest unterstützte.

Die Blutkörper hatten die bekannte sternförmige Gestalt.
Die rothen Blutkörper, noch häufiger die weissen, waren mit Micrococcus oft dicht besetzt. Die weissen Blutkörper waren grossentheils zerstört und viele derselben zu unregelmässigen mit Micrococcus durchwachsenen Klumpen zusammengeballt. Solche Massen,
oft noch deutlich aus Blutkörpern zusammengesetzt, in anderen
Fällen ohne deutliche Struktur, schwammen im Blut in ziemlicher
Anzahl umher.

Der Micrococcus zeigte gleich anfangs einige Verschiedenheit
in der Grösse. In meiner Camera humida schwollen die Cocci
ziemlich schnell zu grösseren sehr glänzenden Pilzzellen an. Sowohl kleinere als grössere Zellen vermehrten sich in Flüssigkeiten,
meist durch Zweitheilung, bisweilen durch kreuzförmige Viertheil-
ung. Die grösseren Zellen nehmen den Blutfarbstoff auf und
werden durch ihn gefärbt.

Die grösseren hefeartigen Zellen zeigen anfangs noch ziem-
lich lebhafte normale Vermehrung, aber bald machen sie längere
Sprossen und kurze Mycelfäden; zuletzt bilden sie ein reiches
Mycelium aus. Wie bei allen bis jetzt untersuchten Pilzen, so
zeigt sich auch hier eine Reihe von Verschiedenheiten in der
Entwickelung des Pilzes je nach der Nahrung, welche man ihm

anbietet. In destillirtem Wasser z. B. kam der Pilz zwar zur Keimung und zu einer spärlichen Mycelbildung (Cultur 204 Tageb. Fol. 148), aber derselbe fructificirte gar nicht. Das destillirte Wasser wurde allmählig absorbirt und fortan veränderte sich in der Cultur 8 Monate lang nichts mehr. Nur in einer Cultur (Nr. 206), wo das destillirte Wasser erst später absorbirt wurde, fand die intercalare Bildung von grösseren glänzenden kugeligen Zellen statt, welche den Conidien eines Oidium im älteren Sinne des Wortes oder jungen Sporen eines Brandpilzes ähnlich sehen. Sie sind also intercalar, d. h. durch Anschwellung und Abschnürung interstitieller Glieder entstanden. Schon wenn ich Brunnenwasser an die Stelle des destillirten Wassers als Nahrungsmittel treten liess, gestaltete sich das Mycelium etwas kräftiger, wenn es auch in den meisten Fällen nicht fructificirte, denn auch hier wurde das Wasser allmählig absorbirt, so z. B. in der Cultur 207 Fol. 148. Auch hier bildeten sich, wenn die Resorption des Wassers später erfolgte, jene grossen intercalaren conidienartigen Zellen, so z. B. Cultur 208. Wendet man eine kräftig nährende Lösung an, so z. B. Brunnenwasser mit Zucker, phosphorsaurem Ammoniak und chlorsaurem Kali, so geht die Keimung und Mycelbildung weit rascher von Statten und die erwähnten kugeligen interstitiellen Zellen werden weit grösser und kräftiger. Sie sind meist sehr glänzend, oft mit Körnchen erfüllt.

Bei länger fortgesetzten Culturen in solchen stark nährenden Medien wie z. B. Cult. 213, 214, Fol. 149 wurde zuletzt das Mycelium sowohl wie die abgeschnürten interstitiellen oder endständigen Zellenketten ziemlich dunkelbraun gefärbt. Die kugeligen Zellen bildeten sich vollkommen zu den Sporen eines Ustilago aus. Ob dieser Brandpilz noch sonst irgendwo in der Natur vorkommt und ob derselbe mit irgend einer bereits bekannten Ustilago-Art identisch, muss vorläufig dahingestellt bleiben. Bis auf Weiteres mag unser Pilz den Namen Ustilago interrupta führen, um daran zu erinnern, dass die Ustilago-Sporen häufiger interstitiell an mehren Stellen eines Mycelfadens als endständig auftreten.

Auch Aëroconidien bildet die Ustilago interrupta aus; ich sehe aber hier vorläufig von ihrer Beschreibung und vom Nachweis ihres Zusammenhanges mit der Ustilago ab, weil es für den gegenwärtigen Zweck nicht wesentlich ist und ich die Darstellung gern so einfach wie möglich halten möchte.

Den Herren Vorstehern von Thierarzneischulen dürfte aber

auf's dringendste zu empfehlen sein, die Impfung von Säugethieren
mit Ustilago-Arten und ganz besonders mit dem gewöhnlichen
Staubbrand: Ustilago carbo Tul. nicht zu verabsäumen. Mit
Vergnügen bin ich bereit, auch hierfür meine energische Mithülfe
anzubieten.

Zur Texas-Rinderpest.

Der Parasit der Texas-Rinderpest wurde auch in diesem Jahr
und zwar mittelst des alten Materials einer neuen Prüfung unterzogen. Es zeigte sich dabei, dass die grossen Cryptococcus-ähn-
lichen Zellen noch lebensfähig sind, denn sie vermehren sich noch
durch Sprossbildung, aber es verging eine weit längere Zeit als
früher von den ersten Sprossbildungen bis zur Keimung. Sechs
Monate lang fand nur Vermehrung der Zellen statt ohne Keimung;
— dann erst trat diese ein. Die als Keimungsprodukt auftretenden
Pilzformen waren von den früher beobachteten nicht verschieden.

II.
Literarische Besprechungen.

A. Weiss, Zum Baue und der Natur der Diatomaceen. Aus
dem 63. Bande der Sitzb. d. k. Akad. d. Wiss. I. Abtheilung.
Februar-Heft. Jahrg. 1871. Mit 2 Tafeln.

Die interessante Arbeit, auf welche wir schon nach einer
vorläufigen Anzeige des Herrn Professor Weiss aufmerksam gemacht hatten, giebt in mehr als einer Hinsicht ganz neue und
unerwartete Aufschlüsse über die Diatomeen, die, wenn sie sich
bestätigen, den wichtigsten Resultaten botanischer Forschung der
letzten Jahrzehnte zugezählt werden müssen.

Wie wir bereits bei mehren Gelegenheiten darauf aufmerksam gemacht haben, ist es der Erforschung der Familie der Diatomeen im höchsten Grade hinderlich geworden, dass sie als Probe-
objecte für die Leistung der Mikroskope dienten. Man hat sich
in Folge dessen begnügt mit dem „Spalten" der Schalen und mit
der mikroskopischen Analyse der todten Kieselskelette sowie mit
der Unterscheidung von Arten und Gattungen. Diese Sucht zu
systematisiren ist von jeher der Wissenschaft mehr hinderlich als
förderlich gewesen.

Die Arbeiten über lebende Diatomeen sind bis jetzt wenig
zahlreich und wenig erspriesslich gewesen. Mit Recht sagt Weiss:
„Wenn nur ein Zehntheil des kolossalen Zeitaufwandes, den man
— insbesondere in England — und zwar oft von Seiten ganz
eminenter Forscher auf das blosse „Lösen" der Diatomeenzeich-
nungen verschwendete, oder auf die oft ungenügende Beschreibung
ausnahmslos geglüht oder überhaupt todt untersuchter „neuen
Arten" anwandte, benützt worden wäre, auch nur Ein Individuum
dieser Klasse in seinen Lebens- und Entwickelungserscheinungen
genauer zu studiren, so würden wir allerdings weniger sogenannte

Arten zu verzeichnen haben, allein die Wissenschaft im Allgemeinen und die Diatomeenkunde speciell hätten weit grösseren Nutzen davon gezogen."

Das Hartnack'sche Mikroskop, dessen sich Weiss bedient hat, muss ein vorzüglich gutes sein und dürfte den besten englischen Instrumenten kaum etwas nachgeben.

Dass der Verf. das Decimalmass bei seinen Messungen in Anwendung bringt, ist sehr dankenswerth und es ist geradezu unbegreiflich, wenn in wissenschaftlichen Arbeiten von irgend einem andern Mass noch Gebrauch gemacht wird.

Verf. widerlegt nun die irrthümliche und von vornherein wenig wahrscheinliche Voraussetzung, dass die Diatomeenschale aus reiner Kieselsäure bestehe, welche als Secret einer darunter befindlichen organischen Membran anzusehen sei. Glasige Borsäure wurde mit Schwefelsäure und Flussspath in einem Kölbchen erhitzt und die Dämpfe über die in einem Glasrohr befindliche Masse gereinigter Diatomeenschalen geleïtet. Es trat dunkle Färbung dieser Masse ein, wie es geschehen musste, wenn Zellstoff einen Bestandtheil derselben bildete. Schizonema-Arten und Synedren, welche längere Zeit in Jodkalium lagen, zeigten häufig bläulich, bläulichgrün oder blassrosa gefärbte Wände. Die äusseren Wandschichten sind meist stärker als die inneren mit Kieselsäure imprägnirt; überhaupt ist die Anordnung und Vertheilung der Cellulose bei verschiedenen Arten, ja oft bei verschiedenen Individuen einer Art sehr verschieden.

Das schon von Kützing nachgewiesene Eisen der Diatomeen ist in der Cellulose membran abgelagert wie die Kieselsäure. Auch der Inhalt ist häufig eisenhaltig. Die wichtigste Beobachtung ist die Auflösung der sogenannten Zeichnungen der Diatomeenfrustel in sechseckige Zellen. Leicht gelang diese z. B. bei Triceratium favus. Schwieriger bei Pleurosigma angulatum, Surirella gemma und Grammatophora oceanica Ehrenb.; doch glaubt Verf. auch hier den Beweis geliefert zu haben.

Jede Diatomeenzelle endigt nach aussen in einen papillenartigen Fortsatz, welchen man bei mässig starken Vergrösserungen als „Perlenschnüre" wahrnimmt. Bei sehr starken Vergrösserungen lösen die Zeichnungen sich in 6—8eckige Zellen mit einem hellen Fleck, dem papillösen Fortsatz, auf. Da diese Erklärung von denjenigen der neueren Forschungen der Amerikaner etwas abweicht, so dürfte die Bestätigung noch abzuwarten sein.

Die Grösse der Zellen nimmt mit der Erhebung über die Meeresfläche oder nach Weiss' Ansicht mit der Erniedrigung der Temperatur ab.

Bei der grossen Wichtigkeit der Resultate ist zu hoffen, dass der Herr Verfasser sie recht bald in ausführlichster Weise zur Veröffentlichung bringe, da sich nach einer so kurzen und gedrängten Veröffentlichung nur schwer ein klares und sicheres Urtheil bilden lässt.

A. v. Lösecke und F. A. Bösemann, Professor Büchner's plastische Pilze, neu herausgegeben. Hildburghausen 1872.

Büchner's plastische Nachbildungen der Pilze hatten sich rasch eine grosse Popularität und Beliebtheit erworben, welche besonders dem Umstande entsprang, dass bei aller Naturtreue der äusseren Form die Wohlfeilheit des plastischen Materials einen verhältnissmässig recht billigen Preis möglich machte. Konnte man diesen Nachbildungen daher auch nicht grade einen hohen rein wissenschaftlichen Werth beimessen, so boten sie doch für Schulen und selbst für höhere Lehranstalten ein höchst willkommenes didaktisches Material dar.

In noch höherem Grade sind alle diese Vorzüge der neuen Bearbeitung und Herausgabe der Büchner'schen Pilznachbildungen zuzuerkennen, welche die durch ihre Arbeiten bereits rühmlich bekannten Herren v. Lösecke und Bösemann unter obigem Titel veranstaltet haben.

Sowohl die Formen wie das Colorit sind im Ganzen recht glücklich getroffen. Die Anordnung ist eine etwas andere, im Ganzen zweckmässigere wie bei der von Büchner zuerst veranstalteten Ausgabe. Manche Formen sind hinzugekommen, welche man früher ungern vermisste.

Natürlich sind auch bei dieser Ausgabe vor allen die essbaren Schwämme neben ihren giftigen Verwandten berücksichtigt worden; es ist aber rühmend hervorzuheben, dass dabei mit weit geringerer Ausschliesslichkeit die sogenannten Hutpilze berücksichtigt sind, dass vielmehr die Herren Herausgeber den verschiedenen grossen Gruppen der sogenannten höheren Pilze mehr gerechte Würdigung haben zu Theil werden lassen.

Beispielsweise mag gleich die erste Abtheilung hier kurze Besprechung finden. Diese enthält:

1) den Steinpilz (Boletus edulis Bull.); es ist ein junges noch fast geschlossenes und ein nahezu ausgewachsenes Exemplar nachgebildet;

2) den Hallimasch (Armillaria mellea Fr.); nachgebildet sind drei Exemplare in verschiedenen Altersstufen. Das jüngste Exemplar ist noch geschlossen, bei dem zweiten hat soeben die Ablösung des Hutes stattgefunden;

3) den Champignon (Psalliota campestris Fr.) in der wildwachsenden weissen Varietät. Neben einem grösseren Exemplar ein ganz kleines mit noch geschlossenem Hut;

4) den Kaiserpilz (Amanita caesarea Fr.); ein völlig geschlossenes junges und ein ausgewachsenes Exemplar mit Scheide und Ring. Besonders werthvoll ist diese Darstellung im Vergleich mit der sehr gelungenen des Fliegenschwammes (Amanita muscaria Fr.) in einer der folgenden Lieferungen; Beide Pilze sind einander sehr ähnlich, unterscheiden sich aber nach dieser Darstellung so prägnant, dass auch der Laie danach die gefährliche Verwechselung vermeiden wird;

5) den Schulmeister (Phlegmacium caperatum Fr.), in einem ausgewachsenen Exemplar;

6) den Brätling (Galorheus volemus Fr.), ebenso nebst einem jüngeren Exemplar;

7) den Glockenpilz (Coprinus comatus Fr.); von diesem schönen wohlschmeckenden Pilz ist ein junges ganz geschlossenes und ein ausgewachsenes Exemplar dargestellt;

8) den Regenschirm (Lepiota procera Fr.), in einem geschlossenen und einem ausgewachsenen Exemplar;

9) den weissen Regenschirm (Lepiota excoriata Fr.), in einem ausgewachsenen Exemplar;

10) den Reizker (Galorheus deliciosus Fr.);

11) den Mousseron (Clitopilus prunulus Fr.);

12) den Butterschwamm (Boletus luteus L.);

13) in zwei Exemplaren den kleinen Stockschwamm (Pholiota mutabilis Fr.), und

14) den Hufschwamm (Tricholoma gambosa Fr.).

Während der erste Kasten sich fast ganz auf die Agaricineen beschränkt und namentlich die besten unter den essbaren Schwämmen dieser Gruppe berücksichtigt, zeigt der dritte die grösste

Mannigfaltigkeit. Wir finden in diesem unter anderen die schwarze und die weisse Trüffel, das Gelbschwämmchen (Cantharellus cibarius), zwei Arten von Hydnum, Arten von Boletus, Peziza, Morchella, Helvella, Lycoperdon, Bovista u. a. Es wird durch diese Vertretung verschiedener Gattungen höherer Pilze die Sammlung auch für den höheren Unterricht brauchbar.

Wir wünschen auch für dieses Unternehmen der beiden eifrigen Verbreiter nützlichen Materials für den Unterricht wie für wissenschaftliche Zwecke den allerbesten Erfolg.

Verhandlungen über die Faulbrut-Frage in der am 10., 11. und 12. Sept. d. J. in Salzburg abgehaltenen 18. Wanderversammlung deutsch-österreichischer Bienenwirthe. Wörtlicher Abdruck aus Nr. 20 und 21 des 28. Jahrganges der Eichstädter Bienen-Zeitung. Eichstädt den 15. Nov. 1872.

Die erste zur Besprechung in den Sitzungen bestimmte Frage lautet:
I. a) Was ist bezüglich der Faulbrut sowohl für die Theorie als auch für die Praxis als bereits festgestellt anzusehen, und was ist noch fraglich?
   b) Lassen sich gegen die Lehre, dass die Faulbrut auf einem Stande in der Regel durch gewöhnliches Absterben der Bienenmaden eingeleitet und demnächst durch Pilzbildungen weiter verbreitet wird, begründete Einwendungen erheben?

Dr. Dzierzon (wird beim Betreten der Rednerbühne mit stürmischem Beifall begrüsst): Hochverehrte Versammlung! Wer sich für die Bienenzucht interessirt und mit dem Stande derselben einigermassen bekannt ist, wird zugeben müssen, dass dieselbe in Deutschland auf einem sehr hohen Grade angelangt ist. In theoretischer und praktischer Beziehung steht sie wohl in keinem Lande auf der Höhe, wie in Deutschland, was besonders die verschiedenen Wanderversammlungen, die bisher an den verschiedensten Theilen unseres Vaterlands, bald im Süden und Norden, bald im Osten und Westen gehalten wurden, bewirkt haben. Dort sprachen sich die verschiedenen Ansichten aus und konnten,

wenn sie falsch waren, alsbald berichtigt werden. Was die Theil-
nehmer dort hörten und auf den mit ihnen verbundenen Aus-
stellungen sahen, machten sie in ihren Wirkungskreisen bekannt
und das Vereinsorgan, die Bienenzeitung, machte es durch
ihre ausführlichen Berichte zum Gemeingut aller ihrer Leser. In
theoretischer Beziehung ist das meiste, was die Theorie der Bienen, die gesellschaftlichen Verhältnisse derselben anbelangt, ziemlich klar. Darüber ist kein Streit mehr. Nur ein Punkt ist noch
in Dunkel gehüllt, und harret noch der vollkommenen Aufklärung
und Lösung. Es betrifft eine Fatalität und zwar die grösste Fatalität der Bienenzucht, eine Krankheit, welche die Bienenzüchter
mit Faulbrut bezeichnen. Darüber ist schon vieles geschrieben
und gesprochen worden, manche Hypothese wurde aufgestellt über
das Wesen, die Entstehung und Heilung der Faulbrut, aber es
ist noch wenig oder nichts Bestimmtes festgestellt worden. Ich
erlaubte mir daher auf den Wunsch der Redaktion unseres Ver-
einsblattes die Frage zu stellen: Was ist bezüglich der Faulbrut,
sowohl für die Theorie als auch für die Praxis als bereits festgestellt anzunehmen und was ist noch fraglich? Leider muss ich
gestehen, dass der noch in Dunkel gehüllten Punkte weit mehrere
sind, als derjenigen, über welche volle Klarheit erreicht worden ist.

　　Ein Punkt dürfte wohl klar sein, dass die Entstehung der
Faulbrut nicht in der Königin, welche die Eier zu allen jungen
Bienen legt, ihren Grund habe. Es ist nämlich die Ansicht ausgesprochen worden, diese fatale Krankheit, welche in einem gewissen Stadium das Absterben der Brut zur Folge hat, hätte
ihren Grund im Keime, nämlich im Ei, aus welchem die Larve
hervorgegangen ist, die letzte Quelle wäre also eine Kränklichkeit
der Königin, welche die Eier gelegt hat, aus denen die später
absterbenden Bienenlarven hervorgegangen sind. Dies ist entschieden nicht der Fall. Wenn eine Königin aus einem faulbrütigen Stocke in einen gesunden gebracht wird, bleibt dieser gesund und niemals wird die Faulbrut darin ausbrechen. Man kann
die Königin eines faulbrütigen Stockes zur Bildung eines Ablegers
unbedenklich benützen. Niemals wird man die Krankheit zum
Ausbruch kommen sehen, ausser sie wäre auf eine andere Weise
übertragen worden.

　　Wenn andere Bienenzüchter eine andere Ansicht ausgesprochen haben, indem sie die Erfahrung gemacht haben wollen, dass
die Uebertragung einer Königin aus einem kranken Stocke in

einen gesunden den Ausbruch der Krankheit in diesem zur Folge hatte, so bin ich überzeugt, dass wahrscheinlicher die Hand des die Königin zusetzenden Bienenzüchters als die Königin selbst die Krankheit dem gesunden Stocke eingeimpft habe.

An der grösseren Ausbreitung der Krankheit in einem einmal angesteckten Stocke kann allerdings die Königin insofern Schuld sein, als sie sehr viel Eier legt und auch solche Zellen wieder besetzt, welche von den Bienen noch nicht vollständig gereinigt worden waren.

Was das Wesen der Krankheit anbetrifft, worin diese begründet sei, wie sie aus einem Stock in einen andern sich fortpflanze, darüber sind manigfache Ansichten ausgesprochen worden. Besonders stehen 2 Theorien einander gegenüber, welche sich gegenseitig bekämpfen, d. i. die des Sanitätsrathes Dr. Preuss und des Chemikers Lambrecht. Herr Dr. Preuss hat auf Grund mikroskopischer Untersuchungen die Ansicht aufgestellt, dass ein gewisser Pilz es sei, welcher das Absterben der Brut zur Folge habe und die Krankheit von einem Stocke in den andern übertrage.

Dieser Pilz vermehre sich unter günstigen Umständen und verursache den Tod der jungen Larven.

Nach dieser Ansicht lassen sich alle Erscheinungen am besten erklären und ich bin daher sehr geneigt, diese Ansicht des Herrn Dr. Preuss als die richtige anzuerkennen. Mein vorzüglichster Grund ist dieser: Die Faulbrut ist bekanntlich nur eine Krankheit, die die noch nicht entwickelten Bienen, welche die Zellen noch nicht verlassen haben, ergreift; während die bereits entwickelten stets gesund bleiben. Selbst wenn die Faulbrut einen solchen Grad erreicht hat, dass fast die gesammte junge, noch in den Zellen befindliche Brut abstirbt und in Verwesung übergeht, bleiben die einmal vollkommen entwickelten Bienen gesund und munter. Diese Erscheinung wäre nicht zu erklären, wenn der Grund der Faulbrut in einem schädlichen oder giftigen von innen aus wirkendem Stoffe läge. Denn wie empfindlich auch die ausgebildeten Bienen gegen auch nur etwas scharfe Stoffe sind, bezeugt die um die Zeit nach der Baumblüthe fast alljährlich mehr oder weniger sich einstellende s. g. Tollkrankheit.

Nach der Theorie des San. Dr. Preuss aber werde die Bienenlarve durch den von ihm beobachteten und seiner Zeit in d. Bl. näher bezeichneten Pilz, wenn er sich unter ihm günstigen

Umständen ausserordentlich vermehrt hat, von aussen befallen
und allmählig getödtet. Daraus ist nun die Frscheinung leicht
erklärlich, dass die Krankheit auf die ausgebildeten Bienen, welche
äusserlich mit einem Panzer versehen sind, keinen Einfluss übt,
wohl aber die zarten Larven nach und nach tödtet. Es stimmt
daher die Ansicht des Dr. Preuss sehr gut mit den gemachten
Erfahrungen und nach ihr lassen sich die Erscheinungen der
Faulbrut und ihr Verlauf sehr wohl erklären.

Unmöglich aber erklären sie sich nach der Lambrecht'schen
Theorie. Nach dieser entsteht die Faulbrut durch verdorbenes
Blumenmehl (Pollen). Es ist aber ganz richtig dieser Ansicht in
der B.-Z. schon von andern Seiten die Behauptung entgegengestellt
worden, dass, wenn einfach verdorbenes Blumenmehl den Ausbruch der Faulbrut zur Folge haben sollte, schwerlich noch Bienen überhaupt existiren dürften.

Denn von dem grossen Blumenmehlvorrath, welchen namentlich ältere Stöcke in den Winter nehmen, verdirbt in Folge an-
gezogener Feuchtigkeit ein grösserer oder kleinerer Theil fast
alljährlich. Was ganz verdorben und später erhärtet ist, werfen
die Bienen heraus, was nur oberflächlich etwas verschimmelt ist,
zehren sie im Frühjahr zur Bereitung des Brutfutters auf und der
Stock bleibt doch gesund. Auch hält Lambrecht den Begriff
nicht fest, was er unter verdorbenem Blumenmehl versteht. Während er früher nur von in Gährung übergegangenen Pollen sprach,
sagt er später gegen Herrn v. Berlepsch: Wenn man Pollen
aus einem faulbrütigen Bienenstock in einen gesunden bringt, und
wenn die Faulbrut nicht ausbricht, dann wolle er Unrecht haben
u. dgl. Das ist doch aber etwas ganz anderes, einem kranken
Stocke entnommenes und einfach in Gährung übergegangenes
Blumenmehl.

Dass durch das erstere gesunde Stöcke angesteckt, vielleicht
am sichersten angesteckt werden können, wird Niemand bezwei-
feln. Denn die Pollenzellen dürften besonders günstige Brutstätten
jenes mikroskopischen Pilzes sein.

Einfach verdorbener, in Gährung übergegangener Pollen aber
kann unmöglich den Ausbruch der Krankheit zur Folge haben.
Aber ob nun auch die von Dr. Preuss aufgestellte Ansicht sich
bestätigt, wenn sie auch die wahrscheinlichste ist, steht noch in
Frage. Es ist gegen dieselbe der Einwand gemacht worden, dass
die beobachteten und näher bezeichneten Pilze nicht Ursache,

sondern erst Folge des Absterbens der Brut sein dürften. Der Grund, das eigentliche Wesen der Krankheit ist immer noch in Dunkel gehüllt und wir müssen auch ferner noch Beobachtungen anstellen und immer mehr die Sache aufzuhellen suchen, damit wir dann in Stand gesetzt werden, das Uebel von unsern Ständen abzuhalten, und wenn es ausgebrochen ist, zu beseitigen.

Denn es ist einmal Sache des praktischen Bienenzüchters, alle Fatalitäten von seinem Bienenstande fern zu halten; unter allen aber ist das grösste Uebel die Faulbrut. Sie ist für den Bienenwirth in der That der schrecklichste der Schrecken. (Allgemeines Bravo).

Lehrer Vogel aus Lehmannshöfel. Hochgeehrte Versammlung! Herr Sanitätsrath Dr. Preuss ist — gewiss zu allseitigem Bedauern — amtlich behindert, an den Verhandlungen der Versammlung persönlich Antheil zu nehmen. Im Geiste will Herr Dr. Preuss, wie er mir brieflich mittheilte, in diesen Tagen in Salzburg unter den Hunderten von Bienenfreunden weilen, und hat mich beauftragt, Ihnen, meine Herren! seinen herzlichsten Imkergruss zu sagen und Ihnen die neuesten Ergebnisse seiner gründlichen Forschungen über Ursache, Wesen und Heilung der Faulbrut mitzutheilen. Ich erhielt die vortreffliche Arbeit des Herrn Sanitätsraths erst gestern nach meiner Ankunft aus der Hand unseres Herrn Präsidenten Königsberger und hatte darum nur wenig Zeit zum Studium derselben; aber inmitten einer so grossen Zahl von Bienenfreunden studirt sichs halt besser als daheim am einsamen Tische. Wenn ich auch heute die Antwort des Herrn Sanitätsraths auf die von ihm gestellte Frage nach Anleitung der mir zugegangenen Arbeit frei gebe, so wird das hochgeehrte Präsidium doch dafür Sorge tragen, dass die Arbeit in dem Berichte, welchen die Bienenzeitung bringen wird, wortgetreu zu finden sein wird.

Die Lehre von der Faulbrut ist seit der letzten Wanderversammlung in der Bienenzeitung vielfach besprochen worden. Der damals aufgestellte Satz, „dass die Krankheit in der Regel durch anderweite Ursache entstehe, dass sie jedoch einzig und allein durch kleinste Pilzformen (Micrococcus von Ascophora elegans, Mixotrichum chartarum u. A.) sich weiter verbreite, und auf ihnen allein die Ansteckung beruhe, hat theils Anerkennung, theils Widerspruch gefunden. Unterdessen sind mir wiederum von verschiedenen Seiten eingehende Motthei-

lungen über Faulbrutepidemien gemacht worden, welchen den
kranken Stöcken entnommene Faulbrutstücke beigefügt waren.
Diese wurden sorgfältig mikroskopisch untersucht. Gleichzeitig
sind während des Sommers zahlreiche Versuche über Impfung
und Uebertragung der Faulbrut, künstliche Erzeugung derselben
und Wirkung der Heilmittel angestellt worden, und fasse ich die
Resultate dieser Untersuchungen in Folgendem zusammen, indem
ich zugleich eine Beleuchtung der von andern Forschern ausge-
sprochenen Ansichten und Bedenken hinzufüge.

1. Diejenige Form des Absterbens der Bienenmaden, welche
sich dadurch charakterisirt, dass die todten Maden in den Zellen ihre
Gestalt und gekrümmte Lage behaltend vertrocknen, und welche
man bisher gutartige Faulbrut genannt hat, muss von der Faulbrut völlig geschieden werden, da ja keine Fäulniss stattfindet.
Sie kann mit dem Namen Mumification der Brut, Mumien-
brut, trockene Brut belegt werden. Bei dieser Form bleibt
es, wenn nach dem Absterben der Bienenmaden aus anderweiten
Ursachen diejenigen Pilzformen nicht vorhanden sind, welche die
Fähigkeit besitzen auf dem todten Madenkörper zu wuchern, oder
wenn die Temperatur- und Feuchtigkeitsverhältnisse das Gedeihen
derselben nicht begünstigen.

2. Da, wo die Maden in Fäulniss und in die bekannte jauchige oder leimartige Masse übergehen, enthält diese Masse stets
zahllose Micrococcus-Formen. Die Pilzbildung und Fäulniss schrei-
tet auf dem Madenkörper von aussen nach innen und von den
dem Ausgange der Zelle zugewendeten Kopfende zum Afterende
vorwärts. Diese Masse, auch verdünnt auf gesunde Bienenmaden
übertragen, bewirkt deren Absterben und Fäulniss. Die Faulbrut
ist demnach stets ansteckend. Die Eintheilung der ansteckenden
Krankheit in gutartige und bösartige ist zwar praktisch zulässig,
aber nicht wissenschaftlich, da es ganz und gar von Temperatur-
und Feuchtigkeitsverhältnissen, von dem Alter und der Ausdehnung der Krankheit abhängt, welche Intensivität sie zeigt.

3. Der Einwand Molitor-Mühlfelds[*]), dass nur die bewegte, nicht die ruhige Luft die Trägerin der Pilzsporen sein
könne, dass letztere in ruhiger Luft, wie sie doch im Bienenstocke
vorhanden sei, zu Boden fallen müssen und deshalb nicht in die
Zellen dringen können", ist (abgesehen davon, dass ja schon durch

---

[*]) Bienenzeitung 1872, Nro. 12, S. 147.

die Bewegung der Bienen die Ruhe der Luft im Stocke gestört wird) durch Dr. Ule in Halle in dem Artikel „der Staub" in dem von ihm herausgegebenen Journale: „die Natur" und durch den berühmten englischen Physiker Tyndall, wissenschaftlich gründlich widerlegt worden. Beide haben dargethan, dass organischer Staub, wesentlich aus Pilzsporen bestehend, in jeder, auch der ruhigsten Luft vorhanden ist, es sei denn, dass man sie vorher durch Feuer getrieben hat, welches den organischen Staub verbrennt. Desshalb wächst auch in dem verschlossenen Schrank, in der verschlossenen Flasche Schimmel auf zahllosen Körpern. Wie Herr Pastor Schönfeld darthut*), finden Schimmelsporen ihren Weg in doch gewiss verschlossene faule Eier und taube Nüsse und entwickeln sich dort zu Schimmelpflanzen, wie sollten die Micrococcus-Formen ihren Weg nicht in den Bienenstock finden.

4. Was allein zu Bedenken Veranlassung geben könnte, ist der Umstand, dass die Pilzformen unter gewöhnlichen Verhältnissen der lebenden Brut nicht schaden, sondern nur auf den abgestorbenen ihren Vermehrungsprocess beginnen und dass sie dann milliardenfach vermehrt auch im Stande sind die gesunde lebende Brut zu tödten. Wir können jedoch ein ganz analoges Wirken der Gifte; es giebt kein noch so starkes Gift, das nicht in ausserordentlich geringer Menge genossen unschädlich wäre, während es in grösserer Menge tödtet. Kleine Gaben von Arsenik, Blausäure, Strychnin, Atropin sind wichtige Heilmittel, grössere tödten rasch, einige augenblicklich.

Es giebt also keinen Einwand gegen die Lehre, dass durch kleinste Pilzformen die Ansteckung der Faulbrut bewirkt wird. Faulbrütige Masse kommt niemals ohne Micrococcusformen vor, sie sind auch in den kleinsten Partikelchen nachzuweisen, sie sind also nicht zufällig, sondern bedingen das Wesen der Faulbrut.

Wenn hiernach die Frage, ob die Weiterverbreitung der Faulbrut durch Pilzformen bedingt ist, meinerseits beantwortet ist, so erlaube ich mir doch noch Einiges die erste Entstehung der Faulbrut Betreffendes nach eigener Erfahrung und nach meinen Untersuchungen mitzutheilen.

Die Tödtung der Brut durch Schlupfwespen, welche Molitor-Mühlfeld beobachtet hat, ist gewiss äusserst selten. Ich habe

---

*) Bienenzeitung 1872, Nro. 6, S. 68.

bei meinen sehr zahlreichen Untersuchungen keinen Fall beobachtet, obgleich ich sorgfältig darauf achtete. Fast eben so selten
ist die Tödtung der Brut durch Wachsmilben, von der ich einen
Fall mitgetheilt habe*). Weniger selten ist die Tödtung der Brut
durch direkt von den Pflanzen eingetragene mikroskopische Pilze,
welche sich aus der Luft mit dem Thau auf den Pflanzen niederschlagen und von den Bienen in die Stöcke getragen werden**).
Verdorbener gährender Honig ist eine häufige Ursache des Absterbens der Maden. Die Behauptung, dass faulender Pollen die
Maden tödte, ist durch die Untersuchungen Vogels***) nicht
bestätigt worden. — Der Ansicht Fischer's, dass mangelhafte
Ernährung, insbesondere Mangel an Blumenmehl ein Absterben
der Brut zur Folge hat, vermag ich nicht, wie es bisher allseitig
geschehen ist, zu widersprechen. Herr Pfarrer Dr. Dzierzon
führt zwar mit Recht an, dass die Bienen den Brutansatz nach
der Nahrung einrichten. Die Ernährung kann aber eine unregelmässige sein. Reiche Frühlingstracht kann zu starkem Brutansatz
Veranlassung werden, sie kann plötzlich durch längere Zeit unterbrochen werden, dann werfen die Bienen zwar die Brut gewöhnlich hinaus; es kann ihnen dies Geschäft aber zu gross werden,
die todte Brut bleibt in den Zellen und wird, wenn sie nicht mu-
mificirt, ein Wohnsitz der kleinsten Pilzformen. Die Angabe Fi-
schers, dass bei Mangel an Blumenmehl die Brut zu Grunde
gehen müsse, lässt sich auf folgende Weise streng wissenschaftlich
prüfen. Man entferne zur Zeit des stärksten Brutansatzes aus
einem starken Stocke, der viele Eier und junge unbedeckte Maden und genügende Honigvorräthe hat, sämmtliche Waben und
Wabentheile, welche Blumenmehl enthalten und stelle ihn 3 Wochen lang in ein kühles finsteres Lokal, um jeden Ausflug der
Bienen zu hindern. Erziehen sie dessenungeachtet die Brut zu
Bienen, so ist die Ansicht widerlegt; stirbt sie ab, so hat Fischer
recht. Aber auch in diesem Falle würde er nur eine der vielen
Ursachen des Absterbens der Maden gefunden haben. Es giebt
kaum irgend einen Aufsatz über Faulbrut, der nicht eine Wahrheit enthielte; der Fehler ist gewöhnlich der, dass der einzelne
oder der seltene Fall zur allgemeinen Regel erhoben wird und

---

*) Bienenzeitung 1871, Nro. 21, 22, S. 265.
**) v. Berlepsch, die Biene. II. Aufl. S. 203 und 4.
***) Bienenzeitung 1871, Nro. 21, 22, S. 263.

von diesem Fehler dürfte auch Herr Fischer nicht freizusprechen sein.

Dafür, dass mangelhafte Ernährung die Brut tödtet und Anlass zur ansteckenden Faulbrut giebt, liefert folgender von mir angestellter Versuch den Beweis. Ich sperrte in einem starken Stocke zwei Bruttafeln mit der Königin und vielen Bienen an der vom Flugloch entferntesten Stelle durch einen mit Drahtgaze überspannten Rahmen von dem ausserdem noch sieben Waben enthaltenden Stocke derart ab, dass die Bienen nur durch eine schmale Spalte Zutritt hatten. Sie gingen wie ich durch das Fenster beobachtete, hin und her und fütterten die Brut mit gewohnter Sorgfalt, jedenfalls jedoch nicht genügend, denn sie starb ab und war nach 8 Tagen in Fäulniss übergegangen, mit Micrococcusformen gefüllt und stinkend. Acht Tage später waren auch die durch den Rahmen getrennten Waben faulbrütig und nach ferneren 2 Wochen zeigte sich die Faulbrut in vier benachbarten Stöcken. Jetzt hielt ich es an der Zeit, alles Faulbrütige auszuschneiden und den Versuchsstock mit den von mir angegebenen Mitteln zu reinigen. Die Krankheit war nach einigen Wochen beseitigt. Ansteckende Faulbrut war hier jedenfalls vorhanden; bösartig würde man sie haben nennen müssen, wenn ich mit der Beseitigung noch einige Wochen gewartet hätte. Den Uebergang der zwar ansteckenden, aber vorläufig gutartigen Faulbrut in die bösartige erklärt auch Herr Pfarrer Dr. Dzierzon*) und ebenso Herr Baron von Berlepsch**). Ich glaube dargethan zu haben, dass ein wissenschaftlicher Unterschied beider, nachdem die Mumification der Brut als besonderer Zustand von der Faulbrut geschieden worden, nicht haltbar ist.

Die häufigste Ursache des Absterbens der Maden und damit die häufigste Veranlassung zur Entstehung der Faulbrut ist die Verkühlung der Brut bei starkem Temperaturwechsel. Folgt auf heisse Frühlingstage, in denen das Brutlager weit ausgedehnt ist, Kälte, blasen insbesondere kalte Winde in die grossgeöffneten Fluglöcher und vertreiben die Bienen von einzelnen Theilen des Brutlagers, so stirbt die Brut ab.

Was die Heilung der Faulbrut betrifft, so habe ich den im vorigen Jahre angegebenen Mitteln keine neuen hinzuzufügen.

---

*) Bienenzeitung 1872, Nro. 5, S. 50.
**) v. Berlepsch, die Biene. II. Aufl. S. 203. 3.

Zahlreiche briefliche Mittheilungen stimmen sämmtlich darin überein, dass die Krankheit durch dieselben beseitigt wurde. Sie sind
für alle, auch die bösartigsten Fälle genügend und hat man nach
keinen neuen Heilmitteln zu suchen und zu fragen. Die Faulbrut ist hiernach für eine unter allen Umständen und
leicht zu heilende Krankheit zu erklären.

Was ich Ihnen, m. HH., jetzt mittheilte, hat Herr Sanitätsrath Dr. Preuss am 3. d. M. in Dirschau niedergeschrieben.
Seine Mittheilungen sind so klar und durchsichtig, dass eine Erläuterung derselben meinerseits wohl nicht nothwendig sein wird.
Nachdem ich mich auch in diesem Jahre wieder von dem steten
Vorhandensein des Micrococcus in faulbrütiger Masse überzeugt
habe, so spreche ich frei und offen aus, dass ich ein Anhänger
der Pilztheorie des Herrn Dr. Preuss bin, zumal auch die von
ihm angegebenen Mittel, die Krankheit zu beseitigen, probat sind.
Ich spreche dem Herrn Sanitätsrath Dr. Preuss für seine Forschungen meinen und meiner Freunde Dank aus. (Bravo.)

Locher, Lehrer aus Sigmaringen. Hochverehrte Versammlung! Zum Ergreifen des Wortes veranlasst mich zunächst die genaue Bekanntschaft mit der Faulbrut. Schon 10
Jahre seufze ich unter dem Drucke dieser Calamität, die inzwischen
meinen Stand von 50 auf 13 Bienenvölker heruntergebracht hat.
Natürlich legte ich dabei die Hände nicht in den Schooss, sondern versuchte die meisten der angerathenen Mittel: ich habe
entweiselt, umlogirt, neu bauen lassen, die Wohnungen desinficirt,
den Stand versetzt, Hühnerei und Malzsyrup gefüttert etc. etc. —
Das Uebel ist aber nicht nur geblieben, sondern hat immer weiter
um sich gegriffen. Dieses Jahr habe ich Gelegenheit bekommen,
die Bienen in einem grössern Umkreise um Sigmaringen genau
anzusehen. Dabei ist mir die Faulbrut gar vielfach und in den
verschiedensten Stadien ihrer Entwickelung entgegengetreten, und
ich habe sie mir zum Gegenstande ernstlicher Nachforschung und
mikroskopischer Untersuchung gemacht. Einige der gewonnenen
Erfahrungen und Ergebnisse erlaube ich mir als Beitrag zur Beantwortung vorliegender Frage mitzutheilen.

Es dürfte geboten sein, zuerst den Gang kurz zu charakterisiren, den die Krankheit durchläuft, wenn sie selbstständig entsteht. Nach meinen Erfahrungen tritt die spontan sich entwickelnde Faulbrut immer successive auf und wir können nach
ihren Erscheinungen verschiedene Grade derselben unterscheiden.

Eigentliche Vorbedingung für ihr spontanes Entstehen ist immer ein starkes Madensterben. Ein kleiner Theil der Maden stirbt in jedem Stocke; davon kann man sich leicht überzeugen. Bekanntermassen bestiftet eine fehlerfreie Königin alle leeren Zellen der Brutwaben in nach und nach sich erweiterndem Umkreise mit Eiern. Wir können zur Zeit der stärksten Eierlage Tafeln finden, die ganz damit besetzt sind. Betrachten wir eine solche nach etwa 10 Tagen wieder, so finden wir auch in dem gesundesten Stocke zwischen der gedeckelten Brut immer einige offene Zellen mit jungen Maden, Eiern, Honig, mitunter auch leer, weil die Brut eben nie alle zur Perfection gelangt. Die Bienen haben jedoch hier die abgestorbenen Maden schnell entfernt, die betreffenden Zellen gereinigt und entweder der Königin zur neuen Bestiftung überlassen, oder dieselben mit Honig gefüllt. Das ist der normale Gang. Mitunter können aber auch Umstände eintreten, die ein massenhaftes Madensterben zur Folge haben, dass nicht, wie gewöhnlich, nur einige wenige, sondern vielleicht bis zu 25 Prozent und darüber dem Tode anheimfallen. Das ist schon ein abnormer Zustand, der nur bei schnellem Vorübergange der Ursache des Sterbens von einem starken Volke gefahrlos überwunden wird. Dauern die Ursachen des Massensterbens aber längere Zeit fort, oder ist das Volk schwach, so dass die Leichen nicht sofort entfernt werden, so ist das allerdings noch keine Faulbrut, aber das ist die nächste Vorbedingung für ihre spontane Entstehung. Bleiben abgestorbene Maden liegen, bis sie in Verwesung übergehen und von den Bienen in diesem Zustande nicht mehr beseitigt werden können, so dass die Brutzellen längere Zeit zum Einschlagen frischer Brut unbrauchbar sind, dann haben wir wirkliche Faulbrut: Gewöhnlich besteht sie anfangs aus unbedeckelten, oft noch kleinen, gekrümmt auf dem Zellenboden liegenden todten Larven, von gelbgrauer Farbe und zusammengesunkener Gestalt. Die Aussenhaut derselben bleibt mehrere Tage ziemlich unverletzt; sie können desshalb mit einer Pincette meistens ganz aus der Zelle gezogen werden und zeigen beim Oeffnen einen graulichen, wässerigen Inhalt, mit Bruchstücken der Eingeweide. Das ist der erste Grad der Krankheit. Es ist die gutartige Faulbrut, die sich unter günstigen Verhältnissen von selbst wieder verliert, oder durch menschliche Beihilfe heben lässt. Später, wenn nicht Besserung eintritt, modificirt sich die Sache. Der Tod ergreift neben einzelnen unbedeckelten mei-

stens nur bedeckelte Larven, mitunter, doch äusserst selten, auch
Nymphen. Die Leichen verwandeln sich alsbald und vollständig
in eine heller oder dunkler gefärbte, bräunliche, brei- und hefen-
ähnliche Masse, die sehr zähe und klebrig ist. Das Zerstörungswerk scheint hier in der Aussenhaut entstanden zu sein, wenigstens vermochte ich in den vielen Fällen, in welchen mir derartige Brut vorgekommen ist, niemals eine Larve ganz aus der
Zelle zu bringen; immer war die ganze Epidermis fast vollständig
zersetzt und aufgelöst, wogegen von den innern Theilen oft noch
Bruchstücke der Tracheen und selbst des Darmes zu erkennen
waren. Sogar die Zellenwände, welche mit der faulen Masse in
Berührung standen, zeigten sich unter dem Mikroskop öfters angegriffen, verändert und verunstaltet, besonders bei ältern Waben.
Das ist der zweite Grad der Krankheit; es ist die bösartige
Faulbrut. Zieht sich dieser Zustand in einem Bienenstocke in
die Länge, dauert er vielleicht ins zweite oder dritte Jahr, so
beginnt allmählig das Ende. Die Bienen verfallen nach und nach
einer grossen Entmuthigung und Unthätigkeit, einer Art Verzweif-
lung. In unnatürlicher Lethargie, in stumpfer, stiller Resignation
wollen oder können sie — was bisher geschah — die frisch gestorbenen Maden nicht mehr aus den offenen Zellen entfernen;
die gedeckelte Brut bleibt auch grösstentheils als Fäulniss zurück;
nur sehr wenige, auf allen Waben des ganzen Stockes zerstreute
Brutzellen ergeben noch junge Bienen und nachher Raum zur
Eierablage für die Königin; das Völkchen schmilzt mit rapider
Geschwindigkeit auf ein armseliges Ueberrestchen zusammen; das
Ende ist da: der Stock geht ein mit Hinterlassung einer besudel-
ten Wohnung und eckelerregenden Waben, noch eine Zeit lang
geeignet zum Aufenthalte für Wachsmotten, Speckkäfer und ähn-
liches Geschmeiss.

Meine Herren! Genau so habe ich den Verlauf der Krankheit immer gefunden, wo sie in Folge spontaner Entwickelung
selbstständig entstanden ist. Daraus ergeben sich für die vorliegende Frage folgende 4 Punkte. Als sicher festgestellt sehe ich an:

1. Es giebt verschiedene Grade der Faulbrut. Unfehlbar haben wir eine gutartige, heilbare, und eine bösartige,
unheilbare Form der Krankheit zu unterscheiden. Beständen nicht
ein gewaltiger Unterschied, wie wollte man dann das Entstehen
der vielen Widersprüche erklären, welchen man in den Berichten
verschiedener Bienenzüchter über die Erscheinungen dieser Krank-

heit begegnet? Wir können doch das, was wahrheitsliebende
Männer uns als objective Thatsachen vorlegen, unmöglich für sub-
jektive Meinungen und Schlüsse, für blosse Ansichten derselben
auslegen; wir können erfahrene Bienenzüchter doch nicht für Ge-
täuschte, ehrenhafte Leute nicht für Täuscher und Schwindler
halten. Das sei ferne! Betrachten wir aber derartige Berichte
als Wahrheit, als wirkliche Thatsachen, so bleibt uns nichts anderes übrig, als anzuerkennen: es muss verschiedene Grade der
Faulbrut geben.

2. Die bösartige Faulbrut ist ansteckend. Will
man von einigen wenigen Seiten die Ansteckungsfähigkeit auch
nicht als beständiges und wesentliches Merkmal der bösartigen
Faulbrut zugestehen, so ist es doch eine nicht wegzuläugnende,
hundertfältig bestätigte Thatsache, dass die Krankheit durch inficirte Wohnungen, Rähmchen, Deckbrettchen, Waben, Pollen,
Honig, Bienen, Werkzeuge, ja selbst durch die Luft, auf andere
bisher gesunde Völker übertragen worden ist. Diejenigen Bienenzüchter, welche nach ihren Erfahrungen hieran zweifeln, wollen
sich doch erinnern, dass die bösartige Faulbrut, wie jede andere
epidemische Krankheit, nach den verschiedenen Verhältnissen und
Einwirkungen, unter welchen sie steht, einen gutartigeren oder
bösartigeren Charakter annimmt, wovon ihnen vielleicht nur der
erstere bekannt geworden ist. Am verbreitetsten scheint mir übrigens der Zweifel an Uebertragbarkeit der Faulbrut durch die
Bienen. Gewöhnlich hört man sagen: „Das Volk eines faulbrütigen Stockes, in einen andern Kasten ohne Honig und Waben
übersiedelt, bleibt gesund; mehrere vereinigte faulbrütige Völker
so behandelt, ergeben das gleiche Resultat." Meine Herren! Dieser Behauptung steht meine zehnjährige Erfahrung schnurstracks
entgegen. So oft ich auch derartige Uebersiedlungen und Ver-
einigungen mit der grössten Vorsicht ausführte, immer ist die
Krankheit wieder ausgebrochen. Sogar das Zusetzen ganz gesunder Bienen, deren ich schon gar viele aus andern Orten bezogen habe, blieb vollständig erfolglos, das Uebel besserte sich
dadurch nicht. Noch mehr! Ein mir vor vier Jahren durchge-
brannter Naturschwarm wurde in einem 1 Stunde entfernten Orte
aufgefangen und in einen Strohkorb gefasst. Im darauffolgenden
Herbste, als ich Gelegenheit hatte, ihn zu sehen, war er von der
bösartigen Form der Krankheit stark ergriffen und ging im nächsten Jahre in Folge hievon ein. Später überliess ich ebenfalls

einen Naturschwarm von einem nicht stark faulbrütigen Stocke
an einen Bienenfreund, ganz ohne Mitgabe von Rähmchen, Waben
u. dgl. aus dem Mutterstocke, rein nur Volk und Königin; auch
dieser wurde bald darauf faulbrütig und ging zu Grunde. Ein
ganz auffallendes Beispiel, von Uebertragbarkeit der Krankheit
durch das Volk, musste ich aber neuester Zeit erfahren. Letzten
Oktober fand ich bei der Herbstrevision auf einem benachbarten
Bienenstande ein ziemlich schwaches Volk. Der Bau desselben
war aber gut und der Honigvorrath hinlänglich, wesshalb es der
Eigenthümer durch ein anderes Volk zu verstärken und in den
Winter zu nehmen wünschte. Da er wegen vorgerückter Jahreszeit jedoch nirgends mehr Bienen zum Zusetzen auftreiben konnte,
so ersuchte er mich, ihm eines meiner faulbrütigen Völkchen zu
überlassen, deren ich noch zwei zu kassiren hatte. Wir beide
hofften, so ein Bruchtheil leerer Bienen, im Herbste zugesetzt,
werde dem ganz gesunden Stocke keinen Schaden bringen. Allein
Ende Juni d. J., als ich ihn untersuchte, fanden sich darin ziemlich viele Zellen mit bösartiger Faulbrut vor, während in allen
andern Stöcken des Standes auch nicht eine einzige zu entdecken
war. Die Annahme, die Krankheit sei in allen diesen Fällen in
Folge spontaner Entwickelung gekommen, ist schon desswegen
unstatthaft, weil dazu das charakteristische Merkmal einer solchen
ein successives Entstehen, gänzlich fehlte, weil die Krankheit jedesmal sogleich in bösartiger Form aufgetreten ist. Zudem wäre
eine solche Annahme aber fast unglaublich. Warum sollten denn
immer nur gerade diejenigen Bienen erkrankt sein, deren Völker
ganz oder theilweise faulbrütigen Stöcken entstammten und niemals andere der betreffenden Stände, die doch vollständig den
gleichen Verhältnissen und Einflüssen ausgesetzt waren, wenn nicht
jene Bienen einen Ansteckungsstoff, wenigstens eine gewisse Disposition zur Uebertragung der Krankheit, in und an sich selbst
mitgebracht hätten?

Derartige Beispiele könnte ich noch mehrere anführen; doch
glaube ich, diese wenigen werden genügen zur Aufrechthaltung
der Behauptung: die bösartige Faulbrut kann auch durch die
Bienen in andere Stöcke übertragen werden.

So viel aus der Praxis; nun noch weniges aus der Theorie.
Als festgestellt betrachte ich ferner:

3. In der Faulbrutmasse sind bei der bösartigen
Form der Krankheit immer zahllose niedere Pilzformen

vorhanden. Diese sind daher ein charakteristisches Merkmal zur Unterscheidung bösartiger Faulbrut. vom gutartigen, wenn auch massenhaften Madensterben. So oft ich auch bösartige Faulbrut unter dem Mikroskop betrachtete, immer fand ich darin eine grosse Menge sehr kleiner Körnchen vom Aussehen des Sporeninhaltes des gewöhnlichen Schimmels. Dieselben sind nach einiger Uebung leicht zu erkennen und von den ähnlich aussehenden, grösseren organischen Zellen der Maden bestimmt und sicher zu unterscheiden. Ebenso kann durch verschiedene Versuche ihre Natur und Herkunft unzweifelhaft festgestellt werden und ich habe mich durch wiederholte Kulturen überzeugt, dass sie wirklich niedere Pilzformen, nämlich die von Hrn. Sanitätsrath Dr. Preuss entdeckten Micrococcus und Cryptococcus alvearis sind. Man kann das schon einigermassen nachweisen, wenn man nur ein faulbrütiges Wabenstückchen mit geöffneten Deckeln auf einen sorgfältig gereinigten Teller in destillirtes Wasser legt, und durch eine mit siedendem Wasser ausgespülte Glasglocke bedeckt, einige Tage im Zimmer stehen lässt. Bald werden die Cocci auf der faulen Masse keimen und nach und nach als graulicher, spinnengewebeähnlicher Schimmel aus derselben, besonders an den Zellenrändern, hervorwachsen. Augenscheinlicher, überzeugender und unanfechtbarer wird der Beweis freilich, wenn man den aus der Faulbrut ausgewaschenen Micrococcus auf einem passenden Substrat znr Keimung bringt; doch erzielte ich auf beiden Wegen das gleiche Resultat: ein ziemlich dichtes Mycelium mit zarten Hyphen, welche Sporangien trugen, also eine Schimmelart aus der Gruppe der Mucorineen oder Mucedineen, eine Ascophora.

4. Die Pilzsamen schweben in der Luft und gelangen überall hin, wo auch nur eine Spur von Luft einzudringen vermag. Ihr Vorhandensein im Bienenstocke lässt sich auf verschiedene Weise nachweisen. So habe ich z. B. eine alte Wabe 24 Stunden in eine sehr starke kaustische Kalilauge gelegt, um die etwa darin enthaltenen Pilzsamen zu tödten. Nachdem sie hierauf durch Schwingen von der Lauge schnell gereinigt und mit destillirtem Wasser stark eingefeuchtet war, hing ich sie hinter einem Drahtgitter in einen faulbrütigen Bienenstock, schob das Fenster vor und verkleisterte die Fugen, damit nur die Luft des Stockes durch das Gitter zu ihr dringen konnte. Nach 4—5 Tagen war sie von dem früher genannten Schimmel fast ganz überzogen. Der Same desselben muss daher nothwendig in

der Luft des Stockes vorhanden gewesen sein. Diese unumstöss-
liche Wahrheit könnte nur angezweifelt werden, wenn der elterliche Ursprung des Schimmels geleugnet und eine sogenannte Ur-
zeugung, eine Selbstentwickelung desselben angenommen würde.
Doch die Unhaltbarkeit einer solchen Annahme ist ja wissenschaftlich und faktisch nachgewiesen. Erinnern wir uns z. B. nur
an die Thatsache, dass man durch hermetischen Einschluss eines
Gegenstandes die Entstehung des Schimmels auf demselben sicher
verhüten kann, und dass ein solcher im Gegentheil unfehlbar
schimmelt, wenn die Luft auch nur durch kleine Ritzen und Poren zu ihm gelangt.

　Meine Herren! Zum Schlusse erlaube ich mir auch einen
Punkt zu berühren, der noch nicht festgestellt ist. Es ist immer
noch fraglich (wenigstens nicht allgemein anerkannt), worin
die Ansteckungsfähigkeit der bösartigen Faulbrut
ihren Grund habe, ob sie wirklich allein auf der Uebertragung niederer Pilzformen beruhe, ob diese im Stande seien, die
Bienenmaden zu tödten, und wenn ja, ob das Zerstörungswerk
von innen, in den Eingeweiden, oder von aussen, in der Epidermis
beginne? Nach meinen Versuchen und Wahrnehmungen erscheint
es im höchsten Grade unwahrscheinlich, dass der Sporeninhalt
des gemeinen Schimmels, der gewiss in jedem Bienenstocke zahlreich vorhanden ist, für sich allein Larven tödten und Faulbrut
erzeugen könne. Meine desfallsigen Versuche sind freilich inso-
ferne ungenau, als ich sie nur an meinen eigenen inficirten Stöcken
machen konnte, ergaben übrigens doch ein annehmbares Resultat.
Bei den Impfversuchen mit Pilzsamen, welcher von verschimmel-
tem Fleisch, Leder, Kleister, Knochen u. s. w. u. s. w. gesammelt
wurde, habe ich immer nur wenig todte Maden erhalten, die vielleicht auch sonst gestorben wären. Mit dem durch Kultur aus
Faulbrut erzeugten Sporeninhalt erzielte ich grössere Erfolge und
die bedeutendsten durch den aus der faulen Masse ausgewaschenen Cryptococcus, jedoch in allen Fällen niemals vollständige,
jedesmal blieben einzelne Maden am Leben. Desshalb legt sich
die Vermuthung nahe, dass die Pilzsamen zum Tödten der Brut
viel geeigneter sind, resp. es erst werden, wenn sie durch Vermehrung und Gährung in Bienenmadenleichen entstanden sind
und theilweise die Cryptococcus-Form angenommen haben, und
dass sie sogar in dieser Form nie alle gesunden Maden, an welche

sie kommen, bemeistern können. Nebenbei machten sich noch einige beachtenswerthe Erscheinungen bemerklich.

Je älter die Waben waren, desto sicherer und grösser die Wirkung des Impfens, und ebenso umgekehrt. Unter der erstmaligen Brut einer ganz neuen Wabe war es fast wirkungslos. Das führte zur Untersuchung der Nymphenhäutchen in alten Zellen. Sie zeigten sich unter dem Mikroskope meistens angegriffen und verunstaltet. Wenn nun Nymphenhäute auch keine Faulbrut erzeugen, so bieten doch die Ritzen, Spalten und erweiterten Poren derselben im feuchten Zustande den Pilzsamen passende Schlupfwinkel zu ihrem Gedeihen und befördern und erhöhen dadurch deren verderblichen Einfluss auf die Brut. Feuchte Nymphenhäute sind nach meinen Versuchen überhaupt schon ein geeignetes Substrat für Schimmelbildung, um so mehr solche, die durch die Einwirkung von Madenleichen, Fäulniss, verderbenden Pollen, oder andere Ursachen schon angegriffen sind. Sodann bemerkte ich immer eine rasche und vollständige Zersetzung der Aussenhaut jener Maden, die unter der Einwirkung der Pilze faulten. Ferner vermochte ich in den Eingeweiden gesunder Maden mit Bestimmtheit niemals Micrococcus nachzuweisen. Endlich aber habe ich denselben, nebst Keimen, etwa dem Oidium eines Schimmels, auf und in der Epidermis gesund scheinender Maden wiederholt gefunden.

Die Zusammenhaltung all dieser Erscheinungen macht mich geneigt, anzunehmen: Der Cryptococcus alvearis gelange in die Brutzelle, beginne unter und neben der Made, auf dem feuchten Nymphenhäutchen, besonders aber in den Ritzen und Poren desselben sein Wachsthum, dringe allmähig auch in die Oeffnungen der Larven-Oberhaut, gestalte sich in und unter derselben zum Oidium, als solches und in Form von Sporenabkömmlingen vollends ins Innere der Made gekommen, vernichte er, durch die fabelhafte Schnelligkeit seiner Vermehrung, das Leben derselben und führe sie einer rapiden Fäulniss in die Arme. So stelle ich mir die Ansteckungsfähigkeit der bösartigen Faulbrut, durch Uebertragung niederer Pilzformen vor. Uebrigens Alles: salvo meliori! Damit habe ich zugleich dargethan, dass ich nach meinen Erfahrungen gegen die Faulbruttheorie des Herrn Sanitätsraths Dr. Preuss nicht nur keine Einwendungen erheben, sondern dieselbe vielmehr nur bestätigen kann *).

---

*) Offerte: Einige faulbrütige Bienenstöcke zu wissenschaftlichen Unter-

Lehrer Huber: Hochgeehrte Versammlung! Auch
ich glaube in dieser jedem Bienenzüchter so wichtigen Frage ein
Wort mitsprechen zu dürfen. Doch werde ich mich kurz fassen,
da die Sache schon so vielfältig erörtert wurde. Ich will nur
bemerken, dass ich einst einen Gesellschafts-Bienenstand besorgte
von mehr als 60 Stöcken, auf welchem auch die Faulbrut aus-
brach. Ich wendete alle damals bekannten Mittel an, um das
Uebel zu bekämpfen; aber Alles war umsonst. Wenn wir jährlich durch Natur-. und Kunstschwärme um 15—20 Stöcke vorwärts kamen, so verloren wir immer wieder mehr Stöcke durch
die Faulbrut. So ging es stets rückwärts, statt vorwärts, und
wir würden wohl bald um den ganzen Stand gekommen sein,
wenn ich nicht endlich, mit Erlaubniss der Gesellschaft, die Radicalkur angewendet hätte.

Gegen die Theorie des Dr. Preuss muss ich auch meine
Bedenken aussprechen, so sehr ich sonst geneigt wäre, derselben
beizustimmen, namentlich auch, weil unser Grossmeister Dr. Dzierzon diese Annahme anzuerkennen scheint. Wenn aber die Pilze,
welche millionenweise in der Luft herumschweben sollen, die Ursache der Faulbrut sein sollen, wie kann es denn sein, dass der
eine Stock angesteckt ist, während seine nächsten Nachbarn rechts
links, ober oder unter diesem Stocke oft gesund sind. Müssten
nicht diese Pilze durch Luftzug oder durch die Bienen auch in
diese Stöcke gebracht werden?

Eine Vermuthung, die ich habe, wie die Faulbrut auf unsern
Stand gekommen sein könnte, will ich der Versammlung auch
noch mittheilen, um so mehr, da ich meine, dass diese Ansicht
noch nirgends ausgesprochen wurde. Ein Theilhaber unseres Ge-
sellschaftsstandes hat nämlich zu seinem Vergnügen sehr vielen
Traubenzucker gefüttert. Ich meine nun, die Schwefelsäure, die
unter dem meisten Traubenzucker ist, hat der Brut geschadet.
Ich spreche diese meine Meinung nur aus, um Chemikern und
Naturforschern Veranlassung zu geben, zu untersuchen, ob nicht
etwa darin eine Ursache der Faulbrut zu finden wäre.

Schliesslich will ich kurz noch anführen, auf welche Weise ich
die Faulbrut auf dem genannten Stande endlich bemeisterte, den
ganzen Stand gänzlich davon befreite. Doch bringe ich hier nichts

---

suchungen, Heilversuchen u. s. w. sind gegen billige Entschädigung zu beziehen durch Seb. Locher, Lehrer in Sigmaringen, Hohenzollern.

Neues; unser Grossmeister Dr. Dzierzon hat diese Radicalkur schon längst bekannt gegeben, auch Dr. Preuss dieselbe in der Bienenzeitung empfohlen. Dieser sagte: „Man pensionire die faulbrütigen Stöcke." So machte ich's. Ich schwefelte alles Faulbrutverdächtige ab, auch wenn sich nur -eine faulbrütige Zelle im Stocke zeigte. Die Strohkörbe wurden. vergraben. Das Wachs und der Honig wurde zwar benützt, aber höchst sorgfältig vom andern fern gehalten und dieser Honig nie den Bienen gefüttert. Die hölzernen Dzierzonstöcke, Wabenträger, Glasthüren und Deckbrettchen wurden sorgfältig gereinigt und mit Chlorkalkwasser behandelt, wie solches in der Bien.-Ztg. empfohlen wurde. Oft schon nach 8 Tagen habe ich solche Stöcke wieder für Schwärme benützt und nie zeigte sich mehr eine Spur von Faulbrut darin.

Auch auf meinem eigenen Stand, $1\frac{1}{2}$ Stunden von jenem entfernt, hatte ich, so schien es, die Faulbrut verschleppt; denn ich fand auf einmal zwei angesteckte Stöcke, obschon nur mit 1 oder 2 faulen Maden in gedeckelten Zellen. Augenblicklich schwefelte ich diese ab, um die andern gesund zu erhalten. Dieses zeigt, welchen Respekt ich vor der Faulbrut habe.

Oder habe ich mir auf meinem Stande auch diese Krankheit durchs Füttern mit Traubenzucker erzeugt? Gerade in jenem Frühjahre habe auch ich mit solchem gefüttert, seitdem nie wieder; ich habe eine gewisse Scheu davor.

Locher: Aus den Worten meines geehrten Herrn Vorredners vermuthe ich, missverstanden worden zu sein.

Er stellt die Ansteckungsfähigkeit der Faulbrut durch Uebertragung niederer Pilzformen desshalb ganz in Abrede, weil oft einzelne zwischen kranken Stöcken stehende Völker gesund bleiben. Am Schlusse meines Vortrages suchte ich aber gerade nachzuweisen, dass die Pilztheorie neben dem Gesundbleiben einzelner Stöcke sehr wohl bestehen könne. Nach meinen Versuchen und Beobachtungen sind es nicht die mit der Luft überall hin gelangenden Samen des gewöhnlichen Schimmels, wohl aber die in Bienenmadenleichen entstandenen niedern Pilzformen, welche — jedoch wieder nur unter geeigneten Bedingungen, unter Umständen die ihrer Vermehrung günstig sind — Faulbrut zu erzeugen vermögen. Als eigentliche Vorbedingung, als Einleitung zum selbstständigen Ausbruche der Krankheit bezeichnete ich daher ein länger dauerndes, massenhaftes Madensterben, wobei die gefährlichen Cocci entstehen. Die verschiedenen Ursachen, wesshalb

aber auch diese nicht überall anstecken, wohin sie kommen, kann
ich zur Zeit nicht speciell nennen, sondern nur in ihrer Allgemein-
heit bezeichnen.

Sind nämlich die zur Fortentwickelung der Pilzformen nöthigen Bedingungen in irgend einem Stocke nicht vorhanden, ist
einer zur Krankheit nicht disponirt, wie man sagt, so muss auch
die wiederholte Uebertragung des Ansteckungsstoffes in denselben
wirkungslos bleiben. Das Vorhandensein gesunder Stöcke zwischen kranken widerspricht sonach keineswegs der Annahme: der
Ansteckungsstoff der Faulbrut bestehe aus niedern Pilzformen.

Lehrer L e h z e n aus Hannover: H o c h g e e h r t e V e r s a m m -
l u n g! Es ist nicht mehr als natürlich, dass auch die Provinz
Hannover, wo die Bienenzucht in sehr hoher Blüthe steht, dieser
Frage ihre ganze Aufmerksamkeit schenkt. Wir haben in den
Specialvereinen und in den jährlich stattfindenden Generalver-
sammlungen darüber debattirt, aber es stellte sich heraus, dass
die Ansichten über die Ursache der Faulbrut und deren Heilung
sehr auseinandergehen. Der eine sucht die Ursache in der Unreinlichkeit des Imkers, der andere in der Blüthe, hauptsächlich
der Heidelbeere u. s. w. Dass die Blüthe Ursache der Faulbrut
sein kann, hat viel Wahrscheinlichkeit für sich, denn es steht fest,
dass in einigen Gegenden diese Krankheit ganz unbekannt ist,
hingegen in den Gegenden, wo die Heidelbeere in grosser Menge
vorkommt, die Bienen in manchen Jahren, wenn der Honig, den
die Bienen aus dieser Blume eintragen, sehr wässerig ist, bald
darauf die Faulbrut zeigen. Ja in der Lüneburger Haide hat
man aber auch d i e Erfahrung gemacht, dass sich faulbrütige
Bienen im Herbste in der Haide wieder gesund fliegen. Meine
Herren! dies und vieles andere, was über die Ursache der Faulbrut und deren Heilung gesagt wird, sind Behauptungen ohne
B e w e i s e.

Um nun aus diesem Dilemma herauszukommen, ist in Göttingen eine Versuchsstation eingerichtet worden, wo von wissenschaftlich gebildeten Männern die verschiedensten Versuche über
Ursache der Faulbrut angestellt werden. Soviel steht fest und
hat sich in diesem Sommer gezeigt, dass die Faulbrut ansteckend ist.

Auf der Versuchsstation in Weende wurde neben einem faulbrütigen Volke ein gesundes aufgestellt. Das letzte stammte aus
einer Gegend, wo die Faulbrut nicht herrscht, nämlich aus dem
Göttingen'schen. Ich will nur bemerken, dass in der ganzen Um-

gebung von Göttingen die Faulbrut gänzlich unbekannt ist. Dies
ganz gesunde Volk that ich in einen neuen Kasten. Als ich
nun vor 4 Wochen revidirte, fand ich in dem früher gesunden
Volke die Faulbrut. Die ersten Waben hatten ausgezeichnete
Brut. Im Hannoverschen sagt der Imker: „die Brut stand wie
ein Brett", d. h. keine Zelle war leer, sondern jede Zelle war mit
einer Made gefüllt und gedeckelt. Erst auf der vierten Wabe
fand ich Faulbrut. Wir haben die Versuche noch längst nicht
abgeschlossen. Zugleich möchte ich die Herren ersuchen, falls
Sie faulbrütiges Material haben, es vielleicht im nächsten Sommer
an die „Versuchsstation in Weende bei Göttingen" zu adressiren.
Und ich glaube, jeder wird das Opfer bringen im Interesse der
so wichtigen Frage. Auch haben wir den Lehrer Lambrecht
aus Börssum veranlasst, auf unsere Unkosten seine Versuche
fortzusetzen. Wir haben 5 faulbrütige Völker aus verschiedenen
Gegenden Deutschlands bezogen und zwar aus solchen, wo die
Faulbrut herrschte. Lambrecht hat sich bereit erklärt, bei 5
dieser Stöcke seine Methode anzuwenden. Ich bin nicht im Stande
heute schon das Resultat dessen bekannt zu geben, aber in einer
der nächsten Nummern unseres Blattes wird es jedenfalls bekannt
gegeben werden.

v. Klipstein aus Auerbach, Hessen: Hochgeehrte Versammlung! Es bedarf wohl nicht der Erwähnung, wie hoch
ich das Gewicht eines jeden Wortes anerkenne, welches unser
Aller Meister spricht; ich will mir deshalb auch nur erlauben,
dem, was er bezüglich der Ansteckungsfähigkeit oder eigentlich
Nichtansteckungsfähigkeit der Königin gesagt hat, einige Thatsachen entgegenzuhalten, die in Rheinhessen allgemeine Geltung
haben. Man weiss dort nichts Anderes, als dass eine Königin,
aus einem faulbrütigen Stocke in einem Andern verwendet, unfehlbar die Krankheit überträgt. Man hat mit solchen Königinnen
Versuche in grosser Zahl und an vielen Orten gemacht, aber
immer mit demselben unglücklichen Erfolge. Man hat sogar eine
und dieselbe Königin 10mal in andere Stöcke übertragen und mit
ihr 10mal die Krankheit. Man überzeugte sich zunächst durch
grosse Sendungen aus Italien von Mona, dass durch die Königin
die Faulbrut verschleppt wird; denn Begleitbienen setzte man
nicht mit bei, da dies ohnehin zweckwidrig ist. Die Königin
musste es also wohl in allen diesen Fällen sein, welche den Ansteckungsstoff mit sich führte. Und in der That, ich wüsste kei-

nen Grund gegen diese Folgerung herauszufinden. Ist denn der
Finger, mit welchem man die Königin an ihren Flügeln fasst, mehr
ansteckungsfähig, als die Königin selbst? Ich kann mir das nicht
wohl denken. Was Herr H u b e r in Bezug auf die Behandlung
der Faulbrut sagt, meine Herren, das ist das Beste von allem.
Während meines Wohnsitzes in Darmstadt waren meine Stände
nicht weniger als 3mal von der Krankheit befallen. Sie brach
in Zwischenräumen von mehreren Jahren immer wieder von Neuem
aus. Ich glaube, dass die Lebküchler und Honigverkäufer, welche
ihre leeren Honigtonnen in die Hofräume stellen, daran die Schuld
trugen, da ich vielfach diese Tonnen von Bienen auslecken sah.
Das radikale Verfahren gegen das entsetzlichste Uebel der Bienen
ist das beste und man soll es nicht nur auf die verpesteten Stöcke,
sondern auch auf die Unterlagen, auf denen sie standen und die
Bretter, welche zum Anflug dienten, ausdehnen. Will man solche
Unterlagen und Bretter nicht ebenfalls beseitigen, dann gebe man
ihnen wenigstens einen mehrfachen starken Oelfarbeanstrich, der
jedoch mit Sorgfalt auszuführen ist, wenn er schützen soll. Mein
leider auf reiche Erfahrung gegründeter Rath ist jedoch: fort mit
Stock sammt Umgebung, keinen Versuch mehr damit, wenn man
nur den leisesten Verdacht gegen ihn hegt.

Consistorialrath S c h e l e g i a n u aus Alljos in Ungarn: H o c h -
g e e h r t e Versammlung! Ich werde nicht sprechen über die
Faulbrut und die Entstehung derselben, ich theilte den Herren
nur mit, dass diese Krankheit in unserer Gegend nie dagewesen
ist. Könnte sie nicht entstehen aus Blüthen, welche in unserer
Gegend nicht vorkommen? Ich glaubte diese Bemerkung machen
zu müssen, um vielleicht damit der U r s a c h e der Krankheit auf
die Spur zu kommen.

Lehrer V o g e l: Meine Herren! Es scheint mir als huldige
man der Ansicht, die Faulbrut sei eine nicht zu heilende Krankheit des Biens. Wäre sie das, so hätten allerdings alle Mittheilungen über Ursache und Wesen der Krankheit einen blos theoretischen Werth. Dem ist jedoch nicht so. Ich erlaube mir, Ihnen
den Schlusssatz des Dr. P r e u s s'schen Vortrages nochmals mitzutheilen: Er lautet: „D i e F a u l b r u t i s t e i n e u n t e r a l l e n
U m s t ä n d e n l e i c h t z u h e i l e n d e K r a n k h e i t d e s B i e n s.

Während Redner die Tribüne verlässt, ertönt aus der Versammlung der Ruf: „J a m i t S c h w e f e l!“

Redner kehrt sofort um, besteigt nochmals die Tribüne und fährt fort:

Meine Herren! Wer Lust dazu verspürt, kann allerdings seinen ganzen faulbrütigen Stand abschwefeln, die Wohnungen mit ihrem gesammten Innengute verbrennen und dadurch die Faulbrut beseitigen. Das ist aber keine Heilung der Faulbrut. Um den Ausbruch der Faulbrut zu verhindern, sorge man nach Vorschrift des Herrn Dr. Preuss*) bei kalten Winden für enge Fluglöcher; nach Ereignissen, bei denen viele Bienen das Leben verloren, so dass sie die vorhandene Brut nicht mehr belagern können, schneide man die abgestorbenen Larven und Nymphen aus; auch füttere man nicht schlechten und gährenden Honig. Vor verdorbenem Pollen brauchen wir uns nicht zu fürchten; denn die Bienen fressen gährenden und verdorbenen Pollen gar nicht. Ich stellte ein Volk, das wohl Honig, aber auch nicht eine Zelle mit Blumenmehl hatte, 14 Tage hindurch in eine Erdgrube und meinte, nun würden die Bienen wohl selbst gährenden Pollen fressen. Sie rührten aber den verdorbenen Pollen nicht an. Jetzt mischte ich den gährenden Pollen unter Honig. Dieser wurde mit in die Gährung hineingezogen. Nach 3 Wochen zeigte sich der Versuchsstock faulbrütig. Wie verdorbenes Futter selbst grössere Thiere endlich tödtet, so starben auch hier die Larven in Folge des verdorbenen Futters. Ich schnitt die mit faulenden Larven versehenen Waben weg, übersiedelte das Volk in eine reine Beute und die Faulbrut war beseitigt. Es ist nach Dr. Preuss das beste Desinfectionsmittel das Messer. Im Beginn der Krankheit braucht man nur das Messer anzuwenden, um die Faulbrut zu beseitigen. Mit Recht empfiehlt Dr. Preuss, die ausgeschnittenen Wabenstücke nicht auf dem Stande liegen zu lassen, sondern sie sofort in kochendes Wasser zu werfen, um Wachs daraus zu gewinnen. Ist die Faulbrut durch Vernachlässigung der Dr. Preuss'schen Vorsichtsmassregeln oder durch andere Ursachen auf dem Stande ausgebrochen, so verhindere man den Brutansatz durch Einsperren der Königin. Das Uebersiedeln der Völker in reine Stöcke, nachdem alles Faulbrütige weggeschnitten wurde, darf nicht unterlassen werden. Man könnte zwar einwenden und sagen: wenn so und so viel Wabenstücke ausgeschnitten werden sollen, so heile man ja den kranken Stock

---

*) Bienenzeitung 1871, Nro. 21, 22, S. 265.

nicht. Man wird doch gewiss nicht verlangen, Herr Sanitätsrath
Dr. Preuss solle uns ein Mittel nennen, die todten und bereits
verfaulten Larven und Nymphen wieder lebendig zu machen. Der
Arzt gebraucht ja beim kranken Menschen auch das Messer und
schneidet brandige Glieder ab. Darf sich der Arzt nicht mit
Recht rühmen, den Kranken geheilt zu haben, obgleich er ihn
für den Rest seines Lebens einarmig gemacht hat? Bedenken
wir noch, dass der Bien die rechtzeitig weggeschnittenen Wabenstücke, wenn die Krankheit beseitigt ist, wieder neu aufführt, er
also, da wir den Bau mit zum Bien rechnen müssen, nicht einmal
ein Krüppel bleibt.

Die Mittel, die Bienenwohnungen gründlich zu reinigen, hat
Dr. Preuss bereits in der Bztg. angegeben. Waschungen mit
einer Lösung der krystallisirten Carbolsäure in dem Verhältniss von 1 Loth (welches in jeder Apotheke für 3 Silbergroschen
oder 10 Kreuzer zu kaufen ist) in 1 Liter gutem gewöhnlichen
Spiritus von etwa 80 Grad führen stets zum Ziele. Die Carbolsäure wird überhaupt als Desinfectionsmittel an Bedeutung gewinnen; denn sie tödtet jedes, auch das winzigste organische
Wesen. Je kleiner die Pilzformen sind, desto stärker muss die
Carbollösung genommen werden, um ihre Lebensfähigkeit zu vernichten. Aber alle Mittel an Wirksamkeit übertreffend, hat sich
nach den Erfahrungen des Dr. Preuss das Aetzkali (kali causti-
cum), 2 Loth (30 Gramm) in einem Quart kochendem Wasser
als Waschmittel für die Stöcke und ferner eine Räucherung, bestehend aus einer Mischung von einem Theile pulverisirtem Kam-
pfer mit 10 Theilen Schwefelblumen, erwiesen. Mit der genannten Kalilösung wasche man die Stöcke, Stäbchen und Rähmchen
und setze sie, nachdem sie getrocknet sind, zugleich mit den
keine Brut enthaltenden von Bienen befreiten Waben, fünf Minuten lang einer Räucherung mit der genannten Mischung aus.
Diese Mittel haben sich stets, vorausgesetzt, dass sichtbar faulbrütige Wabenstücke vorher mit dem Messer entfernt waren, als
Specifica gegen die Faulbrut erwiesen. Meine Herren, ich bin
und bleibe der Meinung, dass die von Herrn Sanitätsrath Dr.
Preuss angegebenen Mittel zur Heilung der Faulbrut doch empfeh-
lenswerther sind als der vorhin genannte Schwefel. (Bravo!)

Pfarrer Dr. Dzierzon: Ich will zunächst mich aussprechen
gegen die Bemerkung eines der Herren Vorredner, welcher behauptet, dass durch die Königin die Krankheit übertragen worden

sei. Ich will gar nicht in Abrede stellen, dass der Königin äusserlich Sporen jenes nach der erwähnten Theorie die Bienenlarven tödtenden Pilzes anhaften können und dass, wenn die Königin aus dem kranken Stocke sofort in den gesunden gebracht würde, die Krankheit übertragen werden könnte. Ich habe nur behauptet, dass nicht im Keime, oder im Ei selbst die Krankheit liege. Ich habe in dieser Hinsicht zu viele Erfahrungen gemacht, um nicht mit der grössten Bestimmtheit behaupten zu können, dass der Grund der Krankheit nicht in den Eiern, also auch nicht in der Königin liege und diese daher anderweit verwendet werden kann.

Wenige Bienenwirthe dürften mit dieser fatalen Krankheit so viel Erfahrungen gemacht, so viel mit ihr zu kämpfen gehabt haben, wie ich.

Im Jahre 1846 verlor ich bei 300 Stöcke; stellte aber in demselben und folgenden Jahre ebensoviele wieder her. Ich verfuhr dabei auf folgende Weise. Jedem von der Krankheit befallenen Stocke nahm ich sofort die Königin und benützte sie zur Herstellung eines Ablegers. Konnte ich die Bienen in hinreichender Zahl gesunden Stöcken entnehmen, so erhielt ich stets einen gesunden jungen Stock.

War ich genöthigt, Bienen aus kranken Stöcken zu den Kunstschwärmen zu verwenden, so brachte ich sie nicht sofort in ihre künftige Wohnung, um den Krankheitsstoff nicht zu übertragen, sondern hielt sie 24 bis 48 Stunden in einem andern Gefäss, Sieb- oder Transportkasten und hielt auch ferner noch die Königin mehre Tage eingesperrt.

Auch dann erhielt ich meist gesunde Stöcke. Das ist denn doch ein Beweis, dass der Grund der Krankheit nicht im Ei oder der Königin ruhe. Aber wenn die Königin eines faulbrütigen Stockes in einen gesunden gebracht wird, der schon Brut enthält, da kann bei dieser Operation auch durch die Hand des Bienenwirthes der Krankheitsstoff leicht übertragen werden; aber das steht fest, dass die Königin zur Herstellung von Ablegern brauchbar ist und bei Kassirung der kranken Stöcke nicht mit beseitigt zu werden braucht.

Wie man zu verfahren habe, wenn man von der Fatalität der Faulbrut heimgesucht wird, muss Jedem die Ueberlegung an die Hand geben. Ist die Zahl der von der Krankheit befallenen Stöcke eine verhältnissmässig nur geringe, so ist das Uebel ziemlich leicht zu beseitigen, und zwar durch fortgesetzte Entweiselung der kranken und Bildung' neuer Stöcke mit Hilfe der gewonnenen Königinnen. Schliesslich werden die kranken ausgebrochen und der Honig anderweitig, nur nicht zum Füttern, namentlich zur Zeit des Brütens, verwendet.

Wenn vorher geäussert und auch sonst in der Bienenzeitung behauptet worden ist, dass jeder faulbrütige Stock leicht geheilt werden könne, so muss ich mich, wenn von der bösartigen Krankheit die Rede ist und sie bereits stark um sich gegriffen hat, entschieden dagegen aussprechen. Die einmal abgestorbene Brut kann nicht mehr lebendig gemacht und selbst die noch lebende muss mit den stark verunreinigten Tafeln weggeworfen werden.

Hat man aber dasjenige, was vorzugsweise einen Stock bildet, Bau und Brut beseitigt, so kann man, wenn es im glücklichsten Falle auch gelingt, einen schwachen Ableger zu erhalten, nicht sagen, man habe den kranken Stock geheilt. Man hat einige Trümmer gerettet, die Hauptsache aber ging zu Grunde. (Bravo.)

Rufe: Schluss! Der Antrag auf Schluss dieser Debatte wurde einstimmig angenommen. Zum Worte haben sich noch gemeldet die HH. Seb. Kneipp, Dr. Pollmann und Ilgen.

Pfarrer Bastian aus Weissenburg, Elsass: Hochgeehrte Versammlung! Ich persönlich habe in Bezug auf Faulbrut nur eine geringe Erfahrung, da ich nur einmal Gelegenheit gehabt habe, diese Krankheit zu sehen und kurz zu beobachten, obschon ich mich seit langen Jahren mit Bienenzucht beschäftige. Erwähnte Beobachtung bekräftigte bei mir eine Meinung über Entstehung der Faulbrut, welche das Studium der Bienenliteratur, dem ich mit Liebe und Fleiss obliege, mir nahe gestellt hatte. Aus sämmtlichen Artikeln über Faulbrut (soviel mir gegenwärtig erinnerlich) geht das Doppelte hervor: 1) Faulbrut kann in einen gesunden Stock gebracht werden z. B. durch Wabenwechsel, Füttern mit aus faulbrütigen Stöcken entnommenen Honig, Räuberei der Bienen u. s. w. Die Faulbrut theilt sich andern Stöcken mit sie ist ansteckend; diese Thatsache wird wohl allgemein von den Bienenzüchtern als unbezweifelt angenommen. 2) Wo die Faulbrut nicht durch Ansteckung ist hervorgerufen worden, sondern von selbst im Stock entstanden, da hatte dieser Stock Futtermangel oder .es ist gefüttert worden. Dieser wichtige Umstand geht aus sämmtlichen Artikeln über Faulbrut hervor oder wird auch ausdrücklich erwähnt. So z. B. sagt Pfarrer Dr. Dzierzon in seinem unübertrefflichen Bienenbuch, er habe amerikanischen Honig gefüttert und schreibt diesem die Faulbrut zu.

Stellen wir neben diesen 2. Punkt die auffallende und so viel mir bekannt allgemeine Thatsache, dass in honigreichen Gegenden, wo die Tracht das ganze Jahr anhält, die Faulbrut ganz unbekannt ist, so wird uns wohl der Schluss nahe gebracht, die Ursache der Faulbrut ist Futtermangel.

Meine Erfahrung auf diesem Gebiet ist nun folgende: Wir hatten einen sehr schlechten Sommer; im Monat Mai einige gute Tage, dann Regen über Regen bis beinahe in den Herbst. Brut war während dieser Zeit in Menge vorhanden, Honig jedoch wenig oder gar keiner. Da brach auf dem Stand meines Nachbars die Faulbrut aus (die Pilze und Sporen des Hrn. Dr. Preuss waren in unzähliger Menge vorhanden), auch bei mir fand ich einzelne faule Zellen. Da offenbar Futtermangel vorhanden war, fütterte ich tüchtig und bewog auch dazu meinen Nachbar; zum Glück besserte sich die Witterung und gegenwärtig ist die Faulbrut spurlos bei uns verschwunden. Ich bin nun überzeugt, dass, wäre nicht „tüchtig" gefüttert worden und Honigtracht gekommen, diese beginnende Faulbrut zur bösartigen ansteckenden hätte werden können. Bei der ausserordentlichen Menge von Brut und dem Honigmangel war es den Bienen unmöglich, sämmtliche Larven zu füttern, diese starben ab. Die entfernten Leichname wurden durch Eier ersetzt, die nicht entfernten gingen in Fäulniss über; letztere würden, selbstverständlich, bei Futtermangel oder unzureichendem Futter jeden Tag an Zahl zugenommen haben.

Was mir aus der Bienenliteratur und aus angeführter Beobachtung als Ursache der Faulbrut höchst wahrscheinlich erschien, ist mir durch eine Privatunterredung mit Hrn. Professor v. Siebold beinahe zur völligen Gewissheit geworden. Ich theilte demselben meine Muthmassung mit und er antwortete mir: es mag wohl bei den Bienen gehen wie bei den Menschen; herrscht unter diesen die Hungersnoth, so entsteht der Hungertyphus, welcher nicht ansteckend ist (beginnende, gutartige Faulbrut bei den Bienen), der aber leicht in den eigentlichen ansteckenden Typhus übergeht (bösartige Faulbrut der Bienen). Die Faulbrut wäre demnach, wenn der angeführte Vergleich gestattet wird, und warum sollte er es nicht? Hungertyphus; wird hinreichend Futter, natürlich gesundes, gereicht, so verschwindet die Krankheit; geschieht dies nicht, so tritt die Krankheit in das Typhusstadium und wird bösartige unheilbare Faulbrut.

Was die Theorie des Herrn Dr. Preuss anbelangt, so kann ich dessen Meinung nicht theilen aus dem Grunde, dass Pilze nicht Ursache, sondern Resultate der Fäulniss oder Verwesung sind.

Ich möchte nun schliesslich die geehrten Herren bitten, wenn sie Faulbrut auf ihren Ständen finden, die vorhergegangenen Tracht- verhältnisse wohl zu notiren, sowie überhaupt alles, was der Krank- heit voranging, natürlich soviel als möglich. Wissen wir einmal bestimmt, was der Krankheit voranging, so werden wir auch bald die wahre Ursache der Faulbrut kennen und diese wird dann leicht geheilt werden.

Nota. Die Thatsache, dass Faulbrut nie in honigreichen Gegenden, sondern nur in ärmeren oder in weit auseinander lie- genden Haupttrachten vorkommt, ist mir nach der Debatte münd- lich durch viele Bienenzüchter bestätigt worden.

Sebast. Kneipp, Beichtvater aus Wörishofen, Bayern: Ver- ehrte Versammlung! Zu dem, was voraus gesagt worden ist, erlaube ich mir ein praktisches Beispiel anzuführen. In der Ge- gend, wo ich Bienenzucht treibe, ist die Faulbrut etwas Seltenes. In meiner Nachbarschaft hatte ein Bauer 6 Bienenstöcke und pflegte sie mit ungewöhnlich gutem Erfolge. Er hatte 5 Kästen und einen Korb. Aus was für einer Ursache, weiss ich nicht, ging das Wasser vom Dach auf den Korbstock und er mochte wohl ein paarmal ordentlich durchbeizt worden sein. Im Früh- jahre waren die Bienen dieses Stockes nicht so munter, wie in den andern. In der Hälfte des Sommers zeigten sich Spuren von Faulbrut. Das Volk war jedoch noch ziemlich thätig. Im Spät- herbst war der Stock sehr volkarm mit weitaus hinreichendem Honig zur Ueberwinterung. Der Stock hätte das Kassiren ver- dient; weil er aber dem alten Vater in der Pfründe gehörte, blieb ihm der Stand. Im darauffolgenden Frühjahre wurde er gänzlich faulbrütig. Die Faulbrut steckte die benachbarten Stöcke an, und nach 3 Jahren waren sämmtliche Stöcke ein Opfer der Faulbrut. Wer möchte jetzt glauben, dass das Durchnässen des Korbes nicht die Ursache der Faulbrut wäre? Wie bei öfters durchnässten Körben, wenn das Wasser nicht nach innen dringt, kleine Schwämmchen wachsen, so können sich leicht, wenn die Nässe nach innen dringt, im Innern Pilze u. s. w. bilden, die den

Stock faulbrütig machen. Durch viele Forschungen hat man festgestellt, dass Krankheiten durch Pilze übertragen werden, wie
z. B. Nervenfieber, Cholera u. s. w. Auf ähnliche Weise die
Faulbrut bei den Bienen. Wenn es heisst, die einen Bienen oder
Stöcke werden angesteckt, die anderen bleiben gesund, so erwidre
ich: „Wie die Blattern in dem einen Menschen eine Empfänglichkeit finden, im andern keine, so vermag auch die Faulbrut
in den Bienenstock mehr oder weniger einzudringen. Wie durch
ungesunde Nahrung und vernachlässigte Pflege Krankheiten erzeugt
werden können, so sicher auch wird ein Bienenstock durch unge-
sundes Futter oder durch vernachlässigte Pflege krank oder faulbrütig gemacht werden können. In meiner Gegend wird wenig
und nur mit bestem Honig gefüttert; Surrogate sind dem Volke
fast unbekannt, wie Faulbrut. Viel habe ich von der spekulativen
Fütterung gelesen, bin auch nicht wenig verlockt worden, Versuche zu machen, und es schien mir auffallend, dass Herr Pfarrer
Dr. Dzierzon die Fütterung nicht besonders empfohlen hat.
Die Resultate der Fütterung sind: Gelingt es, so kann man Vor-
theile erreichen; gelingt es nicht, dann kann man kranke Stöcke
bekommen oder selbe verlieren. Volkreiche Stöcke mit Honigvorrath oder mit gutem Honig gefüttert, bringen die besten Resultate und schützen auch vor Krankheiten.

Freiherr von Rothschütz: Bezüglich der Anführung des
Herrn von Klipstein, dass durch die Königin die Faulbrut übertragen werden könne, erlaube ich mir zu bemerken. Es ist für
die Anhänger der Dr. Preuss'schen Theorie recht leicht zuzu-
gestehen, dass, falls jenen Königinnen ein Stückchen Wabe bei-
gegeben war (und gewöhnlich ist ein solches beigepackt), derartige Krankheits- resp. Pilzformen auftreten können. Es wird
dann aber nicht die Königin selbst die Verbreiterin der Krankheit sein!

Seminarlehrer Ilgen aus Cammin in Pommern. Hochgeehrte Versammlung! Ich kann nicht Neues zur Sache bringen.
Es ist aber die Behauptung aufgestellt worden, dass die Bienen-
nahrung an manchen Orten Faulbrut erzeuge. Ich möchte nun
ein geringes Material beibringen, damit die wissenschaftliche Untersuchung durch solche Behauptungen nicht in falsche Bahnen geleitet werde. Es wurde gesagt: wo Rapsblüthe sei, da stelle sich
die Faulbrut weniger ein, als wo die Bienen auf Heidelbeer-,
Buchweizen- und Haidekrauttracht hauptsächlich angewiesen seien,

und daraus der Schluss gezogen, die letztere Nahrung erzeuge Faulbrut. —

In Hinterpommern ist ein Ort, wo viel Bienenzucht getrieben wird, oder besser; wo viele Bienenstöcke gehalten werden. Der Besitzer kümmert sich gar nicht um seine Stöcke. Er hat nur Strohkörbe, die er den Winter hindurch ruhig im Freien stehen lässt und von denen er nach alter Weise eine Anzahl im Herbste zur Honiggewinnung abschwefelt.

Im Frühjahr blüht überreich Heidelbeerkraut; Buchweizen und Haidekraut im Herbst. Das ist die ganze Tracht und die Bienen tragen erstaunlich viel Honig ein. Noch nie ist ein Stock faulbrütig geworden.

Das vielfache unzweckmässige Füttern verursacht gewiss viel mehr Faulbrut, als alle übrigen Umstände.

Graf Lamberg: Hiermit ist dieser Gegenstand erledigt und die Debatte geschlossen.

Anzeigen.

Präparate von Parasiten der Infectionskrankheiten und anderen parasitischen Pilzen sind unter den bekannten Bedingungen (Kästchen mit 30 Stück portofrei eingesendet. gegen Einzahlung von 6 Thaler) wieder vorräthig und werden dabei soviel wie möglich die neuesten Arbeiten Berücksichtigung finden.

Jena, December 1872.

Phytophysiologisches Institut
von
E. Hallier,
Jena.

Die Ursache der Kräuselkrankheit.

Von

Ernst Hallier.

(Hierzu Tafel I.)

Im Frühjahr 1873 bezog ich von Herrn Hofgärtner Springer am Prinzessinnengarten zu Jena, gegenwärtig Hofgärtner am Grossherzoglichen Schlossgarten zu Dornburg, eine kleine Quantität der herrlichen Amerikanischen Kartoffel, welche unter dem Namen „frühe Rosenkartoffel" (Early Rose) bekannt, ist. Ich legte sie in meinem Garten und behandelte sie selbst nach der sogenannten Jülichschen Methode. Die Lage ist frei und für ein Gartengrundstück sehr sonnig. Ich hatte die Saatkartoffeln nicht zerschnitten, sondern ganz gelegt, weil das nach meinen Erfahrungen die Gefahr der meisten Krankheiten der Kartoffel bedeutend verringert. Um so mehr musste es mir auffallen, dass eine, wenn auch kleine, Anzahl dieser Kartoffeln gänzlich ausblieb und einige andere zwar austrieben, aber bald wieder zu Grunde gingen. Dabei wurden die Triebe kraus und vergilbten, bis sie zuletzt gänzlich vertrockneten.

Ich theilte diese bedauernswerthe Thatsache anderen Kartoffelzüchtern mit, und auch sie bestätigten mir, dass bei der frühen Rosenkartoffel immer ein bestimmter Prozentsatz auf die angegebene Weise verloren gehe.

Meine Zucht war übrigens trotz dieser Einbusse ungemein ertragreich.

Ich hatte damals nicht Zeit, die Ursache des Verkümmerns mancher Mutterpflanzen näher zu untersuchen und hielt die Erscheinung für eine Eigenthümlichkeit der genannten Sorte. Ich hatte keine Ahndung davon, dass ich es mit einer gegenwärtig

weit verbreiteten gefährlichen Krankheit zu thun hatte, welche,
wie die unausgesetzten Bemühungen des Herrn Professor Oehmichen
gezeigt haben, durch ganze Distrikte unseres Vaterlandes verheerend auftritt und vorzugsweise bestimmte Sorten, nämlich diejenigen mit zarter, leicht ablösbarer Schale und glattem weichem
Laube befällt.

Im Jahr 1874 baute ich keine Kartoffeln; die Sache inter-
essirte mich aber im höchsten Grade und so beschloss ich, im
kommenden Jahr einen grossen Theil meiner Zeit der Untersuchung der verschiedenen Krankheiten der Kartoffel zu widmen.

Ich bat in einem Aufruf in den Zeitungen im ersten Frühjahr, mir gegen angemessene Vergütung im Keller erkrankte
Kartoffeln zuzustellen, wobei ich die Erfahrung machte, dass
die durch Peronospora hervorgerufene Krankheit, welche ich
noch vor wenigen Jahren auf ganzen Strichen beobachtet hatte,
wenigstens in hiesiger Gegend, ziemlich selten geworden sei.

Im März d. J. legte ich eine Anzahl früher und später
Rosenkartoffeln an eine andere Stelle meines Gartens. Dieses
Land hat ebenfalls eine sonnige freie Lage, sehr guten, lockeren,
kalkreichen Gartenboden, welcher zuvor mit Holzasche mässig
gedüngt war. Die Kartoffeln wurden zerschnitten und vor dem
Auslegen 24 Stunden lang an einem trocknen Ort aufgehoben,
damit die Schnittfläche völlig abtrockne. Die Saatkartoffeln hatte
ich von Gebr. Wenzel in Quedlinburg bezogen. Sie waren gut
verpackt und im Ganzen von sehr gesundem Ansehen; nur fiel
mir auf, dass einige derselben kleinere oder grössere missfarbige
Flecke zeigten. Diese Flecke hatten eine solche Beschaffenheit,
als ob sie vom gegenseitigen Druck der Kartoffeln beim Trans-
port herrührten.

Vorher machte ich eine kleine Probe mit zwei Kartoffeln im
Mistbeet. Diese wurden in je drei Theile geschnitten und nach
gehörigem Antrocknen im Gewächshaus, dicht unter den Fenstern,
bei einer Mitteltemperatur von 15—20° C. im Februar angetrieben.
Im März wurden sie in das vorbereitete Mistbeet ausgetopft;
im April blühten sie und konnten gegen Ende Mai geerntet
werden.

Schon bei dieser kleinen Zucht stellte sich heraus, dass die
sechs Kartoffelstücke zu verschiedenen Zeiten austrieben und dass
die Triebe sich verschieden kräftig entwickelten. Sie trieben

zwar schliesslich alle aus, aber eine namentlich blieb sehr im
Wachsthum zurück, bildete nur krause vergilbte Blätter und vertrocknete vor der Blüthezeit. Sie erzeugte wenig Brut. Die
Kartoffeln im freien Lande keimten sämmtlich recht kräftig; es
blieb keine ganz aus. Ich hatte sie in über zwei Fuss Entfernung
nach allen Richtungen gelegt, um sie bequem nach Jülichs
Methode niederlegen und anhäufeln zu können. Das geschah
drei Mal in Zwischenräumen von je acht Tagen. Schon beim
zweiten Anhäufeln waren manche Pflanzen kränklich und hatten
nur schwache, an den Spitzen der Blättchen vergilbende und
sich kräuselnde Triebe. Beim dritten Anhäufeln waren einzelne
bereits völlig vertrocknet.

Herr Professor Oehmichen, welcher schon früher wiederholt
mit mir über die Krankheit gesprochen und sie als die im
vorigen Jahrhundert gefürchtete Kräuselkrankheit bezeichnet
hatte, führte mich in der ersten Hälfte des Juli auf seine ausgedehnten Versuchsfelder und gab mir mit grösster Bereitwilligkeit einen Ueberblick über das Auftreten der Krankheit im
Grossen, das Befallen bestimmter Sorten, deren er eine ganz
ausserordentlich grosse Zahl anbaut, und namentlich auch über
die charakteristischen Kennzeichen der Krankheit. Ich verdanke
Herrrn Professor Oehmichen ganz besonders die Anregung zu
dieser Untersuchung. Hätte derselbe mich nicht mit Arbeits-
material von den hiesigen Versuchsfeldern, aus den Kellerräumen,
in welchen seine Versuchskartoffeln aufbewahrt werden, sowie
vor allen Dingen mit anregendem Rath unausgesetzt auf das
freundlichste unterstützt: es wäre mindestens sehr fraglich, ob
meine Arbeit günstige Resultate erzielt hätte.

Herrn Professor Dr. Oehmichen gebührt daher vor Allen
an dieser Stelle die Aussprache meines wärmsten Dankes.

Nachdem ich mich durch Untersuchung der von den verschiedensten Bezugsplätzen entnommenen Materialien überzeugt
hatte, dass die Krankheit keineswegs eine auf meinen Garten
oder auf eine bestimmte Sorte beschränkt sei, sondern dass sie
sich durch ganze Theile von Deutschland auf verschiedene Sorten
erstrecke; nachdem ferner die mikroskopische Untersuchung
ergeben hatte, dass der Krankheit unter den verschiedensten
Verhältnissen stets eine und dieselbe Ursache zu Grunde
liege: ging ich an eine planmässigere und konsequentere

Untersuchung, indem ich alles Bisherige nur als Voruntersuchung ansah.

Dazu war erforderlich, dass ich die ganze aus fünf Sorten
bestehende Kartoffelzucht in meinem Garten der Untersuchung,
soweit erforderlich, zum Opfer brachte und konsequent eine
Kartoffelpflanze nach der anderen mit ihrer gesammten Brut auf-
nahm und in allen ihren Theilen der genauesten mikroskopischen
Untersuchung unterzog.

Nur so durfte ich hoffen, ein klares und einigermassen
vollständiges Bild vom Wesen der Krankheit zu erhalten.

Aus den Reihen der genau untersuchten Materialien hebe
ich zunächst eine heraus, welche die Early-Rose-Kartoffel betrifft.
Meine ganze Zucht, bestehend aus 44 Pflanzen, wurde vom
13. bis zum 31. Juli d. J. sorgfältig der Reihe nach aus dem
Boden genommen und auf's genaueste untersucht. Jede Pflanze,
gleichviel ob von krankem oder gesundem Aeusseren, wurde
mikroskopisch geprüft und zwar in allen ihren Theilen nach
folgender Methode.

Zuerst wurden die etwa vorhandenen Reste der Mutterkartoffel untersucht; darauf sämmtliche von ihr erzeugten Triebe
auf Querschnitten, besonders aber auf Längsschnitten durch alle
Indernodien hindurch bis in die äussersten Spitzen des Stengels,
durch die Blattstiele und in die Spreite der Blättchen. Ferner
untersuchte ich die kleinen Seitenäste, welche die Brutkartoffeln
am Ende erzeugen und welche hier der Kürze wegen Brutträger
genannt werden sollen. Zuletzt wurden die Brutkartoffeln selbst
mikroskopisch untersucht.

Die Darstellung der Resultate dieser Untersuchung zerfällt
in drei Theile.

Zuerst lasse ich eine Uebersicht über die äusseren Symptome
und den Verlauf der ganzen Krankheit vorangehen, aber nur
soweit ein Zusammenhang mit der Krankheitsursache nachweisbar ist, denn die ganze Krankheit ist nach Verlauf und
Symptomen von Oehmichen bereits auf das vollständigste
geschildert worden.

Zweitens gebe ich im Zusammenhang das Resultat der
mikroskopischen Untersuchung, erläutert durch die auf Tafel II
mitgetheilten Abbildungen. Dabei wird jedoch auf die einzelnen
untersuchten Fälle ganz speziell Bezug genommen werden.

Drittens werden die Resultate der Untersuchung aller 44 Rosenkartoffeln übersichtlich zusammengestellt und durch diese Zusammenstellung die beiden ersten Abschnitte ergänzt, erläutert und mit statistischem Nachweis versehen.

1. Allgemeine Krankheitssymptome und Verlauf der Kräuselkrankheit.

Zu Anfang der Krankheit bemerkt man auf den bis dahin glatten und ebenen Blättern kleine kreisrunde schwarze Flecke, die sich allmählig vergrössern und zuletzt oft zusammenfliessen. Die Spitzen der Blättchen werden bleich, gelblich, ihre Ränder ziehen sich nach innen (oben) zusammen.

Nach und nach werden die ganzen Blättchen welk. Um diese Zeit sind die Triebe und die Blattstiele im höchsten Grade brüchig; sie zerbrechen wie Glas, wenn man sie zurückbiegt. Ist die Krankheit erst so weit vorgeschritten, so greift sie rasch um sich, der ganze Stengel wird welk und hängt schlaff über; alle Blättchen sind kraus. Von nun an bräunt sich der Trieb, besonders im unteren Theil, während er von oben her ziemlich schnell vertrocknet. Sehr bald ist der ganze Trieb schwarz. Hierbei ist auffallend, dass keineswegs alle Triebe einer Mutterkartoffel zu erkranken brauchen. Oft sind einige Triebe einer Mutterknolle schwer krank, andere bereits abgestorben, noch andere völlig gesund.

Ferner ist sehr bemerkenswerth, dass die Krankheit offenbar nicht von einer Pflanze zur andern ansteckend wirkt, dass also die Blätter und grünen Pflanzentheile überhaupt einen Ansteckungsstoff nicht beherbergen, denn die Krankheit tritt auf dem Felde sowohl wie im Garten sprungweis auf; zwischen völlig gesunden Pflanzen findet man plötzlich einzelne schwer kranke oder abgestorbene. Auch nachträglich geht keineswegs irgend ein Krankheitsstoff von den kranken oder abgestorbenen auf die gesunden Pflanzen über.

Die Krankheitssymptome sind in der weitaus grössten Mehrzahl der Fälle sehr charakteristisch und leicht erkennbar. Nur die erwähnten schwarzen Flecke sind von Ungeübten mit Vorsicht und erst nach sehr sorgfältiger Betrachtung zu deuten, wenn keine anderen Symptome der Krankheit sichtbar sind. Selten auf dem Felde, häufig aber in Gärten, leiden die Pflanzen an Flecken, welche ganz andere Ursachen haben als diejenigen der Kräuselkrankheit. Die erste dieser Ursachen ist Fäulniss der Mutterkartoffel und ihrer Triebe. Diese hat wohl in den meisten Fällen in Nässe des Bodens oder in zu grosser Düngung mit thierischen Exkrementen und Abgängen ihren Grund.

So z. B. sandte Herr Kammerherr von Sieglitz von Mannickwalde bei Crimmitschau einige vollständige Kartoffelstöcke mit Mutterkartoffel und sämmtlichen Trieben nebst der ganzen Brut an Herrn Professor Oehmichen ein, welcher mich mit der mikroskopischen Untersuchung betraute. Die Stöcke waren einem sonst kerngesunden Stück entnommen von einem etwa zwei Quadratmeter grossen Fleck, auf welchem alle Pflanzen erkrankt und die meisten abgestorben waren.

Auffallend war mir die auf dem beiliegenden Zettel vorhandene Notiz, dass einige wenige Stöcke „reconvalesciren". Schon diese Notiz zeigte, dass die betreffende Krankheitsursache von derjenigen der Kräuselkrankheit gänzlich verschieden sein müsse, denn von der Kräuselkrankheit ergriffene Pflanzen reconvalesciren unter keinen Umständen; unter hunderten von mir beobachteter Fälle macht die Krankheit stets Fortschritte, oft langsam, aber immer unaufhaltsam, niemals Rückschritte; ja, wie aus der folgenden Darstellung mit absoluter Nothwendigkeit hervorgeht, giebt es auch kein Mittel und kann kein solches geben, die Krankheit an den einmal ergriffenen Stöcken zu hemmen. Alle derartigen Mittel würden, soweit sie überhaupt in Anwendung kommen könnten, mit der Krankheit zugleich die ergriffenen Individua vernichten.

An den Kartoffelpflanzen von Mannickwalde waren die Mutterkartoffeln noch vorhanden, wenn auch stellenweise in Fäulniss begriffen. In den faulenden Gewebetheilen waren Pilze, Hefezellen u. s. w. als Erreger der Fäulniss durchaus nicht nachweisbar. Nur eine der Kartoffeln war an einer Stelle von Mycelium durchzogen.

Dieses ganz vereinzelte Vorkommen zeigt schon, dass die Pilzbildungen mit der Fäulniss nicht in einem nothwendigen Zusammenhang standen.

Die Triebe waren braun und schlaff, aber nicht brüchig, überhaupt fehlten die charakteristischen Symptome der Kräuselkrankheit. Die mikroskopische Untersuchung zeigte im ganzen Trieb keine Spur von Pilzbildungen, wohl aber eine faulige Zersetzung aller Zellen, verbunden mit gänzlichem Schwinden des Zelleninhalts, des Chlorophylls, der Stärke, überhaupt des gesammten Plasma mit seinen Produkten. Dabei waren auch die meisten Blätter schwarz, aber noch feucht, während sie bei der Kräuselkrankheit vertrocknen.

Solches einfache Abfaulen der Mutterkartoffel mit ihren Trieben und der ganzen Brut ist mir mehrfach vorgekommen. Das ist nicht eigentlich als Krankheit aufzufassen, am wenigsten aber als parasitische Erkrankung.

In einem Fall, nämlich bei Nr. 251 vom Drakendorfer Versuchsfeld, fand ich in den Gefässen der Triebe einen mikroskopisch kleinen Wurm als wahrscheinliche Ursache der Erkrankung. Die Pflanzen, welche Herr Professor Oehmichen mir am 29. Juli übersandte, waren schwarz und schlaff.

Geht eine Kartoffelpflanze unter den Zeichen der einfachen Fäulniss zu Grunde, so tritt die Verfärbung des Laubes gleich anfangs nicht in Form einzelner kleiner runder Flecke auf, sondern ganze Partien werden missfarbig. Das Laub wird dabei wohl schlaff, aber nicht eigentlich welk. Soweit meine Erfahrung reicht, fehlt auch die brüchige Beschaffenheit der Triebe und Blattstiele. Weit leichter kann man die von Blattläusen, grünen Aphiden, hervorgerufenen Flecke mit denjenigen der Kräuselkrankheit verwechseln. Die Blattläuse fressen das Blatt von unten an und zwar machen sie kleine kreisrunde Flecke, wobei sie jedoch die Oberhaut der oberen Blattseite stehen lassen. Die Oberhaut ist natürlich durchsichtig, aber auf dem dunkeln Grunde erscheinen auch diese von Blattläusen verursachten Flecke schwarz. Nur bei genauer Betrachtung der Rückseite nimmt man wahr, dass diese ausgefressen ist. Die Aphiden werden wohl selten auf freiem Felde, häufiger in Gärten, die Kartoffeln wesentlich beeinträchtigen. Uebrigens leisten manche Vögel, besonders die Blaumeisen, vortreffliche Dienste durch die Vernichtung der Blattläuse.

Weit leichter kann man den Blattfrass einer kleinen grünen Cicade (Typhlocyba spec.?) mit den Flecken der Kräuselkrankheit verwechseln. Dieses Thierchen, welches in den Gärten an

verschiedenen Pflanzen, besonders aber an den Kartoffeln, grosse
Verheerungen anrichtet, hat die Grösse einer kleinen grünen
Aphis und lebt wie diese auf der Kartoffelpflanze auf der Rückseite der Blätter, wo sie alle Verwandlungen bis zum Anfang
oder zur Mitte des Augustmonats durchmacht. Die schwarzen
Flecke, welche sie hervorruft, sind denjenigen der Kräuselkrankheit täuschend ähnlich. Anfangs sind es kleine kreisrunde Flecke.
Das kleine Thier frisst als Larve stets im Kreise herum, wodurch
schwachwellige konzentrische Linien entstehen. Auch dieses
Thierchen lässt an der Oberseite des Laubes die Epidermis stehen,
so dass ein Fensterchen gebildet wird, welches auf dem dunkeln
Grunde als schwarzes Fleckchen erscheint. Nach und nach werden
die Flecke grösser, fliessen zusammen, das ganze Blatt, ja bisweilen der Trieb, stirbt ab und man hat, wenn die Thierchen
zahlreich auftreten, eine bedeutende Einbusse in der Ernte, denn
die Pflanzen verkümmern und in Folge davon bleiben die Brutkartoffeln im Wachsthum zurück.

Von der Kräuselkrankheit unterscheidet man diese Beein-
trächtigung der Pflanze durch die erwähnte kleine Cicade sehr
leicht, weil im letztgenannten Fall die Blättchen sich nur dann
zusammenziehen, wenn die Flecken in grösserer Zahl an der
Spitze liegen. Auch unter dem Einfluss dieser Benachtheiligung
wird die Spitze des Blättchens nicht selten gelblich; aber niemals
wird das Blatt oder gar der ganze Trieb welk und schlaff. Das
Welken der Blätter ist für die Kräuselkrankheit sehr charakteristisch.

Tritt die Kräuselkrankheit sehr rapid und heftig auf, so
wird grade der untere Theil des Triebes zuerst braun, während
der obere zwar bereits welk, kraus, vergilbt und fleckig erscheint,
aber noch saftig ist. Während der zunehmenden Bräunung verliert
die Basis des Triebes allmählich allen Saft, sie wird ganz trocken
und zuletzt sowohl äusserlich als auf Durchschnitten schwarz oder
schwärzlich längsgestreift. Nun verwelkt und vertrocknet der
ganze Trieb auch vom oberen Ende her ausserordentlich schnell.

Die Mutterkartoffel ist bis dahin meistens bis auf geringe
Ueberreste zu Grunde gegangen. Dabei ist zu beachten, dass
weder in der Mutterkartoffel noch in den Trieben Fäulniss eintritt.

Die schwarze Farbe der Blattflecken sowohl wie des Triebes
rührt lediglich von nekrotischem Absterben der betreffenden
Gewebetheile her; sie schrumpfen ein, vertrocknen und werden

schwarz. Die Flecke auf den Blättern unterscheiden sich natürlich von allen durch Insektenfrass entstandenen bei genauerer Prüfung sehr leicht dadurch, dass das Blattgewebe an der fleckigen Stelle ganz vollständig bleibt, dass nicht bloss an der oberen sondern auch an der unteren Seite die Epidermis wohlerhalten ist. Erst ganz zuletzt entstehen an der nekrotischen Stelle zuweilen Löcher, dann schwindet aber regelmässig auch an der oberen Fläche die Epidermis.

Wenn die Internodien des Triebes anfangen sich zu schwärzen, so werden sie fast immer inwendig hohl. Die schwarzen abgestorbenen Triebe gehen nicht gleich durch Fäulniss zu Grunde, sondern verharren selbst im Boden meist längere Zeit. Sterben sie sehr früh ab, so findet man allerdings nach einigen Wochen über der Erde keine Spur mehr von der Pflanze.

An sehr kranken Pflanzen nehmen die Wurzeln ein welkes, verschrumpftes Ansehen an. Auch sie faulen nicht, sondern werden im Gegentheil trockner. Natürlich werden sie in diesem Zustand immer ungeeigneter, den Trieben flüssige Nahrung zuzuführen. Zuletzt vertrocknen sämmtliche Wurzelhaare.

Die Brutträger, welche sich von den Trieben abzweigen, werden ebenfalls nach und nach saftlos und missfarbig. Zuletzt sind sie völlig trocken, von strohiger Beschaffenheit. Tritt diese Veränderung im Brutträger frühzeitig ein, so bleiben die Brutkartoffeln sehr klein; oft haben sie nur Erbsengrösse. Unter allen Umständen geben erkrankte Pflanzen einen weit geringeren Ertrag als gesunde, wie schon mit grösster Evidenz aus der im dritten Theil dieser Abhandlung mitgetheilten Uebersicht hervorgeht, wie aber auf eine weit umfassendere und schlagendere Weise Oehmichen durch seine ausgedehnten quantitativen Untersuchungen nachgewiesen hat.

Die von kranken Pflanzen herrührenden Brutkartoffeln der Early Rose bleiben kugelig, blass, meist von etwas welkem und rauhem Ansehen. Führt man einen Schnitt durch den Anheftungspunkt, so sieht man, vom Brutträger ausgehend, einen kleinen braunen Fleck, während der übrige Theil der Durchschnittsfläche weiss erscheint.

Geniesst man solche Brutkartoffeln, selbst wenn sie beträchtliche Grösse haben, im gekochten Zustand, so zeigt sich meistens in sehr merklichem Grade ein süsslicher Geschmack. Bei den

Brutkartoffeln fand ich die Krankheit niemals weiter vorgeschritten als wie soeben angegeben wurde. Die Mutterkartoffeln der Early Rose sind dagegen auch bei gesunden Pflanzen zur Erntezeit meist bis auf die Oberhaut geschwunden, wobei Asseln und Tausendfüsse energische Thätigkeit entfalten.

2. Die Resultate der mikroskopischen Untersuchung.

Führt man durch die Blättchen der erkrankten Pflanzen Quer- und Längsschnitte, so nimmt man zunächst wahr, dass das Chlorophyll in Degeneration begriffen ist. Die Chlorophyllkörner erscheinen blass, klein, schwach und undeutlich umgrenzt. Ebenso sind die Amylumkörner klein, unregelmässig gestaltet, gering an Zahl. Das ganze Plasma befindet sich im Zustand krümlicher Zerbröckelung.

Von irgend einem parasitischen Organismus ist dabei in der überaus grossen Mehrzahl der Fälle gar nichts zu finden. Nur in wenigen Fällen, so z. B. bei Nr. 2 aus meinem Garten, fanden sich im Gewebe bakterienartige Pilzelemente in mässiger Anzahl vor, doch waren diese wohl, da sie nur ausnahmsweise auftraten, ein zufälliges Vorkommniss. Dem Umstand, dass die mikroskopische Untersuchung grade in dem zuerst sichtbar und auffallend erkrankenden Theil kein parasitisches Mycelium nachzuweisen im Stande ist, muss es wohl zugeschrieben werden, dass von den bisherigen Beobachtern Keiner die wahre Natur der Krankheit aufgefunden hat. Es liegt sehr nahe, ähnlich wie bei der durch Peronospora hervorgerufenen Blattkrankheit auch hier einen laubbewohnenden Parasiten vorauszusetzen; — diese Mühe ist aber vergeblich; — an keinem oberirdischen Theil bringt der Pilz äusserlich Sporen oder irgend ein anderes mit dem Mikroskop erkennbares Zeichen seines Daseins hervor.

Nur selten und bei sehr schwerer Erkrankung findet man feine Mycelfäden im Blattstiel und in den Blattnerven.

Eine ganz andere Ansicht von der Sache erhält man aber, sobald man von den unteren Theilen eines schwer erkrankten Triebes Querschnitte, besonders aber Längsschnitte, ausführt.

Zwar findet man auch in diesem Fall meistens das ganze

Parenchym in Rinde und Mark, die Oberhaut, ja sämmtliche Bast- und Holzzellen durchaus frei von irgend welchem Parasiten. Sobald man aber einen groben Querschnitt oder einen sehr feinen Längsschnitt durch das Gefässbündel ausgeführt hat, gewahrt man in den grossen Tüpfelgefässen ein anfänglich sehr zartes, wasserhelles, sich verzweigendes, weitläufig septirtes Mycelium.

Fig. 1, Tafel I, zeigt solches Mycelium im Innern eines grossen Tüpfelgefässes. Das Gefäss, welches nach beiden Seiten durch einige Prosenchymzellen (p) begrenzt ist, ist durch den Schnitt halbirt. Man sieht nur die untere Wand mit den Tüpfeln (m) und auch diese untere Wand ist bei 1 durch den Schnitt entfernt. Hier ist sehr deutlich das ziemlich reich ausgebildete Mycel sichtbar; doch sieht man es auch auf der linken Seite sich über das Innere der unteren Gefässwand verbreiten.

Die zweite Figur der Tafel zeigt ein kleines Bruchstück des Mycelium aus demselben Gefäss bei doppelt so starker Vergrösserung. Man sieht, dass die jungen Mycelfäden keineswegs überall kalibrisch sind, sondern vielfach kleinere oder grössere Auftreibungen bilden. An einer Stelle (a, Fig. 2) hat eine solche Auftreibung Kugelgestalt angenommen.

An den aufgetriebenen Stellen liegen im Innern der Zelle sehr glänzende kugelige oder längliche Massen. Der Glanz dieser Körper, die man z. B. bei a und b der Fig. 2 hervortreten sieht, beruht auf grösserer Dichtigkeit als die Umgebung.

Die Fäden des Myceliums erscheinen anfänglich haarfein und wenig angeschwollen; nach und nach werden die Fäden dicker, bilden Auftreibungen; später fangen sie an, sich häufiger. zu septiren.

Man findet das Mycelium anfangs ausschliesslich in den grossen Tüpfelgefässen; erst später tritt es stellenweise, die Tüpfel durchbohrend, in einen Schraubengang oder in ein Ringoder Leitergefäss hinein. Im oberen Theil des Stengels sah ich es niemals aus den Gefässen in andere Gewebepartien hinübertreten.

Macht man von oben nach unten fortschreitend durch alle Internodien hindurch fortgesetzte Längsschnitte, so kann man unschwer konstatiren, dass der Pilz von unten aufwärts wächst. Nach oben findet man früher oder später die Endverästelungen des zarten Mycels.

Nur in seltenen Fällen findet man das Mycelium in den Blattnerven oder im Blattstiel; weitaus überwiegend ist das Blatt bereits völlig vertrocknet, bevor der Parasit den Blattstiel erreicht. Etwas häufiger begegnet man den ersten Spuren des Mycelium in den obersten Internodien. Meistens ist es hier noch sehr zart, dünn und gestreckt, ohne deutliche Scheidewände, und ausnahmslos ist es auf die Gefässe beschränkt. Ist der Trieb mit den charakteristischen äusseren Kennzeichen der Kräuselkrankheit versehen, so trifft man unter allen Umständen in grösserer oder geringerer Höhe das Mycelium in den Gefässen des Stengels an. Am sichersten leitet hier die welke Beschaffenheit des Blattrandes. Ist der Trieb, wenigstens im oberen Theil, noch grün, dabei aber der Blattrand welk und nach innen gerollt, so ist in allen Fällen das Mycelium im Innern nachweisbar. Ich habe über hundert Kartoffelpflanzen auf's genaueste untersucht und die beständige Verbindung dieses Mycelium mit der Kräuselkrankheit durchaus bestätigt gefunden.

Fand man die oberen Internodien noch mycelfrei, so trifft man das Mycelium stets früher oder später in den mittleren oder unteren an. Beschränkt sich die Verbreitung des Pilzes auf die unteren Internodien, so ist das Mycelium auch hier zart und farblos.

Die zarte Beschaffenheit ist überall Kennzeichen des Jugendzustandes dieses Mycelium; im Alter nimmt es eine wesentlich veränderte Form an. Diese Veränderung tritt allmählig ein und man kann sie am besten konstatiren, wenn man nach der soeben angegebenen Methode Längsschnitte durch alle Internodien von oben nach unten fortschreitend ausführt. Trifft man das Mycelium schon in den oberen oder mittleren Internodien an, so kann man leicht konstatiren, dass das Mycelium im ganzen Stengel abwärts in ununterbrochenem Zusammenhang steht. Es klettert inwendig an den Wänden und im Innern der grossen Tüpfelgefässe empor. In den unteren Theilen des Stengels nimmt es ganz allmählig eine anfangs blassbraune, zuletzt dunkelolivenbraune Färbung an. Die Wand wird weit schärfer begrenzt; es treten deutliche Septa auf. Alle diese Veränderungen treten ganz unmerklich und allmählig ein. Anfänglich trifft man Myceläste, die sich schon schwach zu bräunen anfangen und deutliche Scheidewände gebildet haben, während ihre Verzweigungen noch ganz zart und farblos, sowie scheidewandlos sind.

Diese Veränderung des Mycelium scheint, wie sie überhaupt in der Pilzwelt sehr häufig ist, auch den übrigen Arten der betreffenden Gattung eigen zu sein.

Man vergleiche darüber, was ich weiter unten über die Gattung Rhizoctonia J. Kühn mitgetheilt habe.

Die dritte Figur der Tafel zeigt ein grosses Tüpfelgefäss, vollständig durch den Längsschnitt geöffnet, und sowohl oben als unten der Wandung beraubt, also eine Längslamelle durch das ganze Gefäss. Dasselbe ist einerseits durch langgestreckte Parenchymzellen (par.), andererseits durch Prosenchymzellen (pros.) begrenzt. Zur rechten Seite sieht man das Gefäss ganz dicht mit einem Gewirre der Mycelfäden ausgestopft. Links von dieser Stelle liegen sie lockerer. Obgleich in diesem Fall einer sehr schwer erkrankten Pflanze (Early Rose Nr. 3 der weiter unten mitgetheilten Uebersicht) der Schnitt aus einem der oberen Internodien angefertigt wurde, zeigt sich der Pilz doch schon an manchen Stellen im Begriff, sein Mycelium zu bräunen. So z. B. ist der Mycelast a Fig. 3 bis in die Gegend von x bereits blassbraun gefärbt. Es zeigen sich in diesem dunkleren Theil sehr deutlich rundliche Vacuolen (v Fig. 3), während dieselben im zarteren Ende des Fadens über x noch fehlen. Die zarteren Myceläste zeigen statt der Vacuolen stets dichtere und in Folge dessen stärker lichtbrechende Stellen, während die Vacuolen im unteren Theil des Mycels im Gegentheil schwächer lichtbrechend sind.

Bei b in Fig. 3 sieht man einen solchen zarten Mycelfaden mit dichteren glänzenden Punkten. Ueberhaupt ist das Plasma in den jüngeren Aesten natürlich reichlicher vorhanden und in Folge dessen die Zelle glänzender trotz der Farblosigkeit. So zeigen sich die Mycelfäden in der Fig. 3 an den mit z m bezeichneten Stellen.

Dass dieses Mycelium die Ursache der in den Spitzen der Blätter und der Triebe eintretenden Erschlaffung sei, geht besonders auch daraus hervor, dass es sich einzig und allein in den kräuselkranken Trieben vorfindet. Wie man aus der weiter unten mitzutheilenden Uebersicht sieht, habe ich bei meiner ganzen diesjährigen Zucht der Early Rose- sowie der Late Rose-Kartoffel, ebenso bei Vermont- und Beauty-Kartoffel nicht bloss die kranken, sondern ausnahmslos auch die gesunden Individuen untersucht. Das Mycelium fand sich ausnahmslos nur in den kräuselkranken Pflanzen. Ja, noch mehr. Manche Pflanzen hatten neben gesunden Trieben auch einen oder einige kranke. In diesem Fall zeigte sich das Mycelium im kranken Trieb, aber keine Spur davon in den gesunden. Ebenso wenig fand sich Mycelium in Pflanzen vor, welche durch blosse Fäulniss zu Grunde gingen.

Im Anfang sind auch in dem blassbraun gefärbten Theil des Mycelium nur ganz vereinzelte Scheidewände vorhanden. In demselben Mass aber, wie allmählig das Kolorit des Mycels etwas dunkler wird, treten auch die Scheidewände häufiger auf.

Sobald die Scheidewände überall deutlich hervortreten, verharrt das Mycelium nicht mehr in den Tüpfelgefässen, sondern breitet sich nach und nach durch das ganze Gewebe hindurch aus. Dass es die Tüpfel durchbohrt, ist leicht begreiflich, aber dabei bleibt es nicht stehen, vielmehr dringt es in alle benachbarten Gefässe, Prosenchymzellen und Parenchymzellen ein, von Zelle zu Zelle hindurchbohrend. Die Myceläste laufen nur eine kürzere oder längere Strecke in der Zelle entlang, dann bohren sie sich am Ende oder seitlich hindurch und zwar in den von mir beobachteten Fällen stets durch die Poren. Fig. 4 der Tafel zeigt einen braunen Mycelfaden, welcher bereits an drei Stellen, bei p^1, p^2 und p^3, die Prosenchymzelle, in welcher er entlang wächst, durchbohrt hat. An der Durchbohrungsstelle wird der Mycelfaden sehr eng zusammengeschnürt, was man bei p^1 besonders deutlich wahrnimmt.

Anfänglich sieht der junge durchbrechende Mycelast wie eine sich abschnürende Kugel aus (p^3), nicht unähnlich jungen Tüllen. Bisweilen verharren die Aeste längere Zeit und in grösserer Anzahl in diesem Zustand, wodurch besonders die Gefässe oft ein wunderliches Ansehen erhalten.

Das Mycelium wird nun immer dunkler. Sobald die Durchbrechung der Zellwände des Wirths begonnen hat, treten die Scheidewände im Mycelium häufiger und gedrängter auf; die dadurch abgeschnürten Zellen werden immer kürzer, zuletzt kugelig. Das Mycelium zerfällt gradezu in kurze Conidien (im Sinne von Tulasne), ähnlich wie bei einem Brandpilz.

Die Fig. 5, Tafel I, gehört demselben Längsschnitt an wie die Fig. 4. Die abgebildeten Mycelfäden befinden sich in

einem grossen Tüpfelgefäss, in naher Nachbarschaft der in
Fig. 4 abgebildeten Holzzellen. Man sieht, wie das ganze, vielfach hin- und hergewundene Mycelum in kurze und kürzere,
zuletzt kugelige Conidien zerfällt.

Diese in kürzeren oder längeren Ketten auftretenden Conidien
fallen häufig ab und man sieht sie oft in Menge in den grossen
Gefässen beisammen liegen.

Sobald das Mycelium angefangen hat, die Zellen des Wirthes
zu durchbohren und das ganze Gewebe zu durchziehen, stirbt
dieses rasch ab und geht einem gänzlichen Verfall entgegen.
Das Plasma verschwindet mit seinem gesammten Inhalt. Man
findet keine Spur mehr von Amylum oder Chlorophyll.

Dieser Zustand tritt immer zuerst im unteren Theil des
Stengels ein. Das ganze Gewebe erscheint nun auf Längsschnitten
schwärzlich, theils durch Nekrose, theils auch durch das massenhaft auftretende dunkle Mycel. Das Internodium wird zuletzt hohl.
Das Abschnüren von Conidien ist nicht die einzige Bestimmung
des braunen Mycels. Wo die endständigen Ketten auf kleine
Räume beschränkt sind, oder irgend ein Hinderniss finden, da
ballen sie sich zu unregelmässigen Massen zusammen. Den
ersten Anfang einer solchen Bildung zeigt z. B. Fig. 6, Tafel I.
Bei a sitzt einem längerem Faden, von welchem die Figur nur
einen kleinen Theil zeigt, ein kurzer Seitenzweig auf; derselbe
ist am Ende in eine kleine Kette kugeliger Conidien zerfallen,
die sich zu einem unregelmässigen Haufen zusammenballen.

Nun beginnt in den Conidien ein Theilungsprozess; es treten
Scheidewände auf, wie man in der kleinen in Fig. 7 abgebildeten Zellgruppe deutlich sieht, und zwar sind diese Scheidewände sehr häufig, wie Fig. 7 zeigt, longitudinal, während sie
früher nur transversal auftraten.

Deutlicher noch zeigt das Auftreten der Scheidewände die
etwas grössere Gruppe in Fig. 7 b, wo der Deutlichkeit halber
Schattirung und Kolorit weggelassen sind.

Durch fortgesetzte Scheidewandbildung entstehen grössere
Ballen von braunen Pilzzellen, welche zuletzt in so festem Zusammenhang mit einander stehen, dass es nur selten gelingt, sie
durch Druck oder Zerreissen von einander zu trennen. Eher
entlassen die Zellen ihren Inhalt bei heftigem Druck, namentlich
eine ziemlich grosse Menge Fett.

Die Gestalt der erwähnten Ballen, welche eine Art von Dauermycelium bilden, ist je nach den äusseren Umständen sehr verschieden. Entwickeln sie sich in einem offenen Raum, so z. B. in einem grossen Gefäss oder an der äusseren Oberfläche des Triebes, oder im Innern des hohlen Internodiums; dann nehmen sie meist Kugelgestalt an. Man sieht diese Kugeln mit blossem Auge als winzige schwarze Punkte. Oft ist die ganze Aussenfläche des Stengels durch dieselben schwarz punktirt, ebenso häufig die Innenfläche des hohlen Internodiums und bisweilen das ganze Gewebe durch und durch; so in dem Fig. 8 abgebildeten Fall. Man sieht in der Figur noch sehr deutlich die Myceläste, welche die Zellanhäufungen gebildet haben. Später gehen diese zu Grunde und die Kugeln liegen isolirt.

Ist indessen kein genügender Raum zur Ausbildung der genannten Zellkugeln vorhanden, so nehmen die sclerotiumartigen Anhäufungen andere Gestalten an, oft höchst unregelmässig, wie man in der Fig. 8 in zwei engen Prosenchymzellen bei pr und x wahrnimmt. Die Reibung auf der Unterlage scheint hier wesentlich mitzuwirken. Das schönste Beispiel dafür, in wie hohem Grade diese pseudoparenchymatischen Zellenanhäufungen sich ihrer Umgebung anschmiegen können, entdeckte ich an derselben schwerkranken Pflanze, von welcher die Präparate zu den Figuren 6, 7 und 8 herrühren. Das Mycelium durchwächst zuletzt das ganze Gewebe des Triebes bis an die Oberfläche, indem es aus der Epidermis wieder hervorbricht. Trifft es dabei von Innen heraus auf ein Haar, so wächst es in dessen Basis hinein und erfüllt das ganze Haar dicht mit dem Pseudoparenchym. Die Fig. 9 zeigt zwei derartige Haare vom Brutträger derselben sehr stark befallenen Pflanze (Early Rose Nr. 19) der weiter unten mitgetheilten Uebersicht. Bei anderen Haaren hatte der Pilz das Lumen nur halb erfüllt, noch andere waren ganz leer. Man kann solche Haare schon unter der Lupe von anderen unterscheiden an dem schwärzlichen Ansehen, doch muss man sich hüten, sie mit den weiter unten zu erwähnenden Appendices zu verwechseln.

Bevor ich nun in der Schilderung des Pilzes selbst fortfahre, muss ich hinzufügen, dass bei allen schwer erkrankten Pflanzen das parasitische Mycelium nicht bloss in den Haupttrieben selbst nachgewiesen wurde, sondern durch sorgfältige

Längsschnitte ebenso an allen ihren Verästelungen. Von besonderer Wichtigkeit war der Nachweis, dass das Mycelium aus den unteren Internodien in die kleinen Bruttträger hinübertritt. Auch hier findet es sich zuerst in den Gefässen, später in allen Gewebetheilen. Aus dem Brutträger tritt das Mycel in die Brutkartoffeln hinüber, hält sich aber in allen von mir untersuchten Fällen selbst bei sehr schwerer Erkrankung längere Zeit in der Nähe des Anheftungspunktes, wo es den oben erwähnten kleinen braunen Fleck hervorruft. Der Brutträger stirbt unter dem Einfluss des parasitischen Mycels ab, und zwar, was sehr charakteristisch ist, keineswegs durch Fäulniss, sondern im Gegentheil durch Austrocknen. Er verdorrt förmlich, schrumpft zusammen und wird zuletzt ganz strohig. Man wird also bei der Auswahl der Saatkartoffeln alle Brut mit abgestorbenem Träger sorgfältig auszuscheiden haben und nur diejenigen mit noch lebendem Träger zur Saat auswählen.

Aber auch in die Wurzeln und ihre Verzweigungen dringt das Mycelium ein und auch diese schrumpfen und trocknen unter seinem Einfluss zusammen.

Wo das zum Pseudoparenchym zusammengeballte Mycelium an der Luft liegt, sei es auf der Aussenfläche des Stengels oder im hohlen Stengel oder selbst im Innern eines grossen Gefässes: da verharrt es nur kurze Zeit in Unthätigkeit. Nach einiger Zeit treibt es aus seinen Zellen neue sehr kräftige Aeste wie in a Fig. 10, wo bei rh ein solcher Pseudoparenchymhaufen in einer engen oberflächlichen Zelle im Innern des hohlen Stengels eingeschlossen ist. An dem einen freien Ende sind zwei Zellen zu solchen dicken vielfach septirten Aesten (a) ausgewachsen. Die Enden dieser Aeste tragen einige kurze unregelmässig gestellte und geformte Zellen (st Fig. 10), welche man als Sterigmen aufzufassen hat, denn sie sind an dem einen Ast mit zwei grossen durch transversale Wände vielkammerigen Conidien (c Fig. 10) besetzt, während solche an dem andern Ast bereits abgefallen sind. Diese Kammerconidien scheinen typische Fortpflanzungszellen des betreffenden Pilzes zu sein, denn sie treten bei hochgradiger Entwickelung desselben jedes Mal auf. Ich fand dieselben bei allen schwer erkrankten Pflanzen in den unteren Internodien der absterbenden Triebe; auch sehr häufig auf der Oberfläche der Mutterkartoffeln.

Die erwähnten Kammerconidien werden in der Regel nur von kleineren und gestreckten Pseudoparenchymhaufen ausgebildet. Die grösseren, welche anfangs gewöhnlich nahezu kugelig, zuletzt aber fast immer von oben her mehr oder weniger flach gedrückt sind, treiben zwar an der oberen und Aussenseite ebenfalls Fäden, indem ihre oberflächlichen Zellen zu solchen auswachsen, aber diese Fäden bleiben dünn, laufen in spitze Enden zu und verästeln sich nicht. Sie sind also steril; mithin gehören sie zu den sehr verschiedenen Pilzen zukommenden sogenannten Appendices. Fig. 11 zeigt eine solche Frucht, wenn dieser Ausdruck gestattet ist, mit ihren Appendices. Sämmtliche Appendices befinden sich an der vom Substrat abgewendeten Seite; niemals gehen sie von unten aus. Auch diese eigenthümliche Bildung ist bei jeder schwer erkrankten Pflanze konstant auf der äusseren Fläche des Triebes und der Mutterkartoffel, ebenso in den hohlen Internodien nachweisbar.

Als ich diese eigenthümlichen Körper zum ersten Mal erblickte, vermuthete ich, irgend eine höher entwickelte typische Fruchtform vor mir zu haben, aber darin fand ich mich vorläufig getäuscht. Halbirt man einen solchen Körper, so findet man in seinem Innern das erwähnte Pseudoparenchym. Die Zellen liegen fest aneinander, lassen sich nur mit Gewalt von einander ablösen, entlassen, wenn man sie zertrümmert, eine beträchtliche Menge Fetttropfen.

Ich musste mich also vorläufig dabei beruhigen, diese Pseudoparenchymkörper als einen konstanten Begleiter der Kräuselkrankheit nachgewiesen zu haben.

Das Resultat der ganzen Untersuchung war bis hierher in der Kürze folgendes: Bei der Kräuselkrankheit wird der Trieb der Kartoffel von unten aufwärts von einem anfangs zarten, farblosen, scheidewandlosen, verästelten, vielfach ungleich angeschwollenen Mycelium durchzogen, welches anfangs ausschliesslich in den grossen Tüpfelgefässen aufwärts wächst bis in die äussersten Spitzen des Triebes und aller seiner Verästelungen, seltener bis in die Stiele und Nerven der Blätter.

Allmählig wird dieses Pilzmycelium im unteren Stengeltheil, später im oberen, braun, septirt und zerfällt an den Enden sämmtlicher Zweige in kurze, zuletzt kugelige, braune, einzellige Conidien. Jetzt durchbohrt das Mycelium die Tüpfel der grossen

Gefässe und durchzieht, alle Poren durchwachsend, ganze Gewebetheile in sämmtlichen Zellformen, ja zuletzt den Stengel auf
seinem ganzen Querschnitt bis an die Oberfläche. Die Zellen des
Mycelium fangen jetzt an, sich nach verschiedenen Richtungen
hin zu septiren und bilden dadurch verschieden gestaltete Zellhaufen von Pseudoparenchym, denen die Bedeutung von Sclerotium-
ähnlichen Bildungen zuzuerkennen ist. Ihre Form hängt ab von
der Umgebung. Wo sie flach und armzellig sind, da bilden sie
an der Oberfläche des Nährgewebes, innerhalb der grossen
Gefässe, auf der Aussenseite des Stengels, auf dessen hohler
Innenfläche u. s. w. dicke Stiele durch Keimung der Zellen.
Diese Stiele verästeln sich und tragen am Ende keulig-linealische
transversal septirte Kammerconidien als typische Fortpflanzungszellen. Die grösseren Haufen, welche meist die Gestalt etwas
gegen die Unterlage flachgedrückter Sphaeroide haben, bringen an
der vom Substrat abgewendeten Seite eine Anzahl steriler Appendices hervor. Diese haben die Form von dünnen, sehr spitzen,
leicht zerbrechlichen Stacheln. Häufig aber sind die Mycelhaufen
auch frei von Appendices.

Für jeden Mykologen, der sich im Sinne des grossen französischen Pilzforschers Tulasne mit der Pilzwelt beschäftigt hat,
liegt es wohl auf der Hand, dass der fragliche Parasit in den
hier geschilderten Formen noch nicht seinen ganzen Formenkreis
abgeschlossen hat. Wir können an diesem Ort aber auf die
Frage, ob noch andere Morphen vorhanden sind, und welche es
sind, zunächst noch nicht eingehen, denn wir haben es hier in
erster Linie mit der Rolle zu thun, welche der Parasit bei der
Kräuselkrankheit spielt, und auf der Kartoffelpflanze enthüllt er
uns in der That keine anderen Formen als die beschriebenen.
Dass der Pilz die Krankheitserscheinungen bedingt, haben wir
ebenfalls bereits gesehen, denn da das Mycelium zuletzt die
unteren Internodien der Triebe ganz dicht erfüllt, ja alle Zellformen oft ganz und gar ausstopft, so saugt es nicht nur das
so stark befallene Gewebe völlig aus, so dass es absterben muss,
sondern es hindert auch alles weitere Aufwärtsströmen des
Saftes zu den oberen Internodien. Daher das rasche Welken
der Blätter und der ganzen Triebe, das nekrotische Fleckig-
werden der Blätter, das Zusammenrollen ihrer Ränder. Es erklärt
sich daraus auch ganz einfach, warum die Krankheit, sobald sie

einen gewissen Grad erreicht hat, meist mit rasender Schnelligkeit
um sich greift. Wenn nun auch feststeht, dass der Parasit aus
den unteren Internodien der Triebe allmählig aufwärts rückt
und dadurch die Symptome der Krankheit verursacht, so ist doch
aus den bisher mitgetheilten Thatsachen noch keineswegs abzu-
leiten, woher der Parasit überhaupt kommt, wie er in die Pflanze
gelangt, welchen Angriffspunkt er benutzt.

Hier ist zweierlei möglich. Entweder bohrt das Mycelium
sich sehr frühe schon in die Basis der jungen Triebe ein und
nimmt dann seinen Weg durch den Stengel aufwärts und vielleicht auch abwärts. Oder das Mycelium befindet sich schon in
der Kartoffel zur Zeit des Auslegens oder dringt wenigstens vor
dem Austreiben in dieselbe ein. Die erste Ansicht, dass die
Kartoffelpflanze selbst der Angriffspunkt des Parasiten sei, hat
von vornherein wenig Wahrscheinlichkeit.

Nirgends sieht man auf freiem Felde auch nur die geringste
Andeutung dafür, dass die Krankheit durch das Laub oder die
oberen Stengeltheile ansteckend wirke. Besonders auffallend war
es auf den Versuchsfeldern des Herrn Professor Oehmichen, dass
die Krankheit schon früh in der Pflanze liegen muss und nicht
von Pflanze zu Pflanze übertragen wird. Hier geht eine Sorte ganz
und gar zu Grunde, während unmittelbar daneben eine andere
Sorte von der Krankheit unberührt bleibt. In einer dritten Reihe
macht die Krankheit unregelmässige Sprünge: eine Reihe ganz
gesunder Pflanzen wird plötzlich durch eine oder einzelne schwer
kranke Individuen unterbrochen.

Es verhält sich mit dieser Krankheit also grade umgekehrt
wie mit der durch Peronospora verursachten Blattkrankheit.
Diese letztgenannte Krankheit ergreift ganze Felder gleichzeitig. Seit etwas über acht Tagen, d. h. seit Ende Juli, ist mit
unglaublicher Geschwindigkeit die Blattkrankheit über ganze
Theile Thüringens verbreitet, und es ist auffallend, wie an den
dem Nord- und Ostwind preisgegebenen Stellen fast jede Pflanze
erkrankt, weil die Sporen, welche auf den Blättern zur Abschnürung kommen, durch den Wind weitergeführt werden.

Bei der Kräuselkrankheit sind gar keine Sporen vorhanden,
welche der Wind forttragen könnte; denn die Conidien kommen
erst gegen das Ende der Krankheit in und auf den absterbenden
Stengeltheilen zur Entwickelung. Sollten die Keimlinge dieser

Conidien die Kartoffelpflanze direkt angreifen, so könnte das weit eher durch Vermittelung des Bodens als durch Vermittelung des Windes geschehen. Soviel steht jedenfalls fest, dass in den über der Erde befindlichen Stengeltheilen nirgends bei dieser Krankheit ein Parasit eindringt.

Von vornherein lässt sich allerdings die Möglichkeit nicht in Abrede stellen, dass der Parasit an den vom Boden bedeckten Theilen der Triebe in früher Jugend derselben eindringt, aber es fehlen dafür alle Anhaltspunkte, im Gegentheil zeigen alle untersuchten Fälle die Triebe an der Aussenfläche ihrer Basis noch unversehrt, während in ihrem Innern das parasitische Mycelium bereits alle Tüpfelgefässe durchzieht.

Einige Male fand ich an der Basis von gesund aussehenden Trieben die Dauermycelien in ziemlicher Menge aussen angesiedelt. Mit einer einzigen Ausnahme zeigte sich aber das Innere solcher Triebe ganz gesund und frei von jeglichem Mycelium, woraus hervorgeht, dass zwar jenes pseudoparenchymatische Dauermycelium bisweilen an den im Boden liegenden Stengeltheilen aussen auf der Epidermis sich ausbilden kann, dass es dabei aber niemals tief in das Innere des Stengels eindringt. Nur in einem Falle war der Trieb oben völlig gesund, an seiner Basis aber dicht mit jenen sphaëroidischen Körpern besetzt und fast bis ins Centrum abgestorben. Längsschnitte, die ich ausführte, und zwar durch alle Schichten des Stengels hindurch in continuirlicher Reihenfolge, zeigten nun zwar, dass von denjenigen Stellen aus, wo sich die schwarzen Zellhäufchen angesiedelt haben, ein Pilzmycelium ins Innere des Gewebes vordringt, aber ein solches, welches mit dem parasitischen Mycelium in keiner Beziehung Aehnlichkeit hat.

Während der Stengel verwest, der Zusammenhang seiner Zellen sich lockert, durchbohrt dieses Mycelium in Gestalt dicker Fäden alle Zellformen, Parenchym, Prosenchym, wie die verschiedenen Gefässe, indem es durch alle Poren hindurchwächst. Es klettert auch gar nicht aufwärts, sondern bohrt sich radial ins Innere des Stengels einen Weg. Der Stengel war, wie gesagt, im oberen Theil noch grün und völlig parasitenfrei. Dieser Pilz fruktificirt in allen Zellen als ein Schimmelpilz, indem er an den Enden seiner Zweige cylindrische, stabförmige oder rundlich längliche Keimzellen (Sporen) abschnürt. Der ganze Pilz, das

Mycelium wie die Keimzellen, ist farblos und eine echte Schimmelbildung. Die Krankheit kann also auf keinen Fall von diesem
von aussen nur selten eindringenden Schimmelpilz hervorgerufen
werden. Ueberdies ist es durchaus nicht erwiesen, dass es mit
den sphaeroidischen Dauermycelien irgend einen Zusammenhang hat.

Man kann also ziemlich bestimmt behaupten, dass auch die
Basis des Stengels nicht der Angriffspunkt des Parasiten ist.

Es bleibt nach alledem nur noch die eine Annahme übrig,
dass das parasitische Mycelium schon in der Saatkartoffel vorhanden sei; sei es nun, dass dasselbe sich von der Pflanze in
die junge Brut verbreite und die Krankheit dadurch auf die
folgende Generation vererbe; sei es, dass die Saatkartoffel erst
im Boden vom Pilz ergriffen werde.

Auf alle Fälle müsste, wenn der Parasit von der Mutterkartoffel ausgeht, zur Zeit der Erkrankung der Triebe das
Mycelium des Pilzes in jener nachgewiesen werden können.

Bei der frühen Rosenkartoffel (Early Rose), ebenso bei der
späten Rosenkartoffel (Late Rose) ist zur Zeit der Ernte von der
Mutterknolle fast niemals etwas übrig· geblieben, vielmehr geht
die zarte Knolle fast immer durch Fäulniss und durch Tausendfüsse bis auf geringfügige Ueberreste zu Grunde. In allen Fällen
aber, wo noch ein solcher Rest vorhanden war, fand ich das
ganze Gewebe dicht mit dem zarten blassen Mycelium durchzogen.

Die Fig. 12 der Tafel zeigt eine Parenchymzelle von
einer Mutterkartoffel der Early Rose in unmittelbarer Nähe des
Ansatzpunktes des einen Haupttriebes. Man sieht die Zelle von
zarten Mycelfäden durchsponnen, welche theils unter, theils über
der theilweise durch den Schnitt entfernten oberen Wand hinweg-
laufen. Alle Zellformen im Innern der Mutterkartoffel sind von
solchem Mycel durchzogen; das lässt sich kaum anders erwarten
zu einer Zeit, wo die Infektion der Pflanze durch die Mutterkartoffel längst stattgefunden, und das Mycelium sich auch im
Stengel bereits durch alle Gewebetheile verbreitet hat.

Zunächst war nun die Frage, ob die sclerotiumartigen Dauermycelien im Innern der Mutterkartoffel wirklich vorkommen. Da
die zarten Amerikanischen Kartoffelsorten, namentlich Early Rose
und Late Rose, zur Erntezeit kaum Ueberreste der Mutterkartoffel
aufzuweisen haben, so musste ich mich zur Lösung dieser Frage

eines anderen Weges bedienen. Ich untersuchte zu diesem Zweck erstens solche Kartoffeln der Early Rose-Sorte, welche von der vorjährigen Ernte im Keller zum Zweck von Untersuchungen zurückbehalten und mir durch Herrn Professor Oehmichen gütigst überlassen waren.

An mehren derselben, welche schon äusserlich ein sehr schlechtes Ansehen hatten, liess sich sehr leicht im Innern des Gewebes nicht nur das reife braune Mycelium, sondern auch die sclerotiumartigen Bildungen nachweisen.

Ausserdem untersuchte ich an einigen kranken Pflanzen hartlaubiger Sorten die noch erhaltene Mutterkartoffel und fand zu meiner Befriedigung, dass das parasitische Mycelium in sehr eigenthümlicher Weise von aussen nach innen vorrückte. So z. B. bei zellfaulen Kartoffeln des Kammerherrn von Stieglitz aus Mannickwalde. Hier war der Parasit offenbar nachträglich von aussen eingedrungen und zwar von einer Stelle an der Durchschnittsfläche der beim Legen zerstückten Mutterkartoffel. Von hier aus war das Mycelium keineswegs radial nach allen Seiten durch das Gewebe verbreitet, sondern es hatte sich auf einen ganz kleinen Raum beschränkt, indem es sich gradlinig ins Innere des Parenchyms hinein bewegte. So war nur bis zu einer Tiefe von etwa 5 mm. das Gewebe vollständig zerstört und durch den Pilz geschwärzt. Die Fig. 13 der Tafel zeigt einige solche von dem Pilz stark ergriffene und in Folge dessen kollabirte Parenchymzellen. Man sieht, wie das Dauermycelium des Pilzes sich an den Wänden der Parenchymzellen entlangzieht, bald grössere, bald kleinere unregelmässige Anhäufungen bildend.

Dadurch ist wenigstens die Möglichkeit nachgewiesen, dass dieser Parasit die Mutterkartoffel noch nach der Aussaat ergreifen kann. Es fragte sich aber, ob er auch aus der erkrankten Pflanze die junge Brut ansteckt.

Schon weiter oben habe ich als äusseres Kennzeichen für die starke Erkrankung einer Pflanze mitgetheilt, dass ihre Brutträger vertrocknen. Ihr Gewebe ist dabei mit dem parasitischen Mycelium erfüllt. Macht man von einer jungen Brutkartoffel, welche an solchem kranken Brutträger erzeugt wurde, einen dünnen Längsschnitt durch die Mitte des Trägers und der Brutkartoffel, so sieht man mit blossem Auge, wie Fig. 14 zeigt,

von dem Gewebe des bräunlich verfärbten Brutträgers (t Fig. 14
ausgehend einen missfarbigen kleinen Fleck, welcher sich deutlich
rings um die kleine Kartoffel im Gefässbündelkreis herabzieht.
Bisweilen ist derselbe nur unmittelbar unter dem Träger nachweisbar; in anderen Fällen jedoch durchläuft er einen grossen
Theil der Gefässbündel.

Die mikroskopische Untersuchung zeigt unmittelbar am
Ansatzpunkt des Brutträgers in diesem bräunlichen Fleckchen
die Zellen missfarbig; die Gefässe sind mit einer gelbbraunen
krümlichen Masse ausgefüllt. In den Gefässen, ebenso häufig
aber auch in den Parenchymzellen, finden sich zarte farblose und
scheidewandlose Mycelfäden.

Es ist somit die Möglichkeit der Vererbung der Krankheit
durch die Kartoffel wenigstens nachgewiesen. Dass dieses aber
wirklich der Weg ist, den die Krankheit konstant nimmt, kann
selbstverständlich nur durch Zuchtversuche erwiesen werden,
welche mit der gütigen Beihülfe des Herrn Professor Oehmichen
bereits eingeleitet sind und über welche ich in der nächsten
Nummer dieser Zeitschrift einen ausführlichen Bericht hoffe mittheilen zu können. Wir haben von der vorjährigen sowohl wie
von der diesjährigen Ernte gesunde und kranke Brutkartoffeln ausgelegt, zum Theil ins freie Land, zum Theil in Töpfe. Ausserdem
sind Infektionsversuche mit dem Parasiten eingeleitet, welche
schon jetzt günstige Resultate zu liefern versprechen.

Vorläufig darüber nur Folgendes. Um die Mitte des Monats
Juli wurden einige Brutkartoffeln von einer sehr kranken Pflanze
der Early Rose in einen Topf gelegt. Die Brutträger waren
stark mit dem Pilz inficirt. Mitte August hatten die Augen
schwache Triebe und Wurzeln ausgesendet von gesundem Ansehen.
An dem Ansatzpunkt des Brutträgers zeigte sich der früher
erwähnte dunkle Fleck weit grösser und stärker als wie ich ihn
bisher gesehen. Die Zellen, besonders die Gefässe, waren mit
gelbbrauner krümlicher Masse zum Theil angefüllt. In der Nähe
des Anheftungspunkts waren dicht unter der Schale fast alle
Zellen von dem farblosen Mycel durchzogen; weiter im Innern
jedoch beschränkt das Mycel sich immer mehr und mehr auf
die langgestreckten Zellen des Gefässbündels. Fig. 15 zeigt
gestreckte Parenchymzellen mit dem Mycelium, welches an einigen
Stellen (a) Anschwellungen erzeugt. Dass das Mycel in den

gestreckten Zellen, besonders in den Gefässen, rascher vorwärts wächst als im Parenchym, ist sehr leicht begreiflich, denn es findet hier weniger Widerstand, weil es eine geringere Zahl von Scheidewänden zu durchwachsen hat, was natürlich eine Zeitersparniss zur Folge haben muss.

Zunächst wird nun die Frage zu beantworten sein, welchem Pilz die oben geschilderten Formen, deren Zusammenhang klar vorliegt, angehören; ob es ein schon bekannter Pilz ist und welcher Species, bezüglich welcher Gattung derselbe beizuzählen ist.

Dass die aufgezählten Formen, das Dauermycelium mit den beiden Conidienformen, schon die gesammte Usia des Parasiten umfassen, ist wenig wahrscheinlich; aber bei dem gegenwärtigen Stand der Mykologie ist man genöthigt, wenigstens zur vorläufigen Orientirung einen Vergleich mit den bisher beschriebenen Pilzformen zu versuchen.

Das Dauermycelium, welches unter den uns bisher bekannt gewordenen Formen des Parasiten der Kräuselkrankheit als die hervorragendste anzusehen ist, hat grosse Aehnlichkeit mit denjenigen Gebilden, welche Julius Kühn unter dem Gattungsnamen Rhizoctonia beschreibt. Eine Form dieser Gattung ist von Kühn sogar an der Kartoffel aufgefunden worden, wenn auch eine von der unserigen verschiedene. Kühn schreibt nämlich einem parasitischen Pilz, den er Rhizoctonia nennt, den Schorf oder Grind der Kartoffel zu*). Ueber diesen Pilz berichtet er Folgendes:

„Er findet sich schon in den jüngsten Stadien der Krankheit und lässt sich, seinem oberflächlichem Verlaufe nach, sehr schön erkennen, wenn man eines der braunschwarzen Flecke unter ein Mikroskop bringt, das bei 60 facher Vergrösserung die Betrachtung opaker Gegenstände gestattet. Man sieht den Pilz hier auf der Oberfläche in Form einzelner, nicht sehr reich verzweigter, aber vielfach, oft ziemlich scharfeckig gebogener, dunkelbrauner Fäden, von denen man bei verschiedener Einstellung nicht selten deutlich wahrnehmen kann, dass sie an ihren Ausgangspunkten aus der Rinde der Kartoffel hervor kommen. Davon überzeugt man sich deutlicher mittelst Vertikalschnitte

---

*) J. Kühn, Die Krankheiten der Kulturgewächse, ihre Ursachen und ihre Verhütung. Zweite Aufl. Berlin 1859. S. 222—228.

durch einen solchen Fleck. Man sieht dann, wie die bei starker
Vergrösserung rothbraunen Fäden nur so weit gefärbt sind, als
sie die Oberfläche der Kartoffel überragen, ihre Fortsetzung dagegen in das Gewebe der Kartoffel ist wasserhell und mit fei-
neren Verzweigungen versehen, die die eigenthümlich umgewan-
delten Korkzellen durchziehen. Diese nämlich zeigen sich an
ihrer nach aussen gewandten Schicht nicht mehr als solche erkennbar, sie sind hier wahrscheinlich in Folge der Einwirkung
des Pilzes wie blasig aufgezogen, braun gefärbt und unregelmässig gestaltet. Unter dieser veränderten Bildung setzt sich
die noch gesunde Korkzellenschicht tiefer fort, als da, wo ein
solcher Fleck sich nicht befindet. Diese Korkzellenbildung wird
auch im Laufe der Krankheit noch abnorm gesteigert, so dass
dadurch das Rissigwerden der schorfigen Stellen und das wulstige
Auftreiben der Ränder und Randzipfel derselben bewirkt wird,
wobei übrigens die krankhaft veränderte oberste Schicht zur
Vermehrung des Volumens wesentlich mitwirkt. — Bei dem so
vorgeschrittenen Stadium der Krankheit beobachtet man den
Pilz in seiner eigenthümlichen Entwickelung. Es bilden sich
aus einzelnen, allmählig etwas erweiterten Fäden kurze, schwach
violett gefärbte, vielgestaltete, fast in ihrem Längen- und Quer-
durchmesser gleiche Fortsetzungen, die sich anfangs mehr hori-
zontal, nach und nach aber auch vertical zu einem scheinbar
zelligen, runden oder länglich runden Körper ausdehnen. Die
Bildung eines solchen kugelartigen Körpers aus ursprünglich
gerad oder eben verlaufenden, kurzen Fadengliedern wird dadurch ermöglicht, dass dieselben die Fähigkeit besitzen, sich nach
allen Seiten ausstülpen und diese Ausstülpungen zu ähnlichen rundlichen oder länglich runden zellenartigen Gliedern abzugrenzen.
Durch Druck oder Zerreissung vermag man diese zusammen-
geballten Glieder einigermassen schwierig zu trennen. Ob dieselben fortpflanzungsfähige Zellen, Conidien sind, oder der
eigentlichen Sporenentwickelung dienen, vermochte ich nicht zu
entscheiden; auch gelang mir es noch nicht, die Entwickelung
der dunkelpurpurfarbenen runden dickwandigen, mit körnigem
Inhalt gefüllten Sporen zu verfolgen, die ich häufig eingestreut
fand. Sie sind im Vergleich mit dem mittleren Durchmesser
jener zelligen, kugelig geballten Glieder um die Hälfte kleiner.
Der Inhalt dieser Glieder ist gleichmässig klar und durchsichtig."

Die Aehnlichkeit unseres Pilzes mit dem von Kühn beschriebenen ist unverkennbar: die ganze Entstehungsweise der
rundlichen Zellmassen, die auch Kühn mit den Hartpilzen, Sclerotien oder Dauermycelien vergleicht, sogar die Dimensionen
sind ähnlich. Jedenfalls aber ist unsere Art von der von J. Kühn
beschriebenen verschieden. Das Mycel ist nicht blassviolett, sondern braun, die einfachen Conidien, welche ich weiter oben beschrieben und auf der Tafel abgebildet habe, dürften Kühn's
Sporen, deren Ursprung er nicht kennt, analog sein. Ausgezeichnet ist unsere Art durch die Appendices, wofür aber nicht
zu übersehen ist, dass dieselben sehr häufig fehlen und dass sie ausnehmend leicht abbrechen, so dass man nach Berührung eines mit den
Sclerotien besetzten Stengels meist nur nackte Zellhaufen findet.

Ich nenne den Parasiten der Kräuselkrankheit vorläufig:
Rhizoctonia tabifica.

Der Ansicht Julius Kühn's, dass sämmtliche Rhizoctonien
Dauermycelien sind, schliesse ich mich durchaus an, und daraus
ergiebt sich zugleich die nothwendige Voraussetzung, dass sie
Formen höher entwickelter Pilze seien, denn alle bis jetzt genauer bekannt gewordenen Dauermycelien oder Sclerotien hat
man nach den wichtigen Entdeckungen von Tulasne und Julius
Kühn als solche kennen gelernt.

Für unsere Rhizoctonia tabifica lässt sich diese Ansicht schon
stützen durch die oben mitgetheilte Thatsache, dass junge Exemplare
derselben bisweilen an langen Stielen typische Kammerconidien
ausbilden, indem ihre oberflächlichen Zellen zu dichten Zellfäden
auswachsen.

Der Name Rhizoctonia tabifica bedarf wohl keiner besonderen Rechtfertigung. Der Parasit dörrt den Wirth aus, indem
er ihm alle flüssige Nahrung entzieht, er macht ihn dadurch
erschlaffen und entkräftet ihn; der Beiname tabifica, von tabes,
die Auszehrung, dürfte daher ganz am Platze sein.

Sehen wir uns aber zunächst noch nach weiteren Vergleichen um.

Die Rhizoctonia muscorum, welche J. Kühn erwähnt*), kenne
ich nicht. Sollte hier nicht eine Verkennung der an den proto-
nematischen Fäden mancher Moose gebildeten Knollen vorliegen?

---

*) a. a. O. S. 32.

Auf Runkelrüben wie auf Mohrrüben fand Kühn eine Rhizoctonia, welche er anfänglich nach Rabenhorst's Bezeichnung als Helminthosporium rhizoctonon beschrieb, bis sie von Montagne als mit Rhizoctonia Medicaginis identisch erkannt wurde. J. Kühn theilt darüber Folgendes mit*): „Die ersten Spuren des Pilzes zeigen sich an einer oder mehren Stellen der Möhre in Form vereinzelter, dunkler, erhabener Pünktchen, die sich allmählig vermehren und den ergriffenen Stellen das Ansehen braunrother, purpur- oder dunkelvioletter Flecke ertheilen. Diese Flecke werden immer dichter und breiten sich mehr und mehr aus, so dass endlich die ganze Möhre von unten nach oben gleichmässig überzogen wird und ihre Oberfläche genarbt erscheint. Bei dieser weiteren Ausbreitung gehen immer einzelne Pünktchen voraus, oft mit einander verknüpft durch strangförmig verbundene Flocken von mehr braunrother Farbe, ganz wie er auch an den Runkelrüben auftritt. Dringt der Pilz an einer über die Erde heranwachsenden Mohrrübe weiter nach oben, als der Erdboden reicht, was immer nur wenige Linien breit geschieht, so nimmt er hier in offener Berührung mit der Luft eine schneeweisse Farbe an, und man kann dann den Uebergang aus der violetten Färbung der Pilzflocken ins Rosafarbene und Weisse recht schön verfolgen. Diese Flocken und Pünktchen erweisen sich unter dem Mikroskope als aus vielfach gebogenen, ungleich starken, wenig ästigen, sparsam gegliederten, dickwandigen Fäden bestehend, welche sich in den punktförmigen Häufchen zu dichten Knäueln verwickeln und in diesen einen scheinbar zelligen Körper, das wahrscheinliche Sporenlager bilden. Bei weiterer Untersuchung erkennt man, dass der Pilz seine ungefärbten, zartwandigen Wurzelfasern zunächst nur in die Rindenzellen der Rübe sendet und dieselben dadurch bräunt. Allmählig dringen aber diese Wurzelfasern vielfach verzweigt zwischen und in die Zellen des übrigen Gewebes der Rübe und verursachen die Verderbniss derselben. Anfangs nimmt das Gewebe eine etwas derbe, zähe Beschaffenheit an, bald aber geht es in nasse Fäule über." Nach Montagne befällt auch diese Rhizoctonia bisweilen die Kartoffeln. Mit unserer Rhizoctonia tabifica kann sie aber ebensowenig identisch sein wie die Rhizoctonia Solani. Beiläufig erwähnt

---

*) a. a. O. S. 243.

Kühn noch die Rhizoctonia crocorum, welche der Zwiebel des Safrans verderblich wird.

Auffallend muss es erscheinen, dass Rabenhorst, einer der bedeutendsten Formenkenner für Kryptogamen, die Rhizoctonia Medicaginis von der Mohrrübe in die Gattung Helminthosporium gestellt hat, denn Helminthosporium besitzt gekammerte Conidien, während J. Kühn solche nicht aufgefunden zu haben scheint. Nun hat auch unsere Rhizoctonia tabifica Kammerconidien, wenn dieselben auch freilich keineswegs immer ausgebildet sind.

Es ist daher sehr wünschenswerth, die gesammte Literatur über diese Gattungsnamen zu vergleichen.

Rhizosporium Rabenhorst und Rhizoctonia Montagne dürfen wohl als identisch betrachtet werden und, soviel ich weiss, gebührt Montagne's Namen die Priorität. Ist nun Montagne's Rhizoctonia mit typischen Kammersporen versehen, so wären die Arten der Link'schen Gattung Helminthosporium, wenigstens zum Theil, nur Zustände der Rhizoctonien.

Bonorden*) sagt in seinem Synonymenregister sehr lakonisch: „Rhizosporium, Rabenhorst, ist Krankheit der Kartoffelknolle." Und ebenso: „Rhizoctonia, Decandolle, ist Tanatophytum Nees, Krankheit der Wurzeln." Soll damit angedeutet werden, dass es sich hier nicht um selbstständige Organismen handle, so ist Bonorden im Irrthum.

Th. Fr. Ludw. Nees von Esenbeck**) rechnet die Gattung Rhizoctonia Dec. zu den Trüffeln (Angiogasteres tuberini) und beschreibt sie als: „Fleischige unregelmässige Sporangien ohne besonderen inneren Bau, hangen durch Fasern aneinander und leben an Wurzeln höherer Pflanzen. Es ist dies eine Elementargattung, ein unterirdisches Sclerotium." Mit dieser Beschreibung stimmt auch seine Abbildung (Tab. 12) überein. Die Stellung, welche der Rhizoctonia hier gegeben wird, erklärt sich leicht aus dem damaligen Stande der Mykologie; denn man wusste noch nicht, dass die Tuberaceen zu den Ascomyceten gehören.

Eine Verwandtschaft zwischen Helminthosporium Link und Rhizoctonia D. C. wird von Nees v. Es. hier nicht vorausgesetzt;

---

*) H. F. Bonorden, Handbuch der allgemeinen Mykologie. Stuttgart 1851. S. 319.

**) Th. Fr. Ludw. Nees von Esenbeck und A. Henry, Das System der Pilze. Erste Abtheilung. Bonn 1837. S. 70.

vielmehr stellt er die erstgenannte Gattung noch zu den Schimmelpilzen (Hyphomycetes byssini adscendentes) und beschreibt sie
folgendermassen: „Aufrechte einfache oder ästige, ganz oder an
den Spitzen undeutlich gegliederte Fäden tragen seitlich ansitzende,
längliche oder keulenförmige in mehre Fächer abgetheilte Sporidien. Alle Arten sind von dunkler Farbe und leben auf abgestorbenem Holz" *). Beschreibung und Abbildung sind sehr
unbestimmt gehalten. Die „Sporidien" sind allerdings in der
Abbildung zur Seite der Fäden angebracht, aber es geht aus der
Zeichnung keineswegs klar hervor, dass sie hier abgeschnürt
sind. Ausserdem stimmt die Form der „Sporidien" mit der von
den meisten anderen Autoren angegebenen keineswegs überein,
denn die vergrösserte Zeichnung zeigt sie als lanzettliche, an
beiden Enden zugespitzte Zellen, während sie sonst meist als an
den Enden stumpf oder breit, linealisch-keulig beschrieben und
abgebildet werden. Hieraus ist also sichere Belehrung nicht zu
schöpfen.

Brauchbarer ist Bonorden's Darstellung **): „Septirte, zuweilen
unvollkommen geästete, häufig knorrige, gekrümmte und am
oberen Ende erweiterte Hyphen tragen mehrfach septirte ovale
oder lange, zuweilen keulige Sporen, welche wie Insektenlarven
aussehen. Corda hat Icones I Tab. III sehr viele Arten dieser
Gattung abgebildet. Die untersten Zellen ihrer Hyphen sind
meistens erweitert und platt an den Mutterboden geheftet." Die
Abbildung zeigt sehr deutlich seitliche Abschnürung der Sporen,
deren Gestalt mehr mit derjenigen neuerer Beschreibungen
übereinstimmt.

Vortrefflich ist die Darstellung bei Fresenius ***). Die
Kammerconidien sind an dicken septirten, am Ende kurzästigen
Fäden nur endständig. Ihre Gestalt ist lineal-keulig, mit abge-
rundeten, oft breiten Enden. Das stimmt in Beschreibung und
Abbildung ganz überein mit den zu unserer Rhizoctonia gehörigen
Kammerconidien; ja die zweite von Fresenius beschriebene
Art, die er Helminthosporium rhopaloides nennt, könnte möglicher-
weise mit unserer Art identisch sein. Diese Art scheint Fresenius

---

*) a. a. O. S. 45, Tab. 7.
**) Handbuch, S. 89, Taf. VIII, Fig. 169.
***) G. Fresenius, Beiträge zur Mykologie. Frankfurt a. M. 1850—1863.
S. 49. 50, Taf. VI, Figg. 9—23.

auch als Produkt einer Rhizoctonia gefunden zu haben, indem er sagt*).: „Sie (die Stiele) laufen unten in einer schwarzen zelligen Basis zusammen, in welcher man an den lichteren Stellen rundliche Zellchen und hin und wieder geschlängelte Fasern unterscheidet."

Ich zweifle keinen Augenblick daran, dass diese von Fresenius „auf dürren, im Herbst auf der Erde liegenden Stengeln" aufgefundene Form der unserigen nahe verwandt ist.

Jedenfalls sind die Formen mit seitlich abgeschnürten Sporen, wie sie Bonorden und Ludwig Nees beschreiben, mit den hier geschilderten nicht generisch zu verbinden. Für die gegenwärtige Auffassung ist es übrigens gleichgültig, wie man die Gattung Helminthosporium begrenzen will, da sie auf alle Fälle nur aus Formen höherer Pilze zusammengestellt ist.

Rabenhorst**) beschreibt unter diesem Gattungsnamen eine grosse Anzahl von Formen, welche auf Holz oder auf modernden Stengeln leben. Ueber die Anheftungsweise der Sporen äussert er sich ganz unbestimmt.

Die Gattung Rhizoctonia D. C. stellt Rabenhorst zu den Sclerotiaceen.***) Seine Gattungsdiagnose ist noch sehr unbestimmt gehalten.

Sehen wir uns nun um in den Werken des grossen Entdeckers und Reformators im Gebiet der Mykologie: Tulasne. Derselbe hat seine reformatorischen Ideen in einer ausführlichen Einleitung niedergelegt, welche unter dem vielverheissenden Titel „Prolegomena" seinem Hauptwerk †) vorangeschickt ist.

Leider wird diese Einleitung in Deutschland noch allzu wenig gelesen und in Folge dessen findet eine allgemeinere und vorurtheilsfreie Auffassung der Pilzformen noch allzu wenig Boden bei uns.

Die Rhizoctonien rechnet Tulasne im Allgemeinen zu den Sclerotium ähnlichen Mycelbildungen (Carpologia, Bd. I, S. 119). In einer Anmerkung (ebendaselbst S. 117) spricht er sich

---

*) a. a. O. S. 50.
**) L. Rabenhorst, Deutschlands Kryptogamen-Flora. Bd. I. Pilze. Leipzig 1844. S. 108.
***) a. a. O. S. 245.
†) L.-R. Tulasne et C. Tulasne, Selecta Fungorum Carpologia. Paris 1861. Bd. I.

bestimmter aus über die Rhizoctonia violacea, unter welchem
Namen er De Candolle's Rh. Crocorum und Medicaginis zusammen-
fasst, indem er sie als unächte (spuria) Sclerotien bezeichnet,
da ihr Körper aus dicht gehäuften Fäden bestehe, während
die echten Sclerotien aus zusammenhangenden polygonalen
Schläuchen gebildet werden: „Pro sclerotiis sinceris maxime ea
accipimus quae ex utriculis polygoniis cohaerentibus, scilicet e
vero parenchymate, in cortice saltem, struuntur; quae contra
nonnisi filamentis dense glomeratis compinguntur, spuria velimus
dicere; priora mycelii statum normalem sistunt, reliqua saepius
formam adventitiam, sicuti concludere licet e sclerotio. Penicillii
glauci Lk. clarissimo Léveillé semel obvio. Etsi frequentiora
nascuntur, sclerotia Rhizoctoniae violaceae Tul. (scil. R. Crocorum
ac Medicaginis Candollii, et byssorum consimilium), structurae
iis solitae habita ratione, sclerotiis spuriis s. imperfectis annu-
meranda sunt."

Vorsichtig aber fügt Tulasne hinzu: „Attamen negare nolumus
sclerotiorum parenchyma super elementis ex quibus constet maxime
variare, saepissimeque e cellulis informibus et quasi filamentis
nodoso-articulatis effici."

Diese Angabe von Tulasne über Rhizoctonia violacea passt
freilich durchaus nicht auf unsere Rh. tabifica; diese müsste
vielmehr zu den echten Sclerotien gezählt werden, da ihr Körper
ein vollständiges Pseudoparenchym darstellt. Dasselbe gilt aber
auch von Julius Kühn's Rhizoctonia Solani und selbst nach seiner
Darstellung von der auf Mohrrüben und Runkelrüben gefundenen
Form, wenn Abbildung und Beschreibung einigermassen zuver-
lässig sind.

Ueber die Gattung Helminthosporium und die Dematieen
sagt Tulasne[*], sie seien (nach Fries) mit der Vorbildung (vege-
tatione primaria) der Pyrenomyceten auf's innigste verwandt, sie
gingen in Pyrenomyceten über u. s. w.

In seinem Werk über die unterirdischen Pilze[**] stellt
Tulasne die Gattung Rhizoctonia neben Sphaeria und Rhizomorpha
zu den Pyrenomyceten. Er beschreibt sie folgendermassen:
„Filamenta (mycelium) byssacea longissima, ramosa, septata,

---

[*] Selecta Fungor. Carpologia. Bd. I. S. 48.
[**] L.-R. Tulasne et Ch. Tulasne, Fungi Hypogaei. Histoire et Mono-
graphie des Champignons Hypogés. Paris 1862. Ed. altera. S. 188.

crassitudine varia, tum strato crasso tenuive radices et caules
subterraneos plantarum obvolventia easque enecantia, tum in
nucleos oblongos, sublineares vel globosos et informes tubercula-
que mentientes, densissime stipata, hisce hactenus pro tuberculis
genuinis fungum ipsum fructificantem sistentibus immerito habitis.
Mycelio stratiformi insident frequentissima tubercula hemisphaerica
carnosa minima, a strato byssino colore mox discrepantia, perithecia seu peridiola nempe vocanda, Sphaeriarum perithecia de
crescendi modo penitus immitantia, sed ad hanc diem sterilia
duntaxat observata; constant ex utriculis linearibus seu filamentis
brevissimis confertis et arcuato — erectis, exterius s. in ambitu
crassioribus et obscuris, intrinsecus contra pallidis semipellucidis
tandemque evanidis; peridiolis obsoletis excavatis foramineque
ut plurimum apertis." Von der oberen Oeffnung, welche Tulasne
beschreibt, habe ich bis jetzt an unserer Form nichts wahrgenommen und ebensowenig erwähnt J. Kühn derselben.

Sehr auffallend ist es, dass Tulasne, der sonst in Literatur-
angaben so äusserst gewissenhaft ist und namentlich auch die
deutsche Literatur auf das sorgfältigste benutzt, der Arbeit von
Julius Kühn nirgends erwähnt.   Gekannt muss er sie haben,
denn ein so bahnbrechendes Werk, wie „Die Krankheiten der
Kulturgewächse", kann einem Mann wie Tulasne nicht entgangen
sein.   Das Kühn'sche Buch ist im Jahre 1859 schon in zweiter
unveränderter Auflage erschienen, während die mit dem Bemerken: „paucis aucta praemonitis" herausgegebene zweite Auflage von Tulasne's Fungi hypogaei die Jahreszahl 1862 trägt.
Es ist daher sehr wahrscheinlich, dass Tulasne die von Kühn
unter dem Namen Rhizoctonia Solani beschriebene Form nicht
zu seiner Gattung Rhizoctonia zählt.   Dann wäre aber auch
nach Kühn's Abbildung die auf Rüben gefundene Form keine
echte Rhizoctonia.   Wir müssen der Zukunft vorbehalten, diese
Zweifel zu lösen und die Unterschiede in den Abbildungen und
Beschreibungen von Julius Kühn und Tulasne aufzuklären.

Uebrigens erwähnt Tulasne auch eines Vorkommens der
Rhizoctonia violacea auf Kartoffeln (apud Arvernos).

Nicht unwichtig ist die Notiz, dass in der Crocus-Zwiebel
-nach Entfernung des kranken Theils ein plasmatisches Ferment
in Gestalt winzig kleiner beweglicher Körnchen vorhanden ist.

Es heisst dort Seite 191 (Fungi Hypogaei) wörtlich: „Sic

le bulbe déjà altéré et jauni est retiré de la terre et maintenu
dans un lieu qui ne soit pas très sec, sa destruction continue, et
nous avons vu sa surface mise à nu se couvrir d'une couche
végétante d'une jaune rougeâtre qui s'epaissit chaque jour, et qui
se compose uniquement de granules très fins doués du mon-
vement Brownien, que l'iode colore en jaune, et qui ne semblent
être qu'une sorte de ferment."

Der Pilz bringt ferner eine ähnliche Veränderung in den
Gefässen und Holzzellen des Safrans hervor, wie unsere Rhizoctonia tabifica in denjenigen der Kartoffel, indem dieselben nämlich sich mit einer formlosen gelben Materie füllen, während das
Amylum verschwindet. Ein wesentlicher Unterschied tritt aber
insofern hervor, als das Mycelium der Rhizoctonia violacea Tul. gar
nicht in die Zwiebel des Safrans eindringt, vielmehr nur unmittelbar unter den fraglichen Perithecien sich einzelne ein-
dringende Filamente nachweisen lassen.

Nach alledem steht soviel fest, dass unser Pilz mit der
Rhizoctonia im Sinne von De Candolle, Montagne und Tulasne
sehr geringe Verwandtschaft haben kann. Ueberhaupt gehören
die bis jetzt beschriebenen Rhizoctonien sämmtlich wohl ganz
verschiedenen Pilzgruppen an.

Nur soviel ist wahrscheinlich, dass alle diese Formen, jedenfalls aber die von Tulasne als Rhizoctonia violacea, die von
Julius Kühn als Rh. Solani und die von mir als Rh. tabifica
beschriebene Pflanze als unvollkommene Zustände oder Formen
von Pyrenomyceten zu betrachten sind.

Da nun ein directer Aufschluss über die betreffende Pyre-
nomycetengattung durch die Untersuchung bisher nicht erlangt
wurde, so müssen wir einen indirecten Weg einschlagen, nämlich
die kritische Beleuchtung des Formgenus Helminthosporium. Diese
ist um so wichtiger und nothwendiger, als Fries und Tulasne,
wie wir oben sahen, die Helminthosporien als Vorläufer von Pyrenomyceten betrachten. Das Wort Helminthosporium müssen wir dabei auf diejenigen Formen beschränken, welche von Fresenius und
Tulasne hierhergezogen werden und dürfen es keineswegs in
dem unbestimmten Sinne nehmen, wie bei F. L. Nees von Esenbeck, bei Bonorden und selbst bei Rabenhorst in der Krypto-
gamenflora von Deutschland.

Solche echten Helminthosporien treffen wir in Tulasne's

Carpologia*) zuerst als Conidien der Gattung Pleospora an, aber nicht bei allen Arten. Die Conidien von Pleospora Doliolum Tul., welche im Sommer und im Herbst auf den Stengeln hochwüchsiger Umbelliferen, wie z. B. Angelica silvestris L. vorkommt, beschreibt Tulasne folgendermassen: „Conidia oblongocylindrica, nigro-fuliginea, e cellulis 3—4 in seriem simplicem agglutinatis singula constant, moniliaque brevia et admodum torulacea ex ipso uniuscujusque styli apice aut ex summis ejus brachiis nata fingunt." Ferner: „Styli conidiophori rigidi, articulati, atri, 0 mm., 10—15 alti, opaci, ex conulo atro, sibi consubstantiali, solitarie v. cespitose assurgunt, et in corymbos terminales, laxos densioresque desinunt."

Diese Beschreibung passt keineswegs auf die Conidien unseres Pilzes.

Noch weniger gehören hierher diejenigen Helminthosporien, welche Tulasne zu Pleospora herbarum zieht. Dieses sind in unserem Sinne unächte Helminthosporien.

Die allergrösste, ja eine wahrhaft überraschende Aehnlichkeit haben die Conidien der Rhizoctonia tabifica mit denjenigen der Pleospora polytricha Tulasne. Es ist diejenige Form, welche Fresenius unter dem Namen Helminthosporium rhopaloides abbildet oder wenigstens dieser ungemein ähnlich. Da nun Tulasne für Pleospora polytricha eine Bedeckung des Perithecuiums mit haarfeinen spitzen Stacheln angiebt und abbildet, welche denen auf der Rhizoctonia vollkommen gleichen, da ferner das Perithecium der Pleospora im unteren Theil die Form eines Sclerotiums hat, so ist es wenigstens möglich, dass unsere Rhizoctonia nichts anderes ist, als eine nicht zur Entwickelung kommende verkümmernde Form der Pleospora polytricha Tul.

Tulasne giebt über diese Pflanze die folgende Diagnose: „Perithecia fungi ovato-conica vel obverse pyriformia, obtusissima et erostria aut rarius brevissime papillata (papilla frequenter obliqua), matrici saepius haud infuscatae nec maculatae laxe gregaria insperguntur, mycelio conspicuo deficiente; nunc admodum emersa late sedent, nunc e substantia hospitali dehiscente aegre prodeunt et pedetentim exstant. Ab initio de more aterrima sunt et parietibus adeo crassis primitus struuntur ut sclero-

---

*) Selecta Fungorum Carpologia. Bd. II. Paris 1863. S. 276.

tium mentiantur; praeterea pilis simplicibus, rigidis,
atris, septiferis 0 mm., 2—3 longis, crassitudine autem
0 mm., 01 vix excedentibus, laxe insitis et divaricatim patulis
undique horrent. Quidam ex his, maxime ex inferioribus,
non tantum fructus ornamento, sed etiam fungilli ipsius propa-
gationi inserviunt. Conidia enim agunt sessilia, dense fascicu-
lata, lineari — vel oblongo — cylindrica, recta, utrinque
obtusissima, 0 mm., 03—08 longa, 0 mm., 013—016 crassa,
4—6 — loculata et virenti — fusca, quae cum dimissa fuerint
et tempus locusque faverint, germina praelonga et filiformia ex
omni parte at praesertim ex apicibus protrudunt. Pili pari modo
conidiophori, atrofusci, septiferi et 0 mm., 15—25 longi, ex ipsa
matrice, scilicet e mycelio matrici immisso nec nisi aegre conspicuo, sparsim et copiose assurgunt, perithecia vix altius pro-
minentia stipant, eademque alia ab aliis quasi silvula dissepiunt."

Wer diese Beschreibung und Tulasne's beigefügte Abbildung
mit meiner Darstellung vergleicht, dem kann die Aehnlichkeit
unmöglich entgehen.

Endlich müssen wir noch eine höchst wichtige Analogie be-
rücksichtigen, nämlich die von Fries unter dem Gattungsnamen
Vermicularia beschriebenen Formen. Wir können geradezu behaupten, dass unsere Rhizoctonia eine solche Vermicularia ist.
Nun kommt auf der Kartoffel eine solche Vermicularia vor und
die Beschreibung, welche Tulasne mittheilt, passt bis auf wenige
Angaben vollkommen auf unsere Rhizoctonia. Diese Art ist
von Fries Vermicularia Dematium genannt. Tulasne zieht Tuber-
cularia ciliata D. C. Vermicularia atramentaria Berkeley, Sphaeria
Dematium minor Fries, Exosporium Dematium Link und Exosporium
minutum Lk., Vermicularia maculans Mazer. hierher. Die Beschreibung dieser Vermicularia bei Tulasne *) passt vollkommen
mit einziger Ausnahme der Dimensionen und der Beschaffenheit der Conidien auf die Rhizoctonia tabifica.

Die Körper der Vermicularia, welche Tulasne mit Sclerotien
vergleicht, sollen die Grösse eines Senfkorns erreichen; bei der
Kräuselkrankheit wenigstens ist der Körper der Rhizoctonia
weit kleiner.

Durchaus verschieden sind die Conidien, wie aus der fol-

---

*) Carpologia. Bd. II. S. 278.

genden Beschreibung hervorgeht: „Sterigmataque linearia, brevissima, simplicia, pallida, dilute fuliginea, erecta et stipatissima, in universa superficie, inter setas nigras modo dictas induunt. Singulis illis sterigmatibus solitarie insistunt conidia lineari-cylindrica, recta, pallida, levissima, plasmate oleoso referta, in medio ocellata, 0 mm., 016—.019 longa et 0 mm., 0035 vix crassiora; quae coacervata pulpam dilute roseam constituunt, posteaque disseminata germen longe lineare, dato loco opportuno, ex apice obliquum sigillatim agunt, vix augentur et septum medium assumunt."

Es geht hieraus zur Genüge hervor, dass zwar die Rhizoctonia tabifica eine der Vermicularia Dematium Fr. ähnliche und verwandte, jedenfalls aber von ihr specifisch verschiedene unvollkommene Form einer Pleospora sei, unter allen bekannten Arten am ähnlichsten der Pleospora polytricha Tul.

Es wird nun die Aufgabe künftiger Forschungen sein, durch Zuchtversuche festzustellen, ob man durch Infektion mit der Pleospora polytricha Tul. die Kräuselkrankheit an der Kartoffel erzeugen könne. Augenblicklich steht mir leider zu diesem Zweck brauchbares Material nicht zu Gebote, weil die Pleospora nur im Herbst und im Winter mit reifen Perithecien zu finden ist.

---

3. Vergleichende Uebersicht über den Verlauf der Kräuselkrankheit,

in meinem Garten im Sommer 1875 beobachtet an der Amerikanischen frühen und späten Rosenkartoffel (Early Rose und Late Rose).

a. Die Early Rose-Kartoffel.

Die frühe Rosenkartoffel wurde vom 13. bis zum 30. Juli nach und nach aus dem Boden genommen, und es wurden alle Pflanzen, gesunde und kranke, alle einzelnen Triebe in verschiedener Höhe mikroskopisch untersucht, ebenso die bisweilen noch in geringer Masse vorhandenen Reste der Mutterkartoffel und die Wurzeln, Brutträger, sowie einzelne Brutkartoffeln. Die Angaben über die Ernte haben keinen quantitativen Werth. Quantitative Bestimmungen hat Herr Professor Oehmichen seit

längerer Zeit in umfassendster Weise ausgeführt. Meine Angaben
über die geernteten Kartoffeln haben nur den Zweck, ohngefähr
zu zeigen, wie die Ernte zum Grade der Erkrankung in bestimmter
Beziehung steht.

Bei diesen Angaben sind alle Kartoffeln, welche einen
kleineren Umfang haben als ein preussischer Thaler, ganz unbe-
rücksichtigt geblieben. Ueber faustgrosse Kartoffeln werden als
grosse, die kleineren als mittle und kleine bezeichnet. Wer die
Rosenkartoffel kennt, für den werden diese Bezeichnungen sehr
gut verständlich sein. Die durch die Peronospora hervorgerufene
Blattkrankheit kam bei meinen Rosenkartoffeln nicht vor; sie ist
hier überhaupt erst Anfangs August zum Ausbruch gekommen,
und es ist gerade ein Vortheil der sehr frühen Sorten, dass man
sie ernten kann, bevor die Blattkrankheit ausbricht.

Der oft sehr verderblichen Einwirkung der Blattläuse und
Cicaden, die jedenfalls mit der Kräuselkrankheit nicht den
geringsten Zusammenhang haben, ist nur beiläufig gedacht worden.
Zeigten so beschädigte Pflanzen weder äusserlich noch mikroskopisch die Kennzeichen der Kräuselkrankheit, so sind sie als
gesund bezeichnet

Nr. 1. Juli 13. Völlig gesund und parasitenfrei. Ernte: 11
mittelgrosse und einige kleinere Kartoffeln.

Nr. 2. Juli 13. Krankheit mässig ausgebildet. Mycel in den
unteren Internodien der Triebe. Ernte: 6 grosse Kartoffeln.

Nr. 3. Juli 17. Sehr krank. Das Mycel bis in die Spitzen
der Triebe vorgedrungen, in den unteren Internodien braun und
kleine kugelige Conidien abschnürend.

Nr. 4. Juli 19. Sehr krank. Mehrere Triebe ganz abgestorben. Parasitisches Mycelium in den Trieben. Ernte: wenige
kleine Kartoffeln.

Nr. 5. Juli 19. Gesund und parasitenfrei, aber von Blattläusen etwas zerfressen. Ernte: 6 grosse und einige kleine
Kartoffeln.

Nr. 6. Juli 19. Völlig gesund und pilzfrei. Ernte: 6 sehr
grosse Kartoffeln, zahlreiche Brut.

Nr. 7. Juli 19. Krank; ein Trieb völlig abgestorben, die
übrigen kraus, gelb und fleckig. Parasitisches Mycel ausgebildet.
Ernte: 2 grosse und 6 kleine Kartoffeln.

Nr. 8. Juli 19. Gesund und parasitenfrei, nur etwas

von Cicaden zerfressen. Ernte: 3 sehr grosse, 6 mittle, mehre kleine Kartoffeln.

Nr. 9. Juli 19. Gesund und parasitenfrei. Ernte: 9 sehr grosse Kartoffeln.

Nr. 10. Juli 19. Gesund und parasitenfrei. Ernte: 4 sehr grosse Kartoffeln.

Nr. 11. Juli 19. Starker Cicadenfrass; sonst gesund und parasitenfrei. Ernte: 10 mittelgrosse Kartoffeln.

Nr. 12. Juli 19. Gesund und parasitenfrei. Ernte: 5 sehr grosse, 4 kleine Kartoffeln.

Nr. 13. Juli 19. Ein Trieb krank und vom Mycelium des Parasiten durchzogen, die drei übrigen Triebe völlig gesund und parasitenfrei. Ernte: 1 grosse und 7 mittelgrosse Kartoffeln.

Nr. 14. Juli 22. Gesund und parasitenfrei. Viel Cicadenfrass. Ernte: 12 mittle und kleinere Kartoffeln.

Nr. 15. Juli 22. Gesund und parasitenfrei. Ernte: 4 grosse, 4 mittelgrosse, 6 kleinere Kartoffeln.

Nr. 16. Juli 22. Pflanze bis auf wenige trockne Stengelreste ganz zu Grunde gegangen. In den Internodien der Stengelreste das braune Mycelium in allen Gewebetheilen. Die Parenchymzellen braun, schlaff, arm an Amylum, die Gefässe braun. Ernte: 6 kleine Kartoffeln, deren Bruttträger alle bis zur Kartoffel abgestorben sind.

Nr. 17. Juli 22. Völlig gesund und parasitenfrei. Ernte: 12 mässig grosse Kartoffeln.

Nr. 18. Juli 22. Völlig gesund und parasitenfrei. Ernte: 4 grosse, 7 mittle, 10 kleine Kartoffeln und zahlreiche kleine Brut.

Nr. 19. Juli 22. Pflanze ganz abgestorben. In den wenigen Stengelresten das Mycel dicht gedrängt, mit Mycelanhäufungen und aus diesen entspringend mit typischen Kammerconidien. Alle untersuchte Brut war am Anheftungspunkt des Brutträgers mit Mycelium durchzogen. Nur wenige ganz kleine Brut geerntet.

Nr. 20. Juli 25. Drei Triebe ganz abgestorben, der vierte noch saftig aber sehr krank. Das Mycelium dicht gedrängt in den Tüpfelgefässen aller Stengeltheile bis in die Blattstiele, in den Wurzeln ebenso; in den abgestorbenen Trieben das braune Mycel mit den rundlichen Conidien. Ernte: 2 mittelgrosse Kartoffeln und sehr kleine Brut.

Nr. 21. Juli 25. Gesund und parasitenfrei. Ernte: 2 grosse, 6 mittle, 6 kleine Kartoffeln.

Nr. 22. Juli 25. Vier Triebe völlig gesund und parasitenfrei, der fünfte ganz abgestorben und durch und durch von dem braunen conidientragenden Mycel der Rhizoctonia durchzogen. Ernte: 1 sehr grosse, 4 mässiggrose, 8 mittelgrosse und kleine Kartoffeln.

Nr. 23. Juli 25. Völlig gesund und parasitenfrei. Ernte: 5 grosse, 4 mittle, 12 kleinere Kartoffeln.

Nr. 24. Juli 25. Gesund und parasitenfrei. Ernte: 4 ziemlich grosse, 6 kleine Kartoffeln.

Nr. 25. Juli 25. Gesund und parasitenfrei. Ernte: 4 grosse, 2 mittle, 5 kleine Kartoffeln.

Nr. 26. Juli 25. Ganz abgestorben. Das ganze Gewebe mit dem reifen Mycelium der Rhizoctonia sowie in allen Gefässen, auf der Oberfläche u. s. w. mit den Pseudosclerotien derselben durchsetzt. Ernte: 5 kleine Kartoffeln. Durchschnittene Brutkartoffeln waren am Anheftungspunkt des Brutträgers stark gebräunt und vom Mycel durchzogen.

Nr. 27. Juli 25. Ganz gesund und parasitenfrei. Ernte 1 grosse, 4 mittelgrosse, 8 kleine Kartoffeln.

Nr. 28. Juli 25. Ziemlich stark erkrankt. Parasitisches Mycelium in allen Trieben. Ein Trieb abgestorben, die übrigen welk. Ernte: 1 grosse, 6 mittle, 7 kleine Kartoffeln.

Nr. 29. Juli 25. Völlig gesund und parasitenfrei. Ernte: 3 grosse und 5 mittelgrosse Kartoffeln.

Nr. 30. Juli 25. Völlig gesund und parasitenfrei. Ernte: 4 grosse, 3 mittle, 6 kleine Kartoffeln.

Nr. 31. Juli 25. Völlig gesund und parasitenfrei. Ernte: 4 grosse, 7 mittle, 8 kleine Kartoffeln.

Nr. 32. Juli 25. Völlig abgestorben. Von den Trieben kaum nachweisbare Spuren. Ernte: 4 Brutkartöffelchen von der Grösse eines Silbergroschens bis zu der eines Zweigroschenstücks.

Nr. 33. Juli 25. Gesund und parasitenfrei. Ein Trieb durch Cicaden getödtet. Ernte: 7 ziemlich grosse, 4 mittle, 3 kleine Kartoffeln.

Nr. 34. Juli 29. Gesund und parasitenfrei. An zwei Trieben 3 grosse, 4 kleine Kartoffeln.

Nr. 35. Juli 29. Gesund und parasitenfrei. Ernte: an zwei Trieben 4 grosse, 1 kleine Kartoffel.

Nr. 36. Juli 29. Durch Cicaden sehr beeinträchtigt; sonst gesund und parasitenfrei. Ernte: 1 grosse und 7 kleine Kartoffeln an drei Trieben.

Nr. 37. Juli 29. Gesund und parasitenfrei. Ernte: 3 grosse, 3 mittle, 2 kleine Kartoffeln.

Nr. 38. Juli 29. Gesund und parasitenfrei. Ernte: 5 ziemlich grosse, 4 mittle, 3 kleine Kartoffeln.

Nr. 39. Juli 29. Gesund und parasitenfrei. Ernte: 3 ziemlich grosse, 4 mittle, 4 kleine Kartoffeln.

Nr. 40. Juli 29. Durch Fäulniss gänzlich zu Grunde gegangen. Nur wenige kleine Brutkartoffeln.

Nr. 41. Juli 29. Von der Cicade sehr beeinträchtigt; sonst gesund und parasitenfrei. Ernte: 9 mittelgrosse, 10 kleine Kartoffeln.

Nr. 42. Juli 29. Gesund und parasitenfrei. Ernte: 3 sehr grosse, 2 mittelgrosse Kartoffeln.

Nr. 43. Juli 29. Ein Trieb abgestorben, die übrigen gesund und parasitenfrei, aber stark von Cicaden zerfressen. In dem abgestorbenen Trieb findet sich das Mycelium eines Schimmelpilzes, welches spindelig-stabförmige Keimzellen abschnürt. Ernte: 6 mittle, 6 kleine Kartoffeln.

Nr. 44. Juli 29. Völlig abgestorben und vom Mycelium durchzogen. Nur geringfügige Brut.

Das statistische Resultat dieser Beobachtungsreihe ist in der Kürze folgendes.

Völlig gesund, wenn man vom Insektenfrass absieht, waren Nr. 1. 5. 6. 8. 9. 10. 11. 12. 13. 14. 15. 17. 18. 21. 23. 24. 25. 27. 29. 30. 31. 33. 34. 35. 36. 37. 38. 39. 41. 42.

Diese Reihe zeigt vorzüglich gut das sprungweise Auftreten der Krankheit.

Von 44 Kartoffelpflanzen sind 30 gesund, also 68,18 Procent.

An der Kräuselkrankheit leiden: Nr. 2. 3. 4. 7. 16. 19. 20. 22. 26. 28. 32. 44; also 12 Stück oder 27,27 Procent.

Bei Nr. 43 ist ein anderes parasitisches Mycel vorhanden, Nr. 40 ist durch Fäulniss zerstört, es sind also an andern Zufällen zu Grunde gegangen 4,77 Procent.

Ganz zerstört durch die Kräuselkrankheit, so dass die Ernte gleich Null zu rechnen ist, sind nur Nr. 3. 19. 32. 44, also 9,09 im Ganzen sind völlig zu Grunde gegangen: 11,37 Procent.

b. Die Late Rose-Kartoffel.

Die Aufnahme der Late Rose begann am 7. August. In den ersten acht Tagen waren die Kartoffeln noch nicht ganz ausgewachsen. Wegen der späteren Ausbildung hat die Late Rose weit mehr vom Cicadenfrass zu leiden gehabt als die Early Rose, was bei dem kurzen Erntebericht berücksichtigt werden muss. Uebrigens ist der Unterschied in der Reifezeit ein unbedeutender, wenn das mir von Gebrüder Wenzel in Quedlinburg gelieferte Saatgut, wie ich bei der Solidität dieser Samenhandlung voraus setzen darf, echt ist. Ich lasse nun die Aufzählung folgen wie bei der Early Rose.

Nr. 1. Aug. 7. Gesund und parasitenfrei. Ernte: 3 sehr grosse, 5 mittle, 7 kleine Kartoffeln.

Nr. 2. Aug. 7. Ein Trieb abgestorben und vom Mycel durchzogen, die übrigen Triebe gesund und parasitenfrei. Der abgestorbene Trieb ist unten bis zum Ansatzpunkt hohl und von jungen Tausendfüssen bewohnt, welche von der abgefaulten Mutterkartoffel aus eingedrungen sein müssen.

Ueberhaupt höhlen bei der Early Rose wie bei der Late Rose fast immer die Tausendfüsse (Iulus) die Mutterknolle ganz aus. Der abgestorbene Trieb ist aussen dicht mit den sclerotienartigen Zellkörpern der Rhizoctonia tabifica besetzt. Diese scheinen aber nicht von dem im Innern befindlichen Mycelium auszugehen, sondern sich am bedeckten Theil von aussen angesiedelt zu haben.

Das Absterben des Triebes ist zum grössten Theil den Tausendfüssen zuzuschreiben. Ernte: 1 sehr grosse, 8 mittle, 6 kleine Kartoffeln.

Nr. 3. Aug. 7. Kraut ganz verschwunden. Die geringfügigen Ueberreste desselben mit dem Mycelium dicht durchzogen. Ernte: 3 winzig kleine Brutkartöffelchen.

Nr. 4. Aug. 7. Von sehr kränklichem Ansehen, aber ohne die Kennzeichen der Kräuselkrankheit und parasitenfrei. Sehr starker Cicadenfrass und in einem hohlen Stengel eine Unzahl junger Tausendfüsse. Ernte: 4 ziemlich grosse, 3 mittle, 2 kleine Kartoffeln.

Nr. 5. Aug. 7. Parasitenfrei; die Pflanze von Cicaden beeinträchtigt, sonst gesund. Ernte: 1 sehr grosse, 5 mittle, 8 kleine Kartoffeln.

Nr. 6. Aug. 7. Parasitenfrei. Ernte: 5 mittle, 22 kleine Kartoffeln.

Nr. 7. Aug. 7. Krank und vom Mycel durchzogen. Ernte: 1 grosse, 5 mittle, 8 kleine Kartoffeln. Die abgestorbenen Triebe zum Theil auch äusserlich mit der Rhizoctonia besetzt. Vier von den Brutkartoffeln haben abgestorbene und vom Mycel durchzogene Brutträger.

Nr. 8. Aug. 10. Krank und vom Mycel durchzogen. Die Schale der Brutkartoffeln rauh und rissig. Ernte: 3 ziemlich grosse, 5 mittle, 6 kleine Kartoffeln. Die Stengel zum Theil dürr, zerbrechlich, bis an die Spitze mit der Rhizoctonia besetzt.

Nr. 9. Aug. 10. Ein Trieb noch saftig, parasitenfrei, mit grünen Blättern, einer gesunden Brutkartoffel an gesundem und parasitenfreiem Brutträger; die andern drei Triebe abgestorben, bis in die Spitzen mit dem Mycelium durchzogen und mit der Rhizoctonia besetzt; auch ihre Brutträger abgestorben und vom Mycel durchzogen. Ernte: 6 ziemlich grosse, 3 mittle, 6 kleine Kartoffeln.

Nr. 10. Aug. 10. Ein Trieb ganz abgestorben und vom Mycel durchzogen, ebenso ein zweiter; der dritte gesund. Ernte: 7 grosse, 3 kleine Kartoffeln.

Nr. 11. Aug. 10. Gesund und parasitenfrei. Ernte: 3 mittle, 8 kleine Kartoffeln.

Nr. 12. Aug. 10. Zwei Triebe sehr krank, durch und durch mit dem Mycelium durchzogen, 3 Triebe gesund und parasitenfrei. Die Sclerotien der Rhizoctonia haben sich von aussen an der Basis der gesunden Triebe angesiedelt. Ernte: 8 mittle Kartoffeln.

Nr. 13. Aug. 10. Ganz abgestorben; die geringfügigen Stengelreste durch und durch inficirt. Ernte: nur wenige winzige Brut.

Nr. 14. Aug. 16. Theilweis krank und vom Mycel durchzogen. Ernte: 1 grosse, 8 mittle 6 kleine Kartoffeln.

Nr. 15. Aug. 16. Sowohl von der Kräuselkrankheit, als auch von der Blattkrankheit (Peronospora) schwach inficirt. Eine kleinere Kartoffel unter dem Einfluss der Peronospora in Fäulniss begriffen. Ernte: 2 grosse, 6 mittle, 5 kleine Kartoffeln.

Nr. 16. Aug. 16. Schwach kräuselkrank. Ernte: 2 grosse, 1 mittle, 5 kleine Kartoffeln.

Nr. 17. Aug. 16. Schwach kräuselkrank. Ernte: 3 grosse, 2 mittle, 24 kleine Kartoffeln.

Nr. 18. Aug. 16. Bis auf Spuren abgestorben. Nur kirschen-grosse, vom Pilz inficirte Brut.

Nr. 19. Aug. 16. Stark kräuselkrank und vom Pilz inficirt. Ernte: 3 mittle, 12 kleine Kartoffeln.

Nr. 20. Aug. 16. Schwach kräuselkrank. Ernte: 6 grosse, 4 mittle, 2 kleine Kartoffeln.

Nr. 21. Aug. 16. Keine Spur von Kraut mehr vorhanden. Ernte nur wenige kirschgrosse Brut.

Nr. 22. Aug. 16. Ziemlich stark inficirt. Ernte: 3 mittle, 4 kleine Kartoffeln.

Nr. 23. Aug. 16. Schwach inficirt. Ernte: 5 grosse, 6 kleine Kartoffeln.

Nr. 24. Aug. 16. Ganz abgestorben, vom Kraut nur noch geringfügige stark inficirte Stengelreste. Ernte: 12 sehr kleine Kartoffeln.

Nr. 25. Aug. 16. Krank und inficirt. Ernte: 4 mittel-grosse, 12 kleine Kartoffeln.

Nr. 26. Aug. 16. Starke Infektion mit der Peronospora, wodurch 4 grosse und eine kleine Kartoffel gänzlich verjaucht sind, schwächere Infektion durch die Kräuselkrankheit. Ernte: 1 grosse, 4 mittelgrosse, 7 kleine Kartoffeln; alle mit krankem Brutträger.

Nr. 27. Aug. 16. Kräuselkrank. Ernte: 4 mittle, 12 kleine Kartoffeln.

Nr. 28. Aug 16. Gesund. Ernte: 3 grosse, 4 mittle, 7 kleine Kartoffeln.

Nr. 29. Aug. 16. Stark erkrankt und inficirt. Ernte: 6 mittle, 6 kleine Kartoffeln.

Nr. 30. Aug. 16. Stark erkrankt. Ernte: 2 grosse und 1 kleine Kartoffel.

Nr. 31. Aug. 16. Ganz abgestorben. Nur erbsengrosse Brut.

Nr. 32. Aug. 16. Völlig gesund. Ernte: 4 sehr grosse, 1 mittle, 3 kleinere Kartoffeln.

Nr. 33. Aug. 16. Ziemlich stark erkrankt und inficirt. Ernte: 3 mittle, 10 kleine Kartoffeln.

Nr. 34. Aug. 16. Schwach erkrankt. Ernte: 1 grosse, 3 mittle, 2 kleine Kartoffeln; alle sehr verkrüppelt.

Nr. 35. Aug. 16. Völlig gesund. Ernte: 5 grosse, 2 mittle, 8 kleine Kartoffeln.

Nr. 36. Aug. 16. Schwach erkrankt. Ernte: 5 mittle, 5 kleine Kartoffeln.

Nr. 37. Aug. 16. Völlig gesund. Ernte: 3 grosse, 3 mittle, 3 kleine Kartoffeln.

Nr. 38. Aug. 16. Schwach erkrankt. Ernte: 1 grosse, 3 mittle, 12 kleine Kartoffeln.

Nr. 39. Aug. 16. Stark erkrankt. Ernte: 2 mittle, 6 kleine Kartoffeln.

Nr. 40. Aug. 16. Gesund. Ernte: 2 grosse, 5 mittle Kartoffeln.

Man sieht, dass die Late Rose bei dieser Zucht im Ganzen weit heftiger von der Kräuselkrankheit zu leiden hatte als die Early Rose, was auch im Ernteresultat sehr merklich hervortrat.

Von den 40 ausgelegten Kartoffeln waren völlig gesund und parasitenfrei nur Nr. 1. 4. 5. 6. 11. 28. 32. 37. 40, also 9 Stück, oder 22,5 Procent. Alle übrigen, also 31 Stück, oder 77,5 Procent, sind von der Kräuselkrankheit befallen. An der Peronospora-Krankheit litten ausserdem gleichzeitig Nr. 15 und 26, also 5 Procent. Ganz abgestorben und ohne Ertrag waren Nr. 3. 13. 18. 21. 24. 31, also 6 Stück, oder 15 Procent.

Vergleichen wir diese Angaben mit den bei der Early Rose gewonnenen Resultaten, so ergiebt sich Folgendes:

	Ohne Ernte.	Krank.	Gesund.
Early Rose	0,09 %	27,27 %	68,18 %
Late Rose	15 %	77,5 %	22,5 %.

Bei der Early Rose waren ausserdem noch 4,77 Procent an anderen Zufällen zu Grunde gegangen.

Zieht man aus beiden Sorten das Mittelresultat, so sind gesund 46,43 Procent, von der Kräuselkrankheit befallen sind 51,19 Procent, von anderen Zufällen betroffen sind 2,38 Procent, ohne Ertrag sind 11,66 Procent.

Ich breche diese Arbeit hier ab, um in der nächsten Nummer dieser Zeitschrift darin fortzufahren, zuvörderst mit einer Schilderung des gleichzeitigen Auftretens der durch Peronospora hervorgerufenen Blattkrankheit oder Nassfäule und der Kräuselkrankheit an den neuen Amerikanischen Kartoffelsorten: Early Vermont und Brownells Beauty.

Meine auf die Kräuselkrankheit bezüglichen Präparate stehen Jedermann zur Ansicht bei mir zur Verfügung, ausserdem aber habe ich vorläufig 12 Sammlungen angefertigt zu je 30 Stück in Kästchen nach Giessener Format und Einrichtung. Die Sammlung kostet 18 Reichsmark. Ich erwarte vorläufig die Bestellungen. Sobald diese eingetroffen sein werden, werde ich die Herren Besteller von der Bereitstellung und Zusendung benachrichtigen.

Die Sammlung wird folgende Präparate enthalten:

1. Längsschnitt aus dem Gefässbündel der gesunden Kartoffel.
2. Derselbe aus der kräuselkranken Kartoffel mit jungem Mycelium.
3. Derselbe mit reifem Mycelium.
4. Rhizoctonia tabifica.
5. Mycelium in der Brutkartoffel.
6. Typische Kammerconidien der Rhizoctonia.
7. Schnitt durch eine an Zellenfäule leidende Kartoffel.
8. Peronospora infestans aus dem Kartoffelblatt.
9. Das Mycelium der Peronospora im Trieb.
10. Schnitt durch die durch Peronospora erkrankte Kartoffel.
11. Steinbrand des Weizens.
12. Staubbrand von Hafer oder Gerste.
13. Teleutosporen des Getreiderostes.
14. Mutterkorn im Querschnitt.
15. Spermogonium des Mutterkorns.
16. Rosenrost (Phragmidium).
17. Mehlthau (Erysibe communis).
18. Parasit der Hundswuth (Lyssophyton).
19. Bierhefe.
20. Essighefe.
21. Fäulnisshefe.
22. Hefe aus der menschlichen Mundhöhle.
23. Russbrand (Fumago).

24. Pleospora (Pilz der Seidenraupenkrankheit).
25. Pinselschimmel (Penicillium).
26. Kopfschimmel (Mucor).
27. Aspergillus glaucus Lk.
28. Mehlthau der Haselnuss (Phyllactinia).
29. Mehlthau des Ahorns.
30. Mehlthau der Rose. ·

Nachdem der Satz bereits vollendet ist, bin ich in den Stand gesetzt, der Sammlung noch eine bessere, auf meine neueren Arbeiten bezügliche Auswahl zu geben; auch werde ich von jetzt ab Sammlungen zu 35—40 Präparaten für 20 Reichsmark abgeben. Das Verzeichniss folgt in der nächsten Nummer.

Beobachtungen

über

das Auftreten der Kräuselkrankheit der Kartoffeln 1873—1875.

Von

Professor Dr. **Conrad Oehmichen,**

Vertreter der Grossherzoglich - Sächsischen landwirthschaftl. Lehranstalt an der Universität Jena.

Nachstehende Zeilen bezwecken, eine kurze Uebersicht meiner Beobachtungen zu geben, welche ich über die Kräuselkrankheit der Kartoffeln innerhalb der letzten Jahre gemacht. Berücksichtigung hat hierbei Das gefunden, was die mir zu Gebote stehende landwirthschaftliche Fachzeitungsliteratur des Jahres 1875 bot, sowie mündliche und schriftliche Mittheilung von Kartoffelzüchtern und Kennern der Pflanzenfeinde.

Sowohl über die seit 1845 bei uns aufgetretene Kartoffelkrankheit, die Zellen- oder nasse Fäule, als auch über die bei uns seit einigen Jahren auftretende und gleichfalls Befürchtungen erregende Kräuselkrankheit schweben noch eine Menge dunkle Punkte; es gilt, durch aufmerksame und genaue Beobachtungen weitere Bausteine zur tieferen Kenntniss des Wesens und der Ursachen dieser Krankheiten zu sammeln, und zwar sowohl seitens des praktischen Landwirthes, resp. Kartoffelzüchters, als auch des forschenden Gelehrten.

Nur dann, wenn man die Erscheinungen einer Krankheit, ihre Ursachen genau kennt, lässt sich derselben vorbeugen und dieselbe bekämpfen, soweit dies überhaupt in menschlicher Macht steht. Bei der hohen Rolle, welche die Kartoffeln gegenwärtig im Völkerwohle unserer Kulturländer spielt, ist es dringende Pflicht, die das Gedeihen dieser wichtigen Kulturpflanzen schädigenden Einflüsse, ihre Krankheiten etc. zu studiren und auf

Grund der Erfahrungen und Forschungen Wege zur Abhülfe, resp. Beseitigung aufzufinden. Sollte es gelingen, Berufsgenossen der Theorie und Praxis durch mein kleines Schriftchen zu ähnlichen Bestrebungen anzuregen, so ist der Zweck derselben erreicht. Wer in diesen Zeilen Abschluss der Beobachtungen sucht, würde sich täuschen; nur Jahre lang fortgesetzte Thätigkeit in dieser Beziehung kann zum Ziele führen, spielen doch im landwirth- schaftlichen Gewerbe und deren Berufsaufgaben einerseits gar oft Boden, Klima, Jahreswitterung, Varietät der Hausthiere, der Kulturpflanzen etc. eine gar wichtige Rolle, haben wir es ander- seits bei Pflanzenkrankheiten meist mit mikroskopisch kleinen Organismen zu thun, bei denen Lebenslauf, Fortpflanzung vielfach noch nicht genügend bekannt sind.

Voraus bemerkt sei, dass ich mich seit einem Jahrzehnte mit Kartoffelsortenkultur beschäftiget. Behufs des eingehenderen Studiums der seit 1873 von mir bemerkten Kräuselkrankheit setzte ich mich in diesem Jahre mit Herrn Prof. Hallier hier in Ver- bindung, um zur gemeinsamen Arbeit vorzugehen. Herr Prof. Dr. Hallier ging mit Freuden und Eifer hierauf ein, wir theilten die Beobachtungen, ich übernahm dieselben hauptsächlich im Keller, in den der hiesigen grossherzoglichen landwirthschaftlichen Lehranstalt und der landwirthschaftlichen Versuchsstation ge- hörigen Versuchsfeldern, die Herren Gutsbesitzer der Umgegend standen mir mit Mittheilungen treu zur Seite; Herr Professor Dr. Hallier übernahm vor Allem die mikroskopischen Unter- suchungen, fast täglich fand zwischen uns Austausch über das Beobachtete und Gefundene statt. Ende Juli traten wir zuerst mit den Ergebnissen unserer Beobachtungen und Forschungen öffentlich hervor, es erschienen auf unser Ansuchen in der rühm- lichst bekannten „Deutschen landwirthschaftlichen Presse" zwei Artikel, und zwar in Nr. 61 vom 4. August 1875 von mir ein Aufsatz über „Form und Verbreitung der Kräuselkrankheit", und in Nr. 62 vom 7. August 1875 vom Professor Dr. Hallier über „Die Ursache der Kräuselkrankheit", gleichzeitig veröffentlichte der Letztere im „Oesterreichischen Landwirthschaftlichen Wochen- blatte" Nr. 33 vom 14. August 1875 einen Artikel über den- selben Gegenstand, nur etwas ausführlicher gehalten.

Um nun zunächst die geehrten Leser mit den hauptsäch- lichsten Erscheinungen der Kräuselkrankheit bekannt zu machen,

erlaube ich mir, zurückzugehen auf die eben genannten Zeitungsartikel; den von mir gelieferten gebe ich wörtlich, die Hallier-
schen im Auszuge wieder.

Meine Beobachtungen über die Kräuselkrankheit bis Ende
Juli dieses Jahres ergaben Folgendes:

„Kaum ist eine der gefährlichsten Krankheiten der Kartoffelpflanze, die sogenannte *nasse* oder *Zellenfäule,* glücklicherweise
im Abnehmen begriffen, so beginnen neue Feinde dieses so werth-
vollen Kulturgewächses sich zu zeigen: *Der Coloradokäfer* und
die *Kräuselkrankheit.*

Gegen den Coloradokäfer ist die Gesetzgebung des deutschen
Reiches vorgegangen, sie hat die Einfuhr von Kartoffeln aus den
Vereinigten Staaten von Nordamerika verboten (ganz abgesehen
von der Frage, ob nicht auch unser Klima der irgendwie erheb-
lichen Entwickelung und Vermehrung dieses Insektes entgegen-
steht?). Zweck dieser Zeilen soll sein, die Aufmerksamkeit auf
den zweiten Feind, die Kräuselkrankheit, zu lenken, zumal es
gelungen zu sein scheint, die Ursache dieser Krankheit aufgefunden zu haben.

Folgend den Angaben des Herrn Prof. Dr. Kühn in Halle,
sagt der ausgezeichnete Beobachter und Forscher auf diesem
Gebiete in seinem Buche „Krankheiten der Kulturgewächse“,
Berlin 1858, Seite 200, über die genannte Krankheit Folgendes:
„Die Kartoffel war kaum zu einem allgemeinen Anbau gelangt,
als sie schon von einer eigenthümlichen Krankheit, der *Kräuselkrankheit,* heimgesucht wurde. Sie trat zuerst 1770 in England,
1776 auch in Deutschland und zwar so verheerend auf, dass sie
einen ähnlichen Schaden anrichtete, wie die Kartoffelepidemien
der jüngsten Zeit. Anfangs dieses Jahrhunderts liess sie in
ihrem verderblichen Auftreten nach und seitdem ist sie wohl nur
vereinzelt wahrgenommen worden. Ich selbst hatte Gelegenheit, sie
in der Umgegend von Bunzlau in Schlesien in den Jahren 1854
und 1858, doch nur in geringer Verbreitung zu beobachten.“
Hierauf folgt die Beschreibung der Krankheitserscheinungen, die
sich namentlich darin äussern, dass die Pflanzen schon von
Weitem verkümmert erscheinen, Blättern und Stengeln fehlt das
freudige Grün, die Fiederblättchen des Kartoffelblattes sind wellig
gefaltet, oft ganz eingerollt, der Stengel steht oft kahl und Alles
zusammengeschrumpft da. Blätter und Stengel erhalten mehr

oder weniger länglich dunkle Flecken, werden schliesslich dunkel-braun und dürr. Anfangs ist die Zellgewebsverfärbung nur ober-flächlich, schliesslich erstreckt sie sich auf das Innere, Alles zeigt bis zum Marke eine schmutzig braune Färbung, Blattstiel und Stengel sind selbst an unbefallenen Stellen leicht - glasig-zerbrechbar.

Als Ursachen der Krankheit giebt Prof. K ü h n eine unge-wöhnliche Vollsaftigkeit der Pflanze an; die Ansicht des Pro-fessors S c h a c h t, dass Honigthau von Einfluss, widerlegt er voll-ständig. Erwähnt sei noch, dass der Verfasser des so werth-vollen Buches über Pflanzenkrankheiten anführt, dass in derselben Kartoffelpflanzenreihe nur einzelne Exemplare von der Kräusel-krankheit angegriffen wurden, andere sich völlig normal ent-wickelten und gesund blieben; ferner, dass die befallenen Pflanzen immer solche waren, die einen sehr mastigen Stengel und Blatt zeigten, dass daher eine möglichst rationelle Kultur, die normale Pflanzen erzeuge, das geeignetste Mittel zur Verhütung der Krankheit zu sein scheine.

Schreiber dieses ist seit einem Jahrzehnte mit Anbau von Kartoffelsorten beschäftigt, welche bezwecken, den Ertrag der-selben an Quantität und Qualität, die Wachsthumsverhältnisse, Krankheitseinflüsse u. s. w. zu verfolgen und zu vergleichen. (Siehe unter Anderem den Bericht in der Zeitschrift des land-wirthschaftlichen Vereins für Rheinpreussen, März-Nummer 1872, und „Mittheilungen der Grossherzoglich Sächsischen Lehranstalt an der Universität zu Jena", Berlin, bei Wiegandt, Hempel und Parey, 1874.)

In den Jahren 1871 und 1872 war bei diesen Anbauver-suchen die Kräuselkrankheit nicht zu bemerken, zeigte sich aber 1873, wurde jedoch zu spät erkannt, um genaue Beobachtungen machen zu können. Letztere erfolgten 1874. Dabei ergab sich, dass die von der Kräuselkrankheit ergriffenen Pflanzen die oben genannten Erscheinungen zeigten: Mitte Juni bis Mitte Juli traten namentlich an den oberen und mittleren Stengelblättern einige schwarze, scharf abgegrenzte und durch die gesammte Blatt-fläche gehende Flecken auf, allmälig vermehrte sich deren Zahl, ergriff auch die übrigen Blätter, Zusammenfallen, Einrollen der Blattflächen und Absterben derselben war die Folge. Mit diesen Symptomen geht in gleichem Maasse Hand in Hand die von oben

10*

nach unten erfolgende Bräunung der betreffenden Stengel, der Stock zeigt vielleicht einige wenige Blüthen, dann stirbt er vorzeitig ab.

Verschiedenheiten treten bei diesem Verlaufe insofern noch auf, als manche befallene Pflanzen von Anfang an nicht zur vollen Stengel- und Blattentwickelung kommen, sie gehen kümmerlich auf, die schwarzgefleckten, theilweise etwas gelblichen Blättchen krümmen sich früh zusammen, der ganze Stock erhebt sich nur gering über den Boden, stirbt bald ab, und hat man nicht zeitig genug beobachtet, so hält man den Stock für ausserordentlich frühreif. Andere Stöcke entwickeln sich im Gegensatze hierzu rasch und vollständig, treiben mastige Stengel und Blattwerk, plötzlich nimmt man an einzelnen Blättern meist der oberen und mittleren Stengeltheile einzelne schwarze, scharf umschriebene Flecken wahr, und die Krankheit nimmt ihren angeführten weiteren Verlauf. Seltener kommt es vor, dass nur einzelne Stengel des Stockes die Krankheit zeigen, dabei die übrigen dem Ansehen nach völlig gesund bleiben. Bei mancher Sorte tritt die Krankheit zeitig, Mitte Juni, bei anderen Sorten erst 3—6 Wochen später ein, in der Regel sind dann die nachtheiligen Folgen erheblich geringer. Von den Kartoffelpflanzen einer Sorte und Reihe leiden alle, oder es finden sich, was mehr der Fall, zwischen erkrankten Stöcken völlig gesunde. Mikroskopische Untersuchung der befallenen Blätter ergaben im Jahre 1874 eine völlige Zersetzung des Protoplasmas, die Anwesenheit eines Pilzes liess sich nicht konstatiren.

Was sind nun die Folgen der Krankheit? Zunächst geringerer Ertrag; die am frühesten und vollständigsten ergriffenen Pflanzen bleiben entweder ohne jeglichen Knollenansatz oder es finden sich nur wenige kleine, oder neben einigen vollkommen ausgebildeten normalen Knollen einige kleine missgebildete. So zeigten z. B. manche kräuselkranke Stöcke der Frühen Rosenkartoffel oft neben 1 — 3 grossen länglich-runden Knollen mit blassrother Schale, mehrere kleine rundliche, zusammengeschrumpfte mit weisslicher Schale. Untersucht man ferner den Stärkegehalt dieser Ernteergebnisse, so differirt derselbe meist sehr bedeutend. So zeigten z. B. die Knollen eines gesunden Stockes, abgesehen von einem hundertfachen Mehrgewichte, gegenüber den Knollen eines erkrankten Stockes eine Stärkegehaltsdifferenz von 9 Proz.,

die Knollen des gesunden Stockes hatten 21,3, die des daneben
stehenden kranken Stockes 12,3 Proz.; im Jahre 1875 wurden
diese Knollen ausgelegt, bis jetzt haben die normalen Knollen
gesunde Stöcke, die kranken aber wieder völlig kräuselkranke
Pflanzen entwickelt. Im Keller halten sich gesunde wie kranke
Knollen bis jetzt noch gleich gut; höchstens sind, wie vom Anfang der Ernte an, die kranken Exemplare welker.

Es mindert daher die Kräuselkrankheit die Ernte der befallenen Pflanzen an Quantität und Qualität; genauere Zahlen-
angaben hierüber werden später folgen.

Bodenart, Jahreswitterung, ebenso Bezug von Saatgut aus
den verschiedensten Gegenden scheinen auf die genannten Krank-
heitsresultate ohne Einfluss zu sein. Seit zwei Jahren sind in
den drei Versuchsfeldern hiesiger Lehranstalt je 380 Kartoffelsorten neben einander gebaut, das eine Feld hat Sand-, das
zweite Lehm-, das dritte schweren Thonmergelboden, in allen
Feldern waren *dieselben* Sorten gleichgradig erkrankt. Gleiches
zeigt der trockene Sommer vorigen Jahres und der feuchte
Sommer dieses Jahres. Die Frühe Rosenkartoffel ist von zwölf
verschiedenen Quellen bezogen, für sich zwölf Mal gebaut, immer
sind die Knollen jeder Bezugsquelle der Kräuselkrankheit unterworfen.

Das Endergebniss der gemachten Beobachtungen lässt sich
vorläufig in folgende wenige Sätze zusammenfassen:

1) *Nur ganz bestimmte Kartoffelsorten werden von der Kräuselkrankheit zur Zeit befallen.* Von 512 Sorten, die dieses Jahr in
den hiesigen Versuchsfeldern gebaut worden, sind *zur Zeit* circa
20 Sorten kräuselkrank, alle übrigen gesund. Von 380 mehr-
jährig angebauten Sorten sind seit 1874 in gleichem Grade in
allen drei Bodenarten 11 Sorten erkrankt. Dies giebt wenigstens
einen Fingerzeig, wie sich auf Grund der vorliegenden Beobachtungen der Krankheit aus dem Wege gehen lässt: *Man vermeide
den Anbau von notorisch der Kräuselkrankheit ausgesetzten Sorten,
wenigstens dessen Ausdehnung im Grossen.* Nach den hiesigen
Beobachtungen sind dies bis jetzt hauptsächlich, geordnet nach
dem Krankheitsgrade: 1) Frühe Rosenkartoffel (Early Rose),
2) Sebec-Kartoffel, 3) Späte Rosenkartoffel (Late Rose), 4) Early
Cottage, 5) Blassrothe Niere von Sölmnitz, 6) Luxemburger weisse
runde Kartoffel, 7) Early Vermont, 8) Bresees Peerless (Unver-

gleichliche), 9) Hundredfold Fluck, 10) Früheste rothe sechs Wochenkartoffel, 11) Calico. Uebrigens scheinen sogenannte „zarte" Sorten mit lichtgrünem Blatte, feiner Epidermis, der Krankheit am meisten unterworfen zu sein. Englische Blätter brachten von dort vor Kurzem ähnliche Notiz, berichteten dies namentlich von den in den letzten Jahren aus Amerika eingeführten Sorten.

2) Die Uebertragung der Krankheit scheint vor Allem durch das Saatgut stattzufinden, krankes Saatgut erzeugt kräuselkranke Pflanzen. Will man aus irgend einem Grunde, z. B. wegen Frühreife, Saatgut solcher Sorten legen, welche in einzelnen Stöcken die Krankheit zeigen, so benutze man nur Saatknollen von gesund gebliebenen Stöcken.

Die Beobachtungen werden fortgesetzt; jedenfalls wird es möglich sein, zu der in der Zeit vom 14. bis 20. Oktober in der Residenzstadt Altenburg stattfindenden Kartoffelausstellung, zu der rege Betheiligung jetzt schon gesichert ist, genauere Mittheilungen geben zu können. Diejenigen Herren Kartoffelzüchter, welche kräuselkranke Kartoffelsorten haben, ersuche ich um gefällige Notiz; es gilt, statistisches Material zu sammeln."

Soweit das Ergebniss meiner damaligen Beobachtungen. — Herr Professor Dr. Hallier war um diese Zeit schon im Stande, als Ursache der Kräuselkrankheit einen schmarozenden Pilz, den er vorläufig Rhizoctonia tabifica (verzehrender Wurzeltödter) nennt, anzugeben.

Aus seinen Forschungen folgert er, dass der Pilz in der Saatkartoffel seinen Sitz hat; mit der Entwickelung der Triebe tritt auch die der Pilzfäden, des Myceliums, ein, die letzteren dringen in den Stengel, wachsen lediglich in dessen Tüpfelgefässen aufwärts, und bei schwerem Befallensein von der Krankheit geht der Pilz bis an das äusserste Ende des Triebes, niemals aber in das Blattparenchym. Aus diesem Grunde findet man daher bei mikroskopischer Untersuchung der schwarzfleckigen Blätter in diesen nie das Pilzmycelium, und hieraus erklärt sich weiter, weshalb der Parasit bisher übersehen worden ist. Die scharf abgegrenzten schwarzen Blattflecken haben wahrscheinlich ihren Grund in der massenhaften Pilzfädenentwickelung in den befallenen Stengeltheilen, durch dieselbe wird dem beblätterten Stengel von unten her alle flüssige Nahrung nach und nach entzogen, die Blätter müssen bei fortgesetztem Verdunstungsverluste von den äusseren Spitzen her verwelken, sie werden schlaff, ziehen sich zusammen, die auf ihnen auftretenden schwarzen Flecken sind in Folge des Nahrungsmangels gänzlich vertrocknete Stellen, in ihnen hat Rückbildung des Chlorophylls stattgefunden, das gesammte Protoplasma ist krümlich zerfallen.

Anderseits kommt es vor, dass der Pilz seine Fäden nur in einzelnen Stengeln des Kartoffelstockes verzweigt, andere lange Zeit oder ganz verschont; erstere zeigen die genannten Krankheitserscheinungen, letztere bleiben längere Zeit oder ganz gesund. Tritt das Pilzmycel ferner von Anfang an, bei dem Austreiben der Saatkartoffel in reicher Masse auf, so wirkt der Schmarozer schon in diesem Stadium so nachtheilig auf seinen Wirth, dass dessen Weiterentwickelung bald ganz unterbrochen wird oder nur kümmerlich erfolgen kann, die Saatknolle geht dann, wie der Landmann sich ausdrückt, nicht auf oder bildet nur wenige, kaum einige Zoll über den Boden ragende kümmerliche Stengel, die bald braun werden und absterben, oft fehlt letzterern jeglicher Knollenansatz.

Charakteristisch ist immer für die Kräuselkrankheit, mag sie sich in dieser oder jener Form äussern, das glasige Brechen des erkrankten Stengeltheiles.

Mit der Zunahme der Pilzfäden in den unteren Stengeltheilen, färben sich erstere braun und bilden kürzere oder längere unregelmässige Ketten brauner, meist kugelicher Fortpflanzungszellen, Sporen oder Conidien genannt. Das Pilzmycelium beschränkt sich nun nicht allein mehr auf die Tüpfelgefässe des Stengels, sondern durchbohrt dieselben und vermehrt sich massenhaft in dessen Intercellular- oder luftführenden Räumen, so dass der Stengeldurchschnitt anfangs mitten, später überall schwarz erscheint, die Pflanze stirbt nun rasch ab. Meist verfault in diesem Stadium die Mutterknolle und der Pilz wandert dann in der Regel von dem erkrankten Stengeltheile in die Bruttträger der jungen Tochterknollen. Vorjährige Samenkartoffeln zeigen häufig am Nabelende das nämliche Pilzmycelium im Innern ihres Gewebes, der Pilz scheint aber im Winter innerhalb der Knolle völlig zu ruhen; wird diese dann im kommenden Frühjahre dem Schoosse der Erde übergeben, so wird bei mehr oder minderem Vorhandensein des Pilzmycels und je nach Gunst oder Ungunst der äusseren Bedingungen die Entwickelung der Pilzfäden geringgradig oder massenhaft erfolgen und der sich entwickelnde Stock die Krankheit in erheblicherem oder geringerem Grade zeigen.

Es ist sonach nach dem, was über den Erzeuger der nassen Fäule, den Pilz, Peronospora infestans, bis jetzt bekannt, das Auftreten des die Kräuselkrankheit höchst wahrscheinlich verursachenden Pilzes ein ganz verschiedenes von ersterem, worauf ich weiter unten noch zurückkomme.

Zur weiteren Orientirung verweise ich auf die besagten, vom Professor Dr. Hallier geschriebenen Zeitungsartikel und den ausführlichen Bericht über seine hier einschlagenden Arbeiten in dieser Zeitschriftsnummer.

(Fortsetzung folgt.)

Literaturbericht.

Uebersicht über die wichtigsten Erscheinungen in der Parasitenkunde der letzten Jahre.

Mitgetheilt von

E. Hallier.

Man kann nicht sagen, dass in den letzten Jahren in der Parasitenkunde Neues von weittragender allgemeinerer Bedeutung geschaffen wäre, und doch ist diese Zeit für die Zukunft keineswegs unfruchtbar gewesen.

Es war eine Zeit der Sammlung, der Vorbereitung, der Zurechtlegung und Klärung des bisher Gewonnenen. Thatsachen sind zwar in grosser Anzahl den früheren hinzugefügt, aber keine solchen, die wesentlich neue Ansichten im Gefolge haben könnten.

Doch ist es geboten, alle neuen Thatsachen zusammzustellen und namentlich auch diejenigen Bestrebungen zu beleuchten, welche sich darauf richteten, die Methoden zu verbessern und zu klären.

Mancher hat in der Stille fortgearbeitet und Steinchen an Steinchen gefügt. Sehen wir zu, ob ein Gebäude daraus wird.

Die Methode muss besonders auf die demonstrative Beweisführung sich richten, welche bei den wandelbaren niederen Organismen so schwierig ist.

Hier wäre vor allen Dingen die mikroskopische Photographie zu benutzen, aber obgleich, besonders in Nordamerika, in dieser Beziehung Hervorragendes geleistet worden ist, kann man doch nicht sagen, dass man die Beweisführung mittelst der mikroskopischen Photographie bereits so in der Gewalt hätte, dass man auf einander folgende Formen als Entwicklungszustände eines und desselben Organismus nachweisen könnte.

Den Bestrebungen auf dem Gebiet der mikroskospischen Photographie schliessen sich unmittelbar an die Versuche, der Demonstration von Präparaten durch Abbildungen zu Hülfe zu kommen. Die meisten Wandtafeln, welche in Zoologie und Botanik für den Vortrag benutzt werden, erreichen zwar ihren Zweck durchaus nicht, so dass der Lehrer immer noch darauf angewiesen ist, selbst dergleichen anzufertigen. Eine sehr rühmliche Ausnahme aber machen die transparenten Wandtafeln, welche soeben in einer aus 5 Tafeln bestehenden Lieferung erschienen sind, unter dem Titel: Transparente Tafeln aus dem Gebiete der Mikroskopie. Herausgegeben von Wilhelm Kurz, Professor an der k. k. Lehrerbildungsanstalt in Kuttenberg. 5 Tafeln, Format 58×58 Centimeter. Preis 3 Fl. 50 Kr. Ö. W. = 7 M. Verlag von A. Pichler's Wittwe & Sohn, Buchhandlung für pädagogische Literatur und Lehrmittelanstalt.

Die Tafeln, begleitet von einem erklärenden Text, enthalten folgende Gegenstände: Epistylis nutans, Hydra fusca, Plumatella repens, Nais proboscidea und Cyclops coronatus.

Die Figuren sind mittelst einer das Papier durchscheinend machenden Materie auf Seidenpapier gedruckt und zwar mit sehr gelungenem Kolorit.

Die Zeichnung ist in Korrektheit und Ausführung vortrefflich.

Diese Tafeln werden auf starke Papprahmen aufgespannt, welche man der Haltbarkeit wegen am besten mit einem Holzrahmen verbindet. Den Rahmen setzt man in eine passende Oeffnung im Fensterladen fest ein, so dass das Licht bloss durch das Transparent ins Zimmer fällt.

Diese Tafeln werden für den Unterricht, besonders auch auf den Universitäten, sich rasch Freunde erwerben. Freilich können wir darin nicht mit dem Herrn Herausgeber übereinstimmen, wenn er sagt, dass die Tafeln die mikroskopische Demonstration entbehrlich machen würden. Jeder Unterricht muss von der Anschauung der Natur selbst ausgehen und Abbildungen dürfen erst zu Hülfe genommen werden, wenn der Schüler den Naturgegenstand bereits kennt; sonst wird der Unterricht wieder dogmatisch und das Gelernte beruht auf blossem Buchstabenglauben. Ausnehmend fruchtbar aber können solche Tafeln werden, wenn der Lehrer sie benutzt zur Erläuterung des gleichzeitig unter dem Mikroskop vorgeführten Bildes.

· Bezüglich der Rolle, welche niedere Pilze im menschlichen, thierischen und pflanzlichen Organismus spielen, wetteifern verschiedene Nationen in dem Streben, neue Thatsachen an's Licht zu fördern. In erster Linie sind hier wohl die Bestrebungen der Amerikaner zu nennen. Diese rastlose Nation hat kein Interesse an dem Schulstreit der deutschen Gelehrten und geht daher rücksichtslos und unparteiisch vorwärts.

Bestätigungen früherer Angaben von Seiten solcher Gelehrten müssen daher besonders werthvoll erscheinen. So gelang es Herrn Dr. Emil Gruening im Jahre 1873, die Beziehung zwischen Leptothrix buccalis (eine Form des Micrococcus mihi) und Penicillium glaucum auct., welche ich im Jahre 1866 nachgewiesen hatte*), vollständig zu bestätigen**).

Von dem rastlosen Eifer der Amerikaner, wo es gilt, die Resultate wissenschaftlicher Forschung dem praktischen Leben dienstbar zu machen, zeugen am besten die Berichte über Medicinalangelegenheiten und Hygieine der Nordamerikanischen Armee, welche von der wundärztlichen Behörde des Kriegsministeriums (War departement, surgeon generals office) abgestattet werden. Mir liegen gegenwärtig sechs solcher Reports vor und zwar in folgender Reihenfolge:

Circular Nr. 1. Report on epidemic Cholera and Yellow Fever in the U. S. army during 1867. Washington 1868.

Circular Nr. 2. Report on excisions of the head of the femur for gunshot injury. Washington 1869.

Circular Nr. 3. Report of surgical cases in the army. Washington 1871.

Circular Nr. 4. Report on barraks and hospitals with descriptions of military posts. Washington 1870.

Circular Nr. 7. A Report on amputations at the hip-joint in military surgery. Washington 1867.

Circular Nr. 8. A Report on the Hygiene of the United States army. Washington 1875.

---

*) Mohl und v. Schlechtendahl's Botanische Zeitung. Jahrg. 1866, Nr. 23, p. 187.

**) Leptothrix in the upper Canaliculus. By Emil Gruening, M D. In: Contributions to Ophthalmology. Reprinted from Archives of Ophthalmology and Otology. Vol. III., 1. 1873. New-York.

Ferner ging mir zu eine sehr, schöne und umfangreiche
Arbeit über Süsswasseralgen Nordamerika's, welche von Wood
unter den Veröffentlichungen des Smithson'schen Instituts erschienen
ist unter dem Titel: Smithsonian contributions to knowledge 241.
A contribution to the history of the fresh-water Algae of North
America. Washington city: published by the Smithsonian insti-
tution January 1873.

Manches höchst Interessante bietet auch der „Catalogue of
the surgical section of the United States Army Medical Museum.
Prepared under the direction of the surgeon general, U. S. Army.
By Alfred A. Woodhull, Assistant Surgeon and Brevet Major,
U. S. Army. Washington 1866."

Ebenso enthalten die jährlichen Berichte des „Metropolitan
board of health" des Staates New-York von 1868 nnd 1869 eine
grosse Anzahl von Thatsachen, welche für die Parasitenkunde
von weittragender Bedeutung sind.

Der Titel lautet: Third and fourth annual report of the
Metropolitan board of health of the State of New-York. 1868.
1869. Albany 1868. New-York 1870.

Auch die Engländer sind auf diesem Gebiete im höchsten
Grade regsam gewesen, wie theils die jährlichen Berichte des
„Medical officer of the privy council" beweisen, theils grossartige
Unternehmungen, welche auf die Entdeckung der Ursache der
Infektionskrankheiten gerichtet sind.

Hier sind in erster Linie zu erwähnen die Bemühungen um
die Entdeckung der Ursache der Cholera. Haben auch diese
Bemühungen bis jetzt einen bestimmten Erfolg nicht aufzuweisen,
so ist doch immerhin der unermüdliche Eifer der Herren Lewis
und Cunningham höchst anerkennenswerth.

Die Veröffentlichungen der genannten Herren sind folgende:
1) A report on the microscopic objects found in Cholera evacua-
tions etc., by Timothy Richards Lewis, M. B., assistant surgeon,
Her Majesty's British Forces, attached to the sanitary commissioners
with the Govt. of India. Printed by order of Government.
Calcutta 1870.

2) A. Report of microscopical and physiological researches
into the nature of the agent or agents producing Cholera by
T. R. Lewis, M. B., aud D. D. Cunningham, M. B., Assistant-
surgeon, H. M. Indian service. (On special Duty) Attached to

the sanitary commissioner with the government of India. Calcutta 1872.

3) The pathological significance of Nematode Haematozoa. By T. R. Lewis, M. B. Calcutta 1874.

4) A. Report of microscopical and physiological researches into the nature of the agent or agents producing Cholera (second series) by T. R. Lewis, M. D., and D. D. Cunningham, M. D. Calcutta 1874.

5) Microscopical notes regarding the Fungi present in opium blight. By D. D. Cunningham, M. D. Calcutta 1875.

6) Microscopic examinations of air. By D. Douglas Cunningham, M. B.

Im Folgenden soll nun versucht werden, aus den angeführten Werken die wichtigsten auf die Parasitologie bezüglichen Thatsachen zusammenzustellen und sie mit den von mir vertretenen Ansichten zu vergleichen.

Bezüglich der Cholera haben die Untersuchungen der Amerikaner (Circular Nr. 1. Wash. 1868) über die Epidemie von 1867 ein sehr wichtiges Resultat geliefert, nämlich, dass die Cholera an Orten, wo sie in einem Jahr gehaust hat, im folgenden Jahr leicht wieder zum Ausbruch kommt, ohne aufs Neue eingeschleppt zu sein. Damit ist bewiesen, dass die Ursache an einem Ort längere Zeit verweilen kann in latentem Zustand, um wieder hervorzubrechen, sobald günstige Bedingungen eintreten. Es verhält sich also damit ganz analog wie mit der Kartoffelkrankheit, welche bei trocknem Wetter unterdrückt wird, um bei abermaligem Eintritt von Regen oder starker Thaubildung plötzlich wieder hervorzubrechen. Man kann sich unter diesem Cholerakeim schwerlich etwas Anderes denken als einen Organismus.

Ferner zeigte sich die grösste Gefahr der Verschleppung durch Truppenbewegungen. Fast überall wurden die Truppen zuerst durch die Bürger angesteckt, was wohl der vorzüglichen Verpflegung der Truppen in Nordamerika zuzuschreiben ist.

Bezüglich des gelben Fiebers sind die in demselben Report niedergelegten Angaben durchaus geeignet, die Ansicht zu stützen, dass diese Krankheit für Nordamerika exotisch ist und von aussen einwandert. Dagegen stellt sich die praktische Frage nach der Beseitigung der Epidemie grade umgekehrt wie bei der Cholera. Während hier jede Truppenbewegung die grösste

Gefahr der Verschleppung herbeiführt, ist bei Ausbruch des gelben Fiebers es gradezu dringend geboten, den betroffenen Truppentheil an einen gesünderen Ort zu versetzen, und es hat diese Maassregel stets die günstigsten Folgen gehabt. . Dennoch scheint die Krankheit übertragbar und verschleppbar zu sein. Jenes Ergebniss wird mit Recht in praktischer Beziehung als ein sehr wichtiges betrachtet, als die gewöhnlichen hygieinischen Vorsichtsmaassregeln keineswegs beim gelben Fieber so wirksam sind wie bei der Cholera und als therapeutische Versuche sich fast gänzlich erfolglos erwiesen. Das gelbe Fieber ist im Jahr 1867 aus zwei ausländischen Quellen in die Vereinigten Staaten importirt, nämlich aus Vera - Cruz und aus der Havanna. Von Vera-Cruz wurde es nach Indianola und von dort nach anderen Plätzen in Texas verschleppt. Nach allen anderen Punkten scheint es direkt oder indirekt aus der Havanna gelangt zu sein, wobei sich noch herausstellte, dass mit der Einschleppung aus Mexico eine grössere Sterblichkeit verbunden war als mit derjenigen aus Cuba, so bedeutend zwar, dass bei erstgenannter Quelle auf je 5 Fälle 2 Todesfälle kamen, bei der zweitgenannten jedoch nur auf je 7 Fälle 2 Todesfälle. Die Epidemie bewegte sich überall auf den grossen Verkehrsstrassen entlang.

In dem Catalog des „United States army medical museum" ist von ganz besonderem Interesse die Beschreibung des photographischen Apparats, mit welchem die schönen Photographien angefertigt sind, die besten Mikro - Photographien, die vielleicht je gemacht wurden.

Von der allergrössten Bedeutung sind ferner die „Reports of the Metropolitan Board of Health" aus den Jahren 1868 und 1869. Der Report von 1868 beginnt mit einem Bericht über den Gesundheitszustand des Staates New-York für das Jahr 1868. In diesem tritt zuerst das wichtige Resultat hervor, dass, während in dem Distrikt während des Jahres keine epidemischen Krankheiten eine Rolle spielten, gleichwohl die Sterblichkeit der Kinder unter einem Jahre einen bedenklichen Grad angenommen hatte. Eine beigefügte Tabelle giebt in der ersten Rubrik die wöchentliche Sterblichkeit der Kinder, in der zweiten die wöchentliche Sterblichkeit überhaupt. Das Beobachtungsjahr datirt vom 1. Nov. 1867 bis zum 31. October 1868. Ihren Culminationspunkt erreicht die Kindersterblichkeit in der 28. Woche mit 519 auf 1,142 überhaupt. Die Zeit von der 27. bis zur 36. Woche zeigt eine bedeutende Steigung der Kurve.

Nach einer Angabe der Gründe, welche die Kindersterblichkeit im Allgemeinen erhöhen, nämlich: angeerbte Krankheiten, welche frühzeitigen Tod zur Folge haben, das Zahnen, unreinliche und unnatürliche Nahrung, Scharlach, Mäsern, Fieberkrankheiten der Kinder, schlechte Luft, ungenügende Kleidung, — geht der Berichterstatter zur Betrachtung der Kindersterblichkeit in den Amerikanischen Städten speciell über. Jene Gründe reichen nicht aus zur Erklärung ihrer ungewöhnlichen Höhe, vielmehr sucht Verf. diese vor allen Dingen in den Eigenthümlichkeiten des Amerikanischen Klima's. Die Sommer sind übermässig heiss, die Winter übermässig kalt. Die Winter bedingen Neigung zum Husten und machen Schutz, Feuerung und Kleidung nöthig. Die bedrängte Lage veranlasst die Armen, in geschlossenen schlecht ventilirten Räumen Zuflucht zu suchen, um Wärme zu sparen, und in schmutzigen Stadtvierteln zu wohnen wegen der geringeren Miethe, was während des strengen Winters eine lange Kette von Erkrankungen zur Folge hat. Die furchtbare Sterblichkeit während des Sommers schreibt Referent direkt der Hitze zu. Die Erschöpfung des Nervensystems (their nervous systems are exhausted by it) macht die Kinder leichter zu einer Beute der Krankheiten und die Infektion der Atmosphäre, das Zahnen, die unsaubere Nahrung vereinigen sich zu demselben Nachtheil.

Dabei ist sehr wichtig die Bemerkung, dass sehr häufig die Versetzung eines an Cholera infantum leidenden Kindes aus der Stadt auf's Land unverzügliche Besserung zur Folge habe; obgleich oft der Tod schon vor der Thür stand, verschwand die Krankheit wie durch einen Zauberschlag.

Da die Temperatur an beiden Orten die nämliche war, so kann diese nicht der alleinige Grund der Erkrankung sein, vielmehr muss der Hauptanlass in der unreinen Beschaffenheit der Luft liegen.

Aber auch auf dem Lande sterben Kinder an solchen Erkrankungen, und die Erfahrung lehrt, dass dabei die Ernährung eine bedeutende Rolle spielt. In Ermangelung der Muttermilch, der besten Nahrung für Säuglinge, muss man zur Kuhmilch,

Ziegenmilch oder noch zu anderen bedenklicheren Dingen seine
Zuflucht nehmen*).

Die Kuhmilch ist nicht immer rein zu haben und verdirbt
leicht bei heissem Wetter, zumal da sie oft aus grossen Ent-
fernungen herbeigeführt werden muss. Ref. schlägt vor, man
solle, wie in Italien, Ziegen in die Städte treiben, um sie erst
vor den Hausthüren zu melken.

Das Zahnen ist nach dem Ref. bei Kinderkrankheiten eine
ernste Complication, denn es vermehrt die Reizbarkeit, stört den
Schlaf, vernichtet den Appetit und hindert die Verdauung selbst
der besten Speisen; endlich veranlasst es die Neigung zur
Diarrhoe.

Ferner hat man bezüglich des Gesundheitszustandes in Nordamerika besonders zu beachten: die Kleidung, wegen des raschen
Temperaturwechsels, den Einfluss kalter Bäder, die Feuchtigkeitsverhältnisse und die elektrische Spannung der Luft.

Es folgt nun ein ausführlicher Bericht über die einzelnen
sanitärischen Maassregeln des board of health während des
Jahres.

Von besonderem Interesse für uns ist der Abschnitt über
die Anwendung von Desinfektionsmitteln.

Der Sommer 1868 zeichnete sich durch anhaltende Hitze und
grosse Feuchtigkeit aus, welche günstige Bedingungen für rasche
Zersetzungen organisirter Materien darbieten und dem Gesundheitszustand nicht durchaus rein gehaltener Städte höchst ungünstig sind. Nachdem fast einen Monat hindurch das Wetter
über die Maassen feucht und heiss gewesen war, begann die
Sterblichkeit von New-York in der ersten Hälfte des Juli in so
hohem Grade zu steigen, dass es besorgt machen musste. In der
Woche, welche am 11. Juli endigte, fanden 614 Todesfälle statt,
bei einer Mitteltemperatur von 80° Fahrenheit während länger als
14 Tagen bei ausnehmend dunstiger Atmosphäre, so dass der
Erdboden mit Feuchtigkeit gesättigt war.

Während der Woche bis zum 18. Juli stieg die Hitze bis
auf 88° Fahrenheit und die Sterblichkeit hob sich auf 1142,

---

*) Ich will bei dieser Gelegenheit nicht unterlassen, die Herren Aerzte
auf die Kindernahrung von C. A. Jungclaussen (Apotheke beim Strohhause
in Hamburg) aufmerksam zu machen, die sich bei meinen Kindern ganz
vorzüglich bewährt hat.   E. Hallier.

fast so hoch wie in der verhängnissvollen Woche während der Cholera-Epidemie 1866.

Die Todesursache lag meist in diarrhoeischen Krankheiten, welche da am meisten wütheten, wo die Zusammenhäufung von Menschen am grössten war.

Zur Desinfektion in Häusern und auf den Strassen wurde Carbolsäure angewendet. Die Statistik der Diarrhoe zeigte den günstigsten Erfolg von der Desinfektion.

Die übrigen Maassregeln bestanden in Ueberwachung der Wasserzufuhr, der schädlichen Einflüsse ausströmender Gase, der Findelhäuser und Kleinkinderbewahranstalten (nurseries), der öffentlichen Bäder, der öffentlichen Brunnen, der Märkte, der Thierschlächtereien, des Transports von Dünger, Aas etc., der Strassenreinigung, der Vaccination und der Quarantänemaassregeln.

Am Morgen des 8. August wurde beim Board of health die Anzeige gemacht, dass in New-Jersey, der Stadt New-York gegenüber, Rindvieh angelangt sei, welches mit dem Spanischen Fieber oder der Texas-Rinderpest behaftet war. Dr. Harris wurde beauftragt, eine Untersuchung dieser Krankheit einzuleiten, wobei ihm Dr. Stiles als Mikroskopiker, Prof. Chandler als Chemiker und Dr. Morris zur Ueberwachung des eingebrachten Viehes zur Seite standen.

Harris hat einen sehr ausführlichen Bericht über seine Untersuchungen ausgearbeitet, dem wir die folgenden Angaben entnehmen:

Das Vieh war aus Central Illinois gekommen, hatte sich bei der Abreise augenscheinlich gesund befunden, nur 8 Tage vor der Ankunft in Jersey, am zweiten Tage nach der Abreise war die Krankheit ausgebrochen, und es waren in einem Zeitraum von 4—5 Tagen nicht weniger als 159 Stück an der Krankheit gestorben. Von 141 angelangten Rindern zeigten am folgenden Tage 15 die Zeichen der Krankheit. Zwei, die man untersuchte, zeigten eine Temperatur von 105° und 106° Fahrenheit.

Es wurden sofort Vorkehrungen getroffen, um die Einschleppung kranken Viehes zu verhindern. Ueber den Gang der Krankheit und die nöthigen Vorkehrungsmaassregeln giebt ein Artikel aus der Londoner Times vom 28. August so klaren und prägnanten Aufschluss, dass wir ihn hier nach dem Report wörtlich wiedergeben:

„As the home of the rinderpest is on the steppes of Russia,
so this American plague comes from the vast plains of Texas.

Now, it appears that during last May and June some fifteen
thousand cattle were slowly driven from Texas to Illinois, feeding on the prairies as they passed.

From Illinois, the disease spread to the adjoining State of
Indiana where thousands of cattle are still said to be dying of
it, and to the city of Chicago. The next step in its progress
was, that some Illinois cattle were dispatched by railway to
Pittsburg, in Pennsylvania. Before reaching Pittsburg a large
proportion of them perished, and others died in the Pittsburg
drove yards. Thence some apparently healthy animals were
sent by rail to New-York, but the fatal symptoms appeared after
their arrival, and within ten or twelfe days after the appearance of
the cattle at Pittsburg, the disease had penetrated to the northern
part of New-York State. The history of the development of the
disease, therefore is complete. From Texas it is tracked · over
the prairies to Illinois, and thence it is followed over railways
to the great towns of the West. With us, though the course of
the rinderpest is sufficiently established, there are generally some
doubtful links in the chain of· communication, but in this instance
every step is discernable.“

Der erste Bericht des Herrn Dr. Cresson Stiles über den
Befund an den geschlachteten schwerkranken Rindern lautet
folgendermaassen

                              Brooklyn, August 12th. 1868.

      E. Harris, M. D., Registrar etc.

       Dear Sir!

I have examined carefully the specimens of the plaque cattle
which I took on Sunday (August 9th.). I went at them at once,
before decomposition could change their character.

The Blood. — Not a single red blood disk could be detected.
The red disks had parted with their coloring matter, and the
serum was of a dark mahogany color. This evidence of dis-
organisation of the blood is a most important fact, as indicating
the nature of the disorder.

The Urine — Was of a glutinous character, excessively
albuminous; the blood corpuscles, which were abundantly contained in it, were shrivelled and crenated. The urine was of a
claret color, and contained a few casts of the tubuli uriniferi.

The Kidneys were deeply congested with dark blood, and their glomeruli and tubuli uriniferi were filled with extravasated blood.

Yours,

R. C. Stiles.

Am Abend des 10. August erhielten Gov. Ward und Dr. Harris aus der Stadt Hudson die Nachricht, dass dort eine Heerde von 70 oder mehr auf der Reise von Campville nach Hudson erkrankter Rinder angekommen sei. Am Morgen des 11. August fanden Dr. Stephen Smith, Inspector Morris und Dr. Harris mehre schöne fette Rinder im Verenden und nicht weniger als 15 in einem hoffnungslosen Zustand, während die ganze Heerde noch aus 66 Stück bestand.

Hier wurde eine sehr genaue anatomische, mikroskopische und chemische Untersuchung veranlasst, wodurch die Resultate, welche sich bei weiteren Untersuchungen vollkommen bestätigten, im Wesentlichen festgestellt wurden.

Sehr lehrreich ist der Bericht, welcher über die Geschichte dieser Heerde von Capitain James Park auf Veranlassung des Gouverneurs von Indiana abgestattet wurde. Ich lasse ihn hier wörtlich folgen:

Williamsport, Ind., August 31, 1868.

To his excellency Governor Baker:

As requested by your letter of the 22st, inst., I herwith transmit such a report of the facts in regard to the cattle disease as I think will meet the inquiry of the Metropolitan Board of Health.

On the 27th day of April, 1868, a herd of nine hundred and thirty Texan cattle were purchased at Colorado county, Texas. They were driven to the mouth of Red river, a distance of about six hundret miles, reaching that point May 31st, 1868.

They were at once shipped from that point on steamboats, and arrived at Cairo, Ill., June 4th, 1868. From thence they were shipped on the Illinois Central railroad, and reached Tolono, Ill., June 7th, 1868. From this point they were driven into Warren county, Ind., a distance of about 60 miles. They came into the western boundary of Warren county on the 12th June, 1868. There was a loss of forty-four head, only eight hundred and eighty six of the nine hundred and thirty head reaching

Warren county. These cattle were from four to six years old, all apparently in good condition, nothing indicating any disease whatever. There were „ticks" on very many of them. This herd is still at the present date in Warren county, Ind., all doing well, and no disease whatever having made its appearance among them; not one has died, notwithstanding more than five hundred native cattle have died all around them. This herd of Texan cattle, on the 12th day of June, 1868, passed over a certain piece of prairie pasture on the western boundary of this county (Warren). On the 19th day of June, 1868, a lot of native cattle, numbering ninety-five head, averaging over thirteen hundred pounds each, were permitted to graze upon the same pasture, and continued to feed upon the same until the 4th of August, 1868. One of the herd was noticed to be sick on the 28th of July, 1868, and up to the 4th of August, 1868, eleven were sick and three had died. On the 4th of August, 1868, eighty-four of this lot of ninety-five were driven to the West Lebanon railroad station, on the Toledo and Wabash railroad, and shipped for the New York market. This is, I presume, the herd of sick cattle referred to in Dr. Harris' letter. There were eleven head of another lot that had not been on this pasture, or in any way exposed to Texan cattle, shipped with the eighty-four; none of the eleven head were taken sick on the road to New York, but the sickness was confined to the eighty-four had exposed to the Texan cattle; at least had herded upon pasture passed over by Texan cattle.

On the night of the 12th of June, 1868, this lot of Texan cattle herded on another piece of prairie where a lot of one hundred head of native cattle were feeding. On the morning of the 13th of June, the Texan cattle were driven to the north of the county. Fifty-fife of the one hundred head of native cattle were three years old, the rest were one and two, all in good growing condition. On the night of the 12th of June, 1868, there were twenty-six head of native fat cattle in an adjoining enclosure to the ground occupied by the Texan cattle. About four weeks after the 12th of June, these twenty-six fat cattle broke out of their enclosure, and grazed upon the prairie where the Texan cattle had been on the night of June 12ht. On the 29th of July, one of these twenty-six was discovered to be sick, and died on the night of July 31st.

On the 1st day of August, two of the one hundred had died, and some twenty-five more were sick. From that time up to the present, the entire herd have been taken sick; eighty-eight head out of the one-hundred have died; twenty-two out of the twenty-six have also died; total, one hundred and ten out of one hundred and twenty-six. The remaining sixteen head have all been sick, and are now very poor and stupid, but have the appearance of getting well.

As a fact, wherever native cattle have passed over ground where this Texan herd have been, the native cattle have sickened and died. It is also a fact that other Texan cattle have been brought in to this county, have been herded with native cattle for two months, and as yet no disease has made its appearance. We have had over four thousand head of Texan cattle in this county this summer.

I have the honor to be,

Very respectfully, your obedient servant,

James Park.

Ferner fügt der Berichterstatter hinzu:

Concerning the lot of cattle which Captain Park mentioned as having been shipped from the West Lebanon railroad station on the evening of August 4th, the following note was received from Assistant-Commissioner Dr. J. G. Orton, of Binghamton, N. Y., soon after he assumed the duties of his office:

On the 9th of August last, from a lot of five car loads of cattle shipped from Buffalo, consigned to J. M. Thomas, and yarded off at Camprille for feed and rest, seven had died, it is supposed, from the then prevalent cattle plague.

Eleven others, exhibiting clearly developed symptoms of the disease, were detrained and enclosed in a yard by themselves. These all died in about three days. The survivors went through to the Bergen cattle market in the usual course. The eleven diseased cattle, I am informed, all manifested the usual symptoms of the plague, namely, rapid pulse, loss of appetite, head turning or drooping to one side (torticollis), discharging mucus from mouth and uose, urine bloody, and finally, inability to walk or stand alone. As these cases occurred several days previous to my appointment as assistant-commissioner, I had no opportunity

I regret to say, of making any examination of the bodies. They were hurriedly buried in trenches just outside of the cattle yards.

Very respectfully yours,

Binghamton, Broome.
County, N. Y.

J. G. Orton, M. D.,
Assistant-Commissioner of the State.

In den ganz übereinstimmenden Berichten zeigt sich ungemein deutlich die hohe Ansteckungsfähigkeit der Krankheit.

Vierzehn Tage nach diesen Begebenheiten wurde dem Board of Health angezeigt, dass im District von New York die Texaspest ausgebrochen sei und zwar in einer kleinen Heerde von 18 Stück, welche am 27. Juli Albany verlassen hatte, am 29. in Peekshill und am 30. in Sing Sing angekommen war.

Es war Vieh von Illinois, zur sofortigen Verwendung in Sing Sing und den umliegenden Dörfern angekauft.

Auch diese kleine Epidemie, die man rasch unterdrückte, bestätigte alles, was man über den Verlauf der Krankheit und ihre Ansteckungsfähigkeit früher in Erfahrung gebracht hatte.

Es wurde nun eine förmliche Commission ernannt zur Ueberwachung und Untersuchung der Krankheit. Herrn Dr. Morris wurde die Ueberwachung der Krankheit und die Anordnung der Sanitäts- und Vorbeugungsmaassregeln übertragen.

Der Eindruck, welchen das an der Texaspest leidende Vieh macht, wird folgendermaassen geschildert:

„An arched or roached back; head carried low down; ears drooping; eyes staring, with a dull, glassy appearance; gait tremulous, and staggering in the hind quarters; the faeces hard, streaked with blood; urine copious, and bloody in appearance (haematuria); pulse, in the most marked cases, was found to be about eighty, thready, and in some of the animals almost imperceptible; the respiration, in one marked case, was found forty, in the minute - auscultation of the chest furnished no abnormal signs; the temperature of the rectum, in some ot the most diseased, was found to be one hundred and seven degrees Fahrenheit."

Die Section eines im letzten Stadium der Krankheit geschlachteten Rindes ergab Folgendes:

„The gastro - intestinal mucous membrane was marked by

numerous ecchymotic patches; bile in abundance was found in the small intestines; the bladder was filled with bloody urine; the blood in a fluid condition, and imperfectly drained from the larger vessels; the muscles of a dark mahogany color, and unlike that of any normal and healthy flesh."

Die späteren ausführlichen Untersuchungen ergaben folgendes Krankheitsbild:

„Generally standing apart from their fellows, listless, indifferent to surrounding objects, restless; evidently desiring to lay down but fearing to do so, until compelled to yield by rapidly waning strength; the head-hanging low down, frequently within an inch of the ground, or occasionally pressed firmly against some unyielding object; the base of horns hot, the ears drooping, the eyes dull and staring; the spine, or back, peculiarly arched the hinder feet being drawn under the body and placed in a bracing attitude; a tremulous creeping over the flank muscles, with frequent efforts at voiding faeces, wich are generally small, hard and rounded, and covered with bloody mucus, though there is sometimes considerable looseness of the bowels, during some stages of the disease; frequently passing urine of a dark, bloody appearance. The pulse is rapid, very soft and feeble, respirations frequent, and during hot weather, panting, without exertion. The temperature both externally and internally increased. Flies are also observed to adhere to the animals, who seem either unconscious of their presence or too feeble to drive them off.

When animals dead of this disease are examined, even three or four hours after death has naturally taken place, it is found that there has been such rapid decomposition that the special pathognomic signs have become almost entirely obliterated, so rapidly does the peculiar activity of this poison destroy vital tissues.

It is only in the previous history of symptoms, in connection with certain marks of destruction upon the dense, firm membrane lining the tubular and pyloric portion of the abomasum or fourth stomach or „red", as it is called in common parlance, that a positive diagnosis can be given. But the signs, as presented upon an examination at slaughter are so uncomplicated with post-mortem changes, that the disease is pronounced unequivocally throughout the fluids and tissues.

1. A greatly increased temperature of the body and the blood is an indubitable and most trustworthy symptom of this disease, for it is the first symptom discoverable; it is excessive and extraordinary in degree, and it marks this disease as a pestilential fever.

2. Upon opening the animal the muscular tissue is seen of a dark red color; the fat is of a deep brown yellow, having in intense cases a green bronzed tinge.

3. The spleen is found enlarged, more or less engorged with dark colored blood, softened, frequently to a pulpy mass.

4. The abomasum, or fourth stomach, upon its inner tubular pyloric portion invariably presents sloughs, erosions and deep excavated ulcers of various forms and extent. There is usually accompanying these, more or less inflammatory appearances of the larger and more vascular portion of the stomach (gastritis). The ulcerations, or rather the peculiarities, that were found in the tubular portion of the rennet or fourth stomach, at the base of the longitudinal folds in that stomach, finally appeared to be a surer guide to recognition of the disease than was the mere appearance and size of the spleen or the liver; the absolute tests by the minute examination of the liver, bile and spleen-pulp by the microscopist, being of course preferred to all other kinds of evidence. Yet to the practiced eye, these ulcerations, sloughs and erosions served as trustworthy guides in deciding the nature of any case in which, for the moment, the other kinds of evidence were not accessible.

5. Kidneys generally enlarged, darker in color than normal, congested with blood, and the cortical substance usually softened.

6. The liver enlarged, increased in weight, generally fatty or waxy, its bile ducts and radicals fully injected with bile, its color changed to a yellowish brown.

7. The gall bladder filled with a dark, thick, tarry or flacky bile.

8. The bladder distended with dark, bloody urine.

9. Te intestinal canal in its various portions, the ileum, caecum and rectum, frequently presenting congested vessels under its mucous coat, its epithelium softened and easily scraped off with the finger.

10. The heart: muscular tissue sometimes found softened.

11. The lungs generally in a healthy condition; in some intense cases, interlobular emphysema.

12· The brain, in some cases, congested and softened.

In pronouncing the diagnosis of this disease beyond all dispute, the revelations of the microscope place the final seal upon all this group of symptoms and pathological changes. The blood, and bile, and liver, under this (microscopic) test,· give us a view of that factor which is the poison, which has produced these changes and death."

Zufolge ausführlicher Untersuchungen wird die Incubationszeit für die Texaspest auf 4—6 Wochen angegeben.

Die unter den Viehhändlern verbreitete Ansicht, dass eine Art Holzbock (wood-tick, Ixodes reticulatus) die Krankheit erzeuge oder wenigstens übertrage, wird widerlegt.

Es wird weiterhin die Analogie zwischen der Texas-Rinderpest und den Infektionskrankheiten des Menschen beleuchtet wie folgt:

„Here was a bovine pestilence that appeared to infect nearly all the cattle that grazed over the trail of freshly arrived Texas herds, and which destroys eighty per cent of all the Northern cattle that have become obviously infected. And yet, notwithstanding this fatality of the unseen contagium, the contagiousness itself is subject to such contingencies and exceptions, that it the more strongly promised to aid in unveiling very important truths relating to the origin and propagation of certain pestilences that afflict the human family within limited districts. Yellow fever, cholera and typhoid fever variously represent the kinds of contagia and classes of yet undiscovered material causes which need, if possible, to be individually described, so that the hygienic control of them may be more definite and absolute. And, as regards a remarkable association of analogies that we have found to exist between the Texas Cattle Disease and the yellow fever, as witnessed in the human family, it may be remarked that we are now fully warranted in adopting the expression used by Dr. Stiles in his report, that the „Texas cattle disease, when judged by its pathological lesions, might be termed the yellow fever of cattle." A detailed account of these analogies need not be presented here, but ·it suffices to state

that the points in comparison in these two pestilences are so
well marked, as to warrant the belief that the actual demonstration of the precise nature, origin, propagation and pathological effects of the infective principle or virus of either of
these two pestilences, would throw such a flood of light upon
that of the other as to enable medical men soon to grasp and
unfold the hitherto mysterious laws that govern the propagation
of yellow fever. Let it be understood, however, that we do
not presume that these two pestilences are identical; we simply
assert that they are wonderfully analogous in essential and constant attributes in their pathology, and in certain chief points,
but not in all, of the phenomena and habits of their respective
principles or agents of infectiveness."

Mit vollem Recht gibt sich der Reporter der Hoffnung hin,
dass nun, da man die Ursache einer thierischen Krankheit, der
Texas-Rinderpest, ausfindig gemacht habe, welche mit einer
menschlichen Infektionskrankheit die allergrösste Aehnlichkeit
habe, wo nicht gar mit ihr identisch sei, man auch dahin gelangen werde, die Ursache der menschlichen Infektionskrankheiten
aufzufinden.

Der wichtigste Theil der Untersuchung war offenbar der
mikroskopische und chemische.

Dr. Stiles bediente sich zu den schwierigeren Untersuchungen
eines Immersionssystems von Hartnack, welches mit dem Ocular
Nr. 4 eine Vergrösserung von 1000 lineare besass.

Die Sicherheit und Korrektheit von Dr. Stiles Untersuchung
gründete sich hauptsächlich auf den Umstand, dass alle mikroskopischen Präparate dem zu diesem Zwecke frisch geschlachteten
Vieh entnommen waren.

Mit Uebergehung der übrigen durch schöne Abbildungen
erläuterten mikroskopischen Veränderungen, welche Dr. Stiles
im Blut, in der Galle, in der Leber, in den Nieren, in der Milz,
auf den Schleimhäuten des Magens und der Därme etc. nachwies, beschränke ich mich im Folgenden auf eine kurze Angabe
der pflanzlichen Befunde.

Ich lasse auch hier Herrn Dr. Stiles selbst berichten[*]):

„Quite early in this investigation my attention was attracted

---

[*]) a. a. O., Seite 307.

to the existence in the diseased bile of minute vegetable germs, which multiplied abundantly in the varions specimens of bile preserved for analysis. They existed in the form of spherical or irregular aggregations of Micrococcus, the nature of which could be determined only by the employment of the highest powers of the microscope, and by studying their development They were found in fresh blood and bile, but with difficulty. In specimens of bile collected in the evening, they would be found abundantly in the morning; the white color of their aggregations contrasting with the yellow bue of the flocculi of the bile to which they were attached, and from which they seemed to be derived, their abundance being such as to preclude the idea of their derivation from any other source than the blood or the bile itself. A magnifying power of over one thousand diameters and a lens of good penetrating power were necessary to their definition. Within a few hours of removal from the body, numerons Cryptococcus (or torula) cells, resulting from the development of the former, were found, often containing crimson granules.

Specimens of bile and blood were collected from healthy animals and carefully examined, but in no instance did the forms described make their appearance. The ordinary attendants on putrefaction were alone described. Whether these forms of Micrococcus and Cryptococcus were merely accidental and attendant on a process of fermentation taking place in the bile, or were peculiar to the disease, their presence was an interesting fact, and their nature deserving of careful investigation. Their development was accordingly studied under various conditions. They were planted in solutions of sugar, gum and saliva, which had been boiled in order to destroy whatever germs of a different nature the solutions might contain, and were kept hermetically sealed at a temperature of 100^0 Fahrenheit for several days. The resulting anaerophytic forms (cryptococcus and torula) were planted on slices of apple, etc., and their development was noted. After a period of two weeks the planted area was found covered with penicillium, while the rest of the surface was free from vegetable growth. At the same time cryptococcus guttulatus, from the intestine of a rabbit which had been fed on the morbid bile, was also planted on slices of apple, and the germination noted. This was done for the purpose of comparison merely, Cryptococcus guttulatus being constantly found in the rabbit. The Cryptococcus from the bile, however, manifested very different phaenomena, although under precisely similar conditions with the former. After two weeks it had merely increased in quantity, aggregations of spores having been formed visible to the naked eye, but no filaments."

Herr Dr. Stiles geht nun auf meine Arbeiten über.

Er hatte die Güte gehabt, mir in einem luftdicht verschlossenen Gläschen solche Galle mit den mikroskopischen Pflänzchen zu übersenden. Ich fand sie noch keimfähig und erzog daraus durch Kultur ein sogenanntes Coniothecium. Leider ist diese frühere Rostpilzgattung aus so unbestimmten Formen zusammengesetzt, dass sich daraus ein bestimmtes Urtheil über den pflanzlichen Ursprung der Krankheit nicht ableiten lässt. Es muss weiteren Untersuchungen vorbehalten bleiben, diese Frage zu lösen, wenn die Krankheit wieder zum Ausbruch kommen sollte.

Die Gattung Coniothecium besteht aus Conidienformen von Ascomyceten, wahrscheinlich Pyrenomyceten; man wird also später zu untersuchen haben, ob an dem Ort des Ausbruchs der Texaspest sich irgend ein Pyrenomycet in grösserer Menge vorfindet, welcher als Ursache der Krankheit in Anspruch genommen werden könnte. Selbstverständlich wäre diese aetiologische Seite der Frage nur experimentell zu entscheiden.

Bericht

über die Besprechung der Krankheiten der Kartoffel auf der Kartoffel-Ausstellung zu Altenburg.

Abgestattet von

Ernst Hallier.

Da mehrfach Unrichtiges über den Gang der Verhandlungen zu Altenburg aufgetaucht ist, so halte ich es bei der grossen Wichtigkeit des besprochenen Gegenstandes nicht für überflüssig, hier einen ganz kurzen Bericht darüber mitzutheilen, für dessen völlige Korrektheit ich einstehen kann, soweit es meine Betheiligung betrifft.

Ich hatte mehre Tage hindurch meine mikroskopischen Präparate über die Kräuselkrankheit der Kartoffeln Jedermann, der sie zu sehen wünschte, gezeigt, und darunter befanden sich zu meiner Freude viele tüchtige Chemiker und Botaniker. Vorher war ich schon in Leipzig gewesen, wo ich meinem hochverehrten Kollegen Professor Dr. A. Zürn, und ebenso in Dresden, wo ich Herrn Hofrath Professor Dr. H. E. Richter die wichtigsten Präparate gezeigt hatte. Vor allen Dingen aber hatte ich mich bei dem berühmten Mykologen Herrn Professor Dr Julius Kühn in Halle angemeldet, und er hat den grössten Theil der Suite, anscheinlich nicht ohne Interesse, unter dem Mikroskop geprüft.

Um einer grösseren Zahl von Besuchern der Ausstellung die wichtigsten Thatsachen aus dem Leben des Pilzes klar zu machen, stellte ich eine Auswahl von nur acht Präparaten zusammen. Diese zeigten: 1) das Mycelium des Parasiten im Innern des Gefässes, 2) dasselbe braun werdend und Scheidewände bildend, 3) dasselbe die Zellen durchbohrend und kleine kugelige Conidia simplicia abschnürend, 4) Zellanhäufungen

(Rhizoctonia oder Dematium) an den oberflächlichen Zellen, 5) dieselben in Haare hineinwachsend, 6) dieselben Conidia septata zur Ausbildung bringend in Gestalt eines Helminthosporium (im Sinne von Fresenius), 7) dieselben zu abortiven Perithecien mit Stacheln auswachsend, 8) dieselben im Gewebe der Kartoffelknolle.

In den in der Aula stattfindenden Verhandlungen waren Herr Professor Dr. Oehmichen und ich mit den Referaten über die Krankheiten beehrt und suchten uns unserer Aufgabe nach bestem Wissen zu entledigen. Herr Professor Dr. Oehmichen gab das Krankheitsbild, während ich eine kurze Geschichte vom Leben des Parasiten entwarf, natürlich so, wie es für einen grösseren Zuhörerkreis berechnet werden musste.

Darauf machte Herr Dr. v. Pietrusky darauf aufmerksam, dass Ernährungsverhältnisse bei der Kräuselkrankheit eine grosse Rolle zu spielen scheinen.

Es sprach darauf noch ein praktischer Kartoffelzüchter über seine Erfahrungen.

Nun trat Herr Professor Blomeyer aus Leipzig auf. Er sprach von dem Vorkommen von Polydesmus exitiosus J. Kühn (Pleospora herbarum Tul.) auf der Kartoffel und äusserte Zweifel dagegen, dass Oehmichen und ich wirklich die wahre Kräuselkrankheit untersucht hätten. Ausserdem gab er zu verstehen, dass es mit meiner Pilzuntersuchung wohl nicht ganz richtig sein müsse, dass es doch merkwürdig sei, dass Herr Professor Julius Kühn diesen Pilz nicht gefunden habe u. s. w. u. s. w.

Ich habe glücklicherweise kein Gedächtniss für übel gemeinte Worte, aber soviel steht fest, dass die Versammlung durch die versteckten Angriffe des Herrn Professor Blomeyer nicht angenehm berührt wurde, zumal, da er mehrfach zeigte, dass er meinen Vortrag nicht einmal verstanden hatte und mir Dinge in den Mund legte, die ich gar nicht gesagt hatte. Er hätte sich doch auch die Mühe geben können, meine Präparate einmal anzusehen.

Nachdem noch ein anderer Herr gesprochen hatte, bat ich auf's Neue um's Wort und sagte, fast wortgetreu, folgendes

Meine Herren!

Ich habe selbstverständlich in die Diskussion über die Frage, ob die von uns untersuchte Krankheit die Kräuselkrankheit ist, oder nicht, gar nicht einzutreten. Ich habe nichts dagegen, wenn Sie dieser Krankheit irgend einen anderen Namen geben wollen, ja, ich will offen gestehen, der Name ist mir sogar völlig gleichgültig.

Ich musste mich bezüglich des Namens der Krankheit verlassen auf die Herren Landwirthe und·vor allem auf das sachkundige Urtheil meines hochverehrten Herren Kollegen, Herrn Professor Oehmichen. Ich habe mich aber, dass darf ich ihm heute und an dieser Stelle wohl gestehen, doch nicht so ganz allein auf ihn verlassen, vielmehr habe ich mich auch in der Literatur, und besonders in der englischen, umgesehen.

In England ist bereits früher als in Deutschland eine solche Krankheit weit verheerender aufgetreten, so dass sie oft die ganzen Zuchten vernichtet hat.

Bei dieser Krankheit hat Rev. Berkeley, einer der ersten Pilzforscher der Welt, einen Pilz aufgefunden, welcher, wie unser Pilz, die Kartoffelpflanze von unten herauf durchzieht, also wohl mit ihm identisch sein dürfte. Die Krankheit wird aber von den Engländern genannt „curl", d. i. Kräuselkrankheit.

Daraus geht also hervor, dass Herr Professor Oehmichen und ich uns mit den Engländern bezüglich der Benennung der von uns untersuchten Krankheit im Einklang befinden.

Meine Herren, ich habe Sie darauf hingewiesen, dass in meiner Zeitschrift eine sehr ausführliche Darstellung meiner Pilzuntersuchung mit zahlreichen Abbildungen erscheinen wird. Ich habe Sie bis zum Erscheinen dieser Arbeit um Ihr Vertrauen gebeten. Beim Studium der Arbeit selbst wird sich das Vertrauen von selbst einstellen. Aber Sie können denken, dass ich von einer Arbeit, die mir vier Monate Zeit gekostet hat, Ihnen in einer Stunde nur einen sehr kurzen Abriss geben konnte.

Jetzt aber, nachdem solche Worte gefallen sind, bin ich gezwungen, Ihnen doch noch Folgendes mitzutheilen über die Methode meiner Arbeit und den Gang der Untersuchung; das bin ich mir, das bin ich der Wissenschaft, ich bin es aber auch Ihnen schuldig, meine Herren.

Zur Untersuchung über die Kräuselkrankheit benutzte ich nicht bloss das mir von Herrn Professor Oehmichen zur Verfügung gestellte Material, sondern ausserdem eine eigene Zucht von vier amerikanischen Kartoffelsorten. Diese Zucht war ursprünglich

nicht für die Untersuchung bestimmt, sondern für meine Küche;
sobald ich aber sah, dass die Kräuselkrankheit auch in meinem
Garten zum Ausbruch kam, opferte ich die ganze Zucht der
Untersuchung. Diese wurde folgendermaassen ausgeführt. Die
Early Rose-Kartoffel war in 45 Exemplaren gelegt. Diese 45
Kartoffeln wurden nebst ihrer Brut und sämmtlicher Triebe
nach der Reihe aufgenommen und genau untersucht, durchschnittlich eine bis zwei am Tage, gleichviel ob gesund oder
krank. Es wurde jeder Trieb von oben bis unten durch alle
Iuternodien hindurch mikroskopisch geprüft, gleichviel ob gesund
oder krank, denn oft waren einige Triebe krank, andere an derselben Pflanze gesund; ebenso untersuchte ich die Stolonen, die
Mutterkartoffeln, die Brutkartoffeln, die Wurzeln.

Dabei stellte sich das Vorhandensein des Mycelium im Innern
des Stengels als ein ganz konstantes Vorkommniss heraus, so
dass man es als ein sicheres Kriterium für die Kräuselkrankheit
ansehen konnte, so sicher, dass ein mit den Kennzeichen der
Kräuselkrankheit versehener Trieb auch regelmässig vom Mycel
durchzogen war, während oft an derselben Pflanze ein äusserlich
gesunder und mycelfreier Trieb vorhanden war.

Ich habe ausserdem meine Präparate Niemandem vorent-
halten, Jedermann hat sie in der Ausstellung sehen können, ich
habe sogar zur Erleichterung noch eine kleinere Auswahl von
acht Präparaten aus der ganzen Folge von dreissig Präparaten
herausgenommen und mehre Tage unter vier Mikroskopen von
Herrn Zeiss vorgezeigt.

Giebt es für eine wissenschaftliche Untersuchung eine bessere
Grundlage, so bekenne ich, dass sie mir unbekannt ist.

Obwohl Herr Professor Oehmichen und ich von der völligen
Korrektheit unserer Untersuchung überzeugt sein durften, habe
ich doch, wie Sie leicht denken können, Fühlung gesucht mit
bedeutenden wissenschaftlichen Autoritäten; ich habe mich deshalb, bevor ich zu Ihnen reiste, nach Halle zu Herrn Professor
Dr. Jul. Kühn begeben, den ich allerdings als die erste Autorität
auf dem Gebiet der Pflanzenkrankheiten anerkenne. Herr Prof.
Dr. Jul. Kühn hatte die Freundlichkeit, eine Reihe von Präparaten
anzusehen, er hat sich also ein eigenes Urtheil über meine Arbeit
bilden können.

Gestatten Sie mir zum Schluss noch die Bemerkung, dass die vorhin ausgesprochene Ansicht, dass Ernährungsverhältnisse ein wesentliches Moment in der Aetiologie der Kräuselkrankheit abgeben, der Parasitenlehre keineswegs widerspricht, denn jeder Parasit bedarf zu seiner energischen Entwickelung gewisser Bedingungen, wie: Wärme, Nahrung von bestimmter Zusammensetzung, Feuchtigkeitsverhältnisse u. s. w. Man wird bei dieser Krankheit wie bei den meisten parasitischen Erkrankungen zu unterscheiden haben: 1) den Parasiten selbst als die eigentliche Ursache, und 2) äussere Verhältnisse als sogenannte disponirende Momente, d. h. günstig oder hemmend auf den Parasiten einwirkend.

Zu dem vorstehenden kurzen Bericht erlaube ich mir nun noch folgende Zusätze.

Herrn Dr. Blomeyer's Einwendung gegen meine Untersuchung gründen sich wohl lediglich auf eine Arbeit von Herrn Professor Schenk in Leipzig, welche derselbe vor Kurzem in ihren Resultaten in der Deutschen landwirthschaftlichen Presse bekannt gemacht hat.

Ich bedaure es ungemein, dass Herr Blomeyer nach jener Diskussion gleich abreisen musste, denn er hätte sich durch eine ausführliche Demonstration meinerseits und durch genaue Besprechung mit mir leicht verständigen können und würde gesehen haben, dass es sich hier in der That um einen sehr eigenthümlichen Parasiten handelt, dessen Vorhandensein die Krankheitserscheinungen durchaus erklärlich erscheinen lässt.

Dass Herr Professor Schenk bei der Kräuselkrankheit den Parasiten übersehen hat, liegt wohl daran, dass er die Arbeit erst im Sommer begann, als die Krankheit bereits im Erlöschen begriffen war. Es ist ihm aus diesem Uebersehen kein so grosser Vorwurf zu machen, denn es ist manchen Forschern so gegangen. Man glaubt natürlich, der Parasit müsse in den äusserlich sichtlich erkrankten Pflanzentheilen vegetiren, aber hier findet man nichts. Während aber die Blätter ganz zart vom Rande her sich einzurollen und zu kräuseln beginnen, ist es leicht, in den Gefässen der untersten Internodien das Mycel nachzuweisen.

Wenn die Kartoffelpflanze mit Peronospora befallen ist und
es tritt darauf trocknes Wetter ein, so hört bekanntlich die
Peronosporakrankheit auf. Die dunkeln Flecke auf den Blättern
vertrocknen und es stellt sich regelmässig auf denselben Pleospora herbarum Tul. ein mit Conidiis simplicibus (Cladosporium
herbarum auct.) und meist auch mit Conidiis septatis (Polydesmus
exitiosus J. Kühn, die Gattungen Septosporium, Sporidesmium u. A.
nach Tulasne's Kritik). Wer weniger genau mit den beiden
Krankheiten, die gar nicht selten gleichzeitig auftreten, vertraut
ist, der kann leicht Missgriffe begehen, und etwas Menschliches
derart scheint auch Herrn Professor Schenk begegnet zu sein,
da er die durch Polydesmus exitiosus J. Kühn hervorgerufene
Krankheit, wenn sie diesen Namen verdient, für eine der Kräuselkrankheit ähnliche hält.

Auch das ist menschlich und sollte nicht allzu strenge be-
urtheilt werden, da selbst geübten Mykologen bisweilen Der-
artiges begegnet.

Interessant ist jedenfalls, dass wirklich das Mycel von
Pleospora herbarum Tul. bisweilen ins Innere des Stengels der
Kartoffel einzudringen scheint. Dafür scheinen die Beobachtungen
von Nobbe zu sprechen. Die Erkrankung, welche als Folge dieses
Eindringens anzusehen ist, ähnelt nach den bis jetzt vorliegenden
Beschreibungen der Kräuselkrankheit in der That, und es wäre
ätiologisch sehr interessant, wenn zwei so nahe verwandte Parasiten wie Pleospora polytricha Tul., welche die eigentliche Kräuselkrankheit hervorruft, und Pleospora herbarum Tul. ähnliche pathologische Zustände bedingten.

Franz X. v. Gietl
über die Aetiologie des Typhus.

Franz Xaver von Gietl, Leibarzt Sr. Majestät des Königs Ludwig von Bayern, Geheimer Rath, Professor und Oberarzt der I. medicin. Klinik und Abtheilung im städtischen Krankenhause zu München etc. etc., hat bekanntlich seit Jahrzehnten eine Ansicht über den Typhus vertheidigt und sicher zu begründen gewusst, welche mit der Parasitenhypothese steht und fällt. Da neuerdings gerade die Arbeit des Herausgebers dieser Zeitschrift über den Typhusparasiten Gegenstand der lebhaftesten Diskussionen und experimenteller Erörterungen wird, so ist es gewiss zeitgemäss, im Folgenden Gietl's Lehre, wie sie in neuester Zeit*) im Zusammenhang veröffentlicht wurde, mitzutheilen.

Ueber den Typhus.
Thatsachen.

Meine vieljährigen Arbeiten und Forschungen über den Typhus im städtischen Krankenhause l. d. J. vom Jahre 1838 bis 1875, in welchem Zeitraum München seine grössten Epidemien durchzumachen hatte, erstrecken sich nun über ein Material von achttausend Fällen; die daraus gewonnenen Resultate sind hier in aller Kürze vorgetragen.

Der Mensch schafft sich selbst durch seine Lebensweise unbewusst Keime verderblicher Krankheiten, von denen die durch Fäulniss veranlassten obenan stehen; er steht immer mehr oder minder im Kampfe gegen die Fäulniss, die ihn fortwährend tückisch zu beschleichen droht. Bis zum Jahr 1839 war der

---

*) Franz X. v. Gietl, Die Grundzüge meiner Lehre über Cholera und Typhus. München 1875.

Typhus in München sehr mässig; er gewann aber Verbreitung
mit der Zunahme der Häuserzahl und der Bevölkerung. Allgemein bestand die Anschauung, dass das Nerven- und Schleim-
fieber — jetzt Typhus genannt — sich aus jeder Krankheit
entwickeln und mit jeder Fieberform verbinden könne; so nun
vermengte sich der Typhus undefinirt und unbegrenzt unter die
Fieberformen aus den verschiedensten Ursachen. Vom Jahr
1839—1842 zog sich eine Fieberepidemie unter geringen Kurven
hin, aus welchen bald herauszufinden war, dass ein spezifischer
Giftstoff einem grossen Theil dieser Fieber zu Grunde liegen
müsse, und ich richtete nun meine Forschungen nach den Ursachen und Quellen dieses Infektionsfiebers*).

Das grosse städtische Krankenhaus l. d. J. hat 500 Betten
und verpflegt jährlich 9000 Kranke. In den Winter- und Früh-
lingsmonaten der letzten Jahre ist das Haus vollständig belegt
gewesen, und nahezu zwei Dritttheile der Pfleglinge sind Fieber-
kranke, welche die Hälfte der Typhuskranken der Stadt — mit
Ausschluss der Vorstädte — einschliessen; die andere Hälfte
kommt auf die Privatpflege. Obgleich der Typhus in sehr
mässiger Zahl bis zum Jahr 1838 im Krankenhause vertreten
war, so verfielen doch von Zeit zu Zeit die Assistenten dem
Typhus; aber von diesem Jahr (1838) ab kamen keine Typhuserkrankungen unter den Assistenten mehr vor, nachdem die Aborte
und Versitzgruben umgebaut, für Wasserclosets gesorgt und guss-
eiserne emaillirte Schläuche durch alle Stockwerke geführt und
cementirte Senkgruben hergestellt worden sind. Vor Allem hat
die gewissenhafteste bis in's Kleine gehende Reinlichkeit unter
der segensreichen Wirksamkeit des Ordens der barmherzigen
Schwestern vom hl. Vincenz die Erkrankungen im Orden selbst
und in dem Krankenhause wohnenden Dienstpersonal auf eine
höchst geringe Zahl herabgebracht. So lange die Wäsche der
Kranken unmittelbar von zwölf Mägden gereinigt und besorgt
wurde, verfielen alljährlich mehrere von ihnen dem Typhus; mit
dem Jahr 1851, der Einführung einer Dampfvorrichtung zur
Reinigung der Wäsche, welche die Mägde nicht mehr unmittelbar
mit ihr in Berührung brachte, hörten diese typhösen Erkrankungen

---

*) Die Ursachen des enterischen Typhus in München von *Franz X.
v. Giell*. Leipzig 1865. Verlag von Wilhelm Engelmann.

auf. In der langen Reihe von Jahren, als ich ohne Unterbrechung
Dienste im Krankenhause machte, hat sich *nie* im Krankenhause
ein Typhusherd angesetzt. Die Uebertragung des Typhus auf
Nebenkranke ist im Ganzen gering und übersteigt nicht die Zahl
von drei Prozent, obwohl es bei aller Mühe unmöglich ist, eine
ganz genaue und richtige Zahl der im Spital von Typhus angesteckten Nebenkranken zu gewinnen. Denn in die bedeutende
Zahl von Fieberkranken eines so grossen Spitals mengen sich
manche im Hospital geschöpfte Infectionen, die aber hinsichtlich
ihrer Quelle nicht immer zu diagnosticiren sind. Die weit überwiegende Zahl der Befallenen waren solche, die schon lange mit
acutem Rheumatismus, Entzündung verschiedener Organe und
sonstigen chronischen Krankheiten im Spital lagen, das Bett nicht
verlassen konnten und sich der Leibschüssel bedienen mussten,
wobei die Vermuthung sich geltend macht, dass die Leibschüsseln
manche Infektionen vermittelt haben mögen. Dagegen stehen die
Erkrankungen an Gastricismen, fieberlosen und fieberhaften Diarrhöen, an Cholera-Anfällen in geradem Verhältniss zu der Zahl
der Fieberkranken, und haben bei ungewöhnlicher Anhäufung
von Fieberkranken in den Jahren 1871—1873 eine ausserordent-
liche Höhe erreicht, indem unter diesem Einfluss die Typhuskranken selbst kein Gedeihen finden konnten, wovon mehrere
dem Brand der Zunge, des Gaumens, der Augenlider und der
Diphtherie verfielen. Sehr augenfällig tritt diese Nosokomial-
infektion durch folgendes Ereigniss hervor. Im Dezember 1857
und Januar und Februar 1858 wurden in zwei Rekonvaleszenten-
sälen der Frauen Typhusreconvalescenten und am Schlusse des
Typhus stehende Kranke, von denen mehrere brandigen Decu-
bitus und eine Kranke eine jauchige Zerstörung der Parotis
hatten, mit anderen Kranken zusammengelegt. Nach wenigen
Tagen bekamen fast alle Kranken profuse Diarrhöen, mehrere
heftiges Erbrechen und eine Kranke die ausgebildetste Cholera.
Eine andere Kranke hatte ein reines Geschwür an der Schläfe
in Folge eines weggeätzten Hautkrebses, welche ebenfalls
Diarrhöe und Erbrechen bekam und bei der sich das Geschwür
schwarzgrau (diphtheritisch) belegte. Auf mein Ansuchen hatte
Pettenkofer die Luft dieser zwei Säle untersucht und mir
folgende schriftliche Mittheilung gemacht: „Die Luft des Saales
Nr. 53 enthielt in 1000 Theilen 6,7 Kohlensäure und des Saales

Nr. 54 enthielt in 1000 Theilen 6,6 Kohlensäure. Da nun dieser
Kohlensäuregehalt noch nicht eins pro mille beträgt, so kann
man die Luft nicht schlecht in Folge mangelnden Luftwechsels
nennen. Dieses Resultat widerlegt übrigens noch keineswegs
das Vorhandensein eines Krankheitsstoffes in der Luft oder im
Saal überhaupt; es sagt nur, dass die Quelle der Krankheiten
nicht im Mangel an Luftwechsel zu suchen sei." Die zwei Säle
wurden neu evacuirt, durch mehrere Tage die Fenster und
Thüren offen gelassen und Chlor und Schwefel in Anwendung
gebracht. Nachdem aber wieder Kranke in die Säle gebracht
worden, verfielen sie von Neuem den vorerwähnten Zufällen.
Die Wände beider Säle wurden nun abgekratzt und getüncht,
womit diese Infektionen aufhörten.

Das Waschhaus des Krankenhauses liegt vom Mutterhaus
Kloster in geringer Entfernung. Das Waschhaus hat ganz nahe
einen zwanzig Fuss tiefen Brunnen, von dem das Wasser durch
Druckwerk in einen unter dem Dache des Waschhauses befindlichen Behälter gepumpt wird. Auf der östlichen und nördlichen
Seite des Waschhauses befinden sich in einiger Entfernung fünf
Versitzgruben in kontinuirlicher Kette durch einen Kanal verbunden. Die Versitzgruben sammeln das Wasser, welches zum
Reinigen der Krankenwäsche und also auch der vielen Typhuskranken gebraucht wurde. Dieses Abwasser gelangt nun durch
die Kanäle in die Versitzgruben. Auf solche Weise stagniren
in den einzelnen Gruben die wenigen flüssigen Bestandtheile des
Abwassers. In der letzten Grube, welche die meiste Flüssigkeit
enthält und in die auch noch das übrige abfliessende warme
Wasser geleitet wird, bleibt sämmtlicher Inhalt und versickert allmählich in die umliegende Erde. In der Mitte dieser Versitzgruben
liegt nun der Pumpbrunnen. Die fünf unter sich durch einen Kanal
verbundenen Versitzgruben enthalten das durch Schmuz und Exkremente von Typhuskranken verunreinigte Wasser, aber mit
Unterschied, dass die Gruben; in welche das Wasser zuerst fliesst,
mehr die festen, die andern die schlammigen und flockigen Stoffe
zurückhalten. Der Inhalt dieser Gruben, mikroskopisch untersucht, zeigt alle nur möglich denkbaren Formen von in Zersetzung begriffenen Substanzen, wie sie eben der Wäsche einer
so grossen Zahl von schwer Erkrankten anklebt. Das Wasser
des Pumpbrunnens zeigt ganz dieselben Bestandtheile der in

Zersetzung und Fäulniss begriffenen Substanzen, aber in grösserer Verdünnung. Die chemische Untersuchung des Wassers des Pumpbrunnens wies einen bedeutenden Gehalt von organischen Stoffen und salpetersauren Salzen nach. Vom 17. bis 28. September 1860 nun geschah die Reinigung der Kanäle der Stadt, während welcher die Wasserleitungen sistiren. Spital und Klosterküche wurden mit Wasser aus Pumpbrunnen im Klosterhofe versehen, während das Wasser zum Reinigen und zu Bädern aus dem oben beschriebenen, in Mitte der Versitzgruben liegenden Pumpbrunnen ins Kloster und ins Spital geleitet wurde. Ungeachtet des Verbots, von diesem Wasser zu trinken, haben doch mehrere Mitglieder des Ordens eingestandenermassen zwischen dem 17. und 28. September davon getrunken.

Vom 19. September bis 4. Oktober erkrankten in rascher Folge 33 Mitglieder des Ordens, meist aber Novizinnen. Davon hatten elf schwere und neun leichte Typhen und fieberhafte Darmkatarrhe, sechs Erbrechen und Diarrhöen ohne Fieber. Anfangs Oktober gingen noch sieben Novizinnen, welche auf das Trinken des erwähnten Wassers sich unwohl fühlten, in ihre Heimath. Von diesen sieben starb eine nach neunzehn Tagen, und zwei lagen noch schwer darnieder. Von den 26 im Mutterhaus verbliebenen starben vier. Es ist nun bis zur Evidenz erwiesen, dass die 33 Erkrankungen in dem Genusse des mit Fäkal- und fauligen Stoffen gemischten Trinkwassers ihre Veranlassung hatten.

Vom Jahre 1839 ab ist der Typhus in München unter oft bedeutenden Schwankungen und Remissionen stationär geworden. Er hat sich allmählich über die ganze Stadt ausgebreitet, und es wird keine Strasse sein, in der nicht Typhuskranke vorkamen. Aber das Charakteristische seiner Verbreitung ist das gruppenartige Auftreten; wo ein wahrer Typhusfall sich zeigt, waren mehrere oder werden mehrere nachkommen. Das Verfolgen der Gruppen, die in grössere und kleinere zerfallen, führte zu der Erkenntniss, dass ihnen Lokalursachen zu Grunde liegen.

Aus der Aufzeichnung und Besichtigung der Wohnungen der in meine Abtheilung zugehenden Typhuskranken durch eine lange Reihe von Jahren ist ersichtlich, dass mehrere Strassen kleinere Gruppen von Häusern, dann selbst einzelne Häuser zu verschiedenen Zeiten Typhusfälle in geringerer oder grösserer

Zahl liefern. Nun aber ereignet es sich auch, dass der Typhus
einen Theil seiner früheren Stationen verlässt und frische auf-
sucht; ein andermal haftet er fest in einzelnen Strassen und
Häusern, aus welchen dann das ganze Jahr in verschiedenen
Zwischenräumen Typhusfälle kommen. Demnach giebt es stehende
und wandelnde Typhusherde.

Im Jahre 1852 hatte fast jedes Haus in der Schwanthaler-
strasse Typhuskranke, in einem Hause kamen in kurzer Zeit
die schwersten Typhusfälle vor; in den folgenden Jahren war
der Typhus aus dieser Strasse verschwunden. Im Jahre 1852
war in der Schillerstrasse ein bedeutender Typhusherd. In einem
Haus dieser Strasse erkrankte innerhalb weniger Tage eine
Familie von acht Personen, von welchen zwei starben und die
übrigen sechs die bösartigsten Formen durchmachten. Die folgenden Jahre war der Typhus aus dieser Strasse verschwunden.
In einem Haus der Amalienstrasse kamen in einem Zeitraum
von zehn Jahren vierzehn Erkrankungen an Typhus vor. Die
Befallenen waren Studirende der Universität, bewohnten in diesem
Haus der Reihenfolge nach dieselben Etagen und meist dasselbe
Zimmer, und es erlagen zwei von ihnen der Krankheit. Die
königliche Residenz mit ihren hohen und weiten Räumen, welche
immer 80 bis 85 Inwohner hat, war mit Aborten und Kanälen
verwahrlosten Zustandes versehen. Alljährlich kamen ein bis
zwei Typhen vor, denen Diarrhöen und gastrische Fieber voran-
gingen oder nachfolgten, und immer waren dieselben Abtheilungen
und Wohnungen der königlichen Residenz getroffen. In einer
dieser Wohnungen war eine Familie von acht Personen, welche
im Januar des Jahres 1856 nach mehrtägigem Thauwetter in
Folge heftiger Ausdünstung vom Aborte her an Diarrhöe und
Erbrechen erkrankten; die Bonne der Kinder bekam den Typhus
und wurde ins Spital gebracht, und ihre Stellvertreterin verfiel
schon am dritten Tag ihres Aufenthaltes in dieser Wohnung einem
Fieber mit Erbrechen und Diarrhöe. Als nun die Aborte und
Kanäle gründlich hergestellt, umgebaut und in den besten Stand
gebracht wurden und darin erhalten werden, sind seit mehr als
fünf Jahren Typhus und putride Erkrankungen verschwunden.
Nur kam in einer Wohnung, dessen Abort vorübergehend in Unordnung gerathen war, vor etwa zwei Jahren eine einfache putride
Infektion mit Fieber vor.

In einer weiten Strasse bildet ein sehr hohes Haus mit grossen und schönen Räumen und immer von wohlhabenden Familien bewohnt, mit zwei andern gleich hohen Häusern ein Dreieck, welches einen gemeinschaftlichen Hofraum hat. In diesem hohen Hause kamen immer Diarrhöen und Typhen vor, und wegen des zeitweiligen Auftretens fauligen Geruches wurden Verbesserungen der Aborte vorgenommen, aber ohne besonderen Erfolg, die putriden Erkrankungen hörten nicht ganz auf. Nun ward zu einer gründlichen Abänderung der Kloake, der Versitzgrube, der Abortrohre vorgegangen; bei Vornahme dieser Reparaturen fand sich eine Versitzgrube, deren Existenz niemand ahnte und welche wenigstens vierzehn Jahre nicht mehr geleert und gesäubert worden war. Nach gründlich und energisch durchgeführten Arbeiten sind nun in diesem grossen Haus, dessen Einwohnerzahl 60 beträgt, die typhösen und putriden Erkrankungen seit fünf Jahren verschwunden.

Wies, nicht weit von Steingaden und eine Stunde vom Trauchgebirge, 2662 Fuss über der Meeresfläche, hat fünf Wohnhäuser mit felsigem Untergrund, kostbares Trinkwasser und die gesündeste Lage weit umher. Die Aerzte wissen nicht, dass da der Typhus einmal eingeschleppt worden sei. Ende Juni 1856 kam nun ein beurlaubter Soldat aus der Garnison München in seine Heimath Wies. Am vierten Tage nach seiner Ankunft entwickelte sich bei ihm ein heftiger Typhus, von dem er nach acht Wochen genas. Sein Bruder, der ihn pflegte, erkrankte vierzehn Tage darauf an Typhus von nicht sehr intensivem Verlaufe. Der dritte Bruder, ein stets gesunder, kräftiger Bursche, Holzarbeiter im Gebirge, kam nach Hause, um seinen kranken Bruder zu besuchen. Einige Zeit nach diesem Besuche verfiel er dem heftigsten Typhus, dem er am 21. Tage erlag. Im August erkrankten der Wirth und die Wirthin an Typhus. Im benachbarten Haus erkrankte eine alte Frau an Typhus und genas. Erst im November 1856 erlosch der Typhus in diesen Häusern. Von den fünf Wohnhäusern in Wies blieb nur ein Haus verschont, das von zwei alten Leuten, die in grösster Abgeschiedenheit lebten, bewohnt war. In das Haus, in dem der beurlaubte Soldat mit seinen Brüdern lag, kam ein gesundes Mädchen von 17 Jahren zum Besuche. Bald darauf erkrankte sie in ihrem väterlichen Hause, das eine halbe Stunde von Wies

entfernt und isolirt steht, an Typhus und starb am vierten Tage
der Krankheit. Dieses Mädchen wurde von ihrer Freundin,
einem 18jährigen Mädchen aus einem benachbarten Dorfe, be-
sucht. Bald nach diesem Besuche erkrankte sie und darauf ihr
Bruder. Während des in Wies herrschenden Typhus wurden in
der dortigen sehr besuchten Wallfahrtskirche Baulichkeiten vorgenommen, bei welchen mehrere Arbeiter beschäftigt waren.
Wegen zu grosser Entfernung ihrer Wohnhäuser übernachteten
sie auf den dortigen Heuböden. Ein Maurer aus dem benachbarten Trauchgau schlief in dem Hause des beurlaubten Soldaten,
erkrankte sehr bald in seiner Heimath und erlag schon am
zehnten Tage dem Typhus. Während der Erkrankung dieses
Maurers verfielen in den benachbarten Häusern vier junge Leute
dem Typhus. Von da wurde von diesen Arbeitern noch in drei
nahegelegene Ortschaften der Typhus verschleppt, in welchen
eine ziemliche Anzahl Personen erkrankte und mehrere starben.

Ein Soldat lag vier Wochen an Typhus im Militärkranken-
hause zu München und wurde am 31. Dezember 1869 von da
in seine Heimath Pfelling, Bezirksamt Bogen, entlassen. Sogleich ward er daselbst wieder bettlägerig und starb an Perfo-
ration des Darmes. Darauf erkrankten mehrere Bewohner des
Hauses, in welchem der Soldat starb, darunter drei Schulkinder.
Von da nun wurde der Typhus in die Nachbarhäuser und selbst
in die zunächst gelegenen Ortschaften verschleppt.

Dr. Alb. Haug, welcher auf meiner Klinik und·Abtheilung
sich auf das einlässigste mit dem Studium des Typhus beschäftigte*), theilte mir schon vor mehreren Jahren äusserst
merkwürdige und werthvolle Beobachtungen über den Typhus
mit. Im Dorfe Riedheim bei Günzburg a. D. wohnte eine Bauern-
familie Gerstlbauer, zu zehn Köpfen, die beiden Eltern und acht
Kinder. Zwei Schwestern dienten in Ulm und die dritte in
einem Hause des Ortes, so dass die Eltern und die fünf Kinder
zusammenwohnten. Im Dorfe Riedheim gab es durch lange Zeit
keine Typhuskranken. Im Jahre 1864 und Anfang 1865 kam

---

*) Beobachtung aus der medizinischen Klinik und Abtheilung des Pro-
fessors v. Gietl im allgemeinen Krankenhaus zu München mit einer sta-
tistischen Uebersicht des Jahres 1856/57, zusammengestellt von Dr. Alb.
Haug, früher Assistenzarzt. München 1860. Diese Schrift enthält meine
Lehren über die Ursachen, Pathologie und Therapie des Typhus.

in der Familie Gerstlbauer eine Reihe von Typhuserkrankungen vor. Am 14. Oktober 1864 kam die Tochter Christine von Ulm, wo es Typhusherde giebt, in das väterliche Haus mit Typhus, der mild verlief. Sie lag im gemeinschaftlichen sehr geräumigen Wohnzimmer und wurde nur von ihrer Schwester Margaretha gepflegt, welche bei ihr im Zimmer schlief und die diarrhöischen Ausleerungen auf den vor dem Hause befindlichen Düngerhaufen brachte. Am 9. März kehrte Christine gesund nach Ulm zurück. An diesem Tage wurde der oben erwähnte Düngerhaufen abgeführt, und beim Aufladen waren die Töchter Margaretha, Katharina, Ursula und die Mutter, dann der Sohn Christian beschäftigt. Nicht beschäftigt waren dabei der Vater und die jüngste Tochter. Sämmtliche beim Aufladen des Düngers beschäftigte Personen verfielen später dem Typhus, die beim Aufladen nicht Beschäftigten, Vater und die jüngste Tochter, erkrankten nicht. Zuerst erkrankte am Typhus Margaretha, welche die Christine gepflegt hatte, und starb am 28. März. Christine kam gleich am 14. März bei der Erkrankung der Margaretha von Ulm zurück zur Pflege derselben und der später erkrankten Geschwister, welche sie allein besorgte. Die Schwestern Katharina und Ursula schliefen sieben Nächte im Zimmer der Margaretha. Am 18. März erkrankten Katharina und die Mutter an heftigem Typhus und bestanden ihn. Am 24. März verfiel Ursula dem Typhus und genas. Am 1. April wurde der Sohn Christian von Kopfschmerzen, Erbrechen und vergrösserter Milz befallen, welche Erscheinungen bis zum 10. April anhielten und dann verschwanden. Die Ausleerungen der letzterwähnten fünf Kranken wurden in den vor dem Hause befindlichen Düngerhaufen an einer Stelle tief vergraben. Der Dünger ward im Verlaufe des Sommers drei- bis viermal abgeführt. Bei dieser Arbeit halfen die nämlichen Personen, als sie nach überstandener Krankheit wieder arbeiten konnten, die am 9. März dabei beschäftigt waren. Nur der Vater und die jüngste Tochter waren wieder wie am 9. März dabei nicht beschäftigt. Neun Monate nach den Erkrankungen auf das erste Abfahren des Düngerhaufens wurde er am 19. December wieder abgeführt, wobei hauptsächlich der Vater und der Sohn Christian, der schon nach dem ersten Wegführen des Düngers einige Tage gastrisch erkrankt war, Hand anlegten. Die Düngerstätte ward ganz entleert, und der Vater erzählt, dass er dem Sohne Christian, aus der Stelle, wo die Entleerungen vergraben waren, den Dünger zuschob zum Aufladen auf den Wagen. Christian erkrankte noch desselben Abends an anginösen Erscheinungen mit bald darauffolgendem Typhus, dem er am 18. Januar 1865 erlag.

Von dieser Familie waren somit sechs am Typhus erkrankt, wovon zwei starben. Die beiden Töchter, von denen eine in Ulm, die andere in Riedheim im Dienste waren, kamen gar nicht in das elterliche Haus. Nur der Vater und die jüngste Tochter, obgleich sie im Hause wohnten, erkrankten nicht. In dieser Hausepidemie sind folgende Thatsachen von Erheblichkeit. Der Typhus wurde von Ulm her in das Gerstelbauer'sche Haus eingeschleppt. Nach dem ersten Abfahren des Düngerhaufens am 9. März erfolgten die Erkrankungen in folgender Reihe: Margaretha am 14. März, Katharina und die Mutter am 18. März und Ursula am 22. März am Typhus, Christian am 1. April an gastrischen Erscheinungen. Nach dem dreimaligen Abfahren des Düngers im Sommer kamen keine Erkrankungen vor; die Arbeit wurde von jenen besorgt, die den Typhus durchgemacht hatten. Bei dem völligen Wegbringen des Düngerhaufens am 19· Dezember ward Christian inficirt und erlag dem Typhus. Margaretha pflegte ausschliesslich ihre Schwester Christine. Katharina und Ursula schliefen in dem Zimmer der kranken Margaretha durch mehrere Nächte, ohne sich an der Wartung der Kranken zu betheiligen. Die Mutter und der Sohn Christian kamen in keine Berührung mit dem kranken Mädchen. Margaretha, die alleinige Pflegerin der Christine, wird wahrscheinlich schon in Krankenpflege die Infektion geholt haben.

Bei Katharina und Ursula bleibt es unentschieden, ob die Infektion in den Nächten, welche sie in dem Zimmer der Margaretha zubrachten, oder beim Aufladen des Düngers am 9. März geschah. Bei der Mutter jedoch fällt dieser Zweifel weg und die Infektion geschah durch den Düngerhaufen. Neun Monate hatten die Typhuserkrankungen im Gerstlbauer'schen Haus ausgesetzt, als Christian bei dem Abräumen der Düngerstätten eine Infektion erlitt, der er nach einigen Wochen erlag. Bei Christian sind gar keine Nebenumstände, welche nur im entferntesten die Infektion durch den Düngerhaufen, in dem Typhusstühle vergraben waren, zweifelhaft machen ·können. Diese Beobachtung beweist auch die lange Dauer der Keimfähigkeit des Typhusgiftes und, wie es scheint, auch ein weiteres Aufschliessen desselben durch den Gährungs- und Fäulnissprozess in Dünger-haufen*).

Von früheren Assistenten meiner Klinik und Abtheilung erhielt ich die werthvollsten Mittheilungen über den Typhus während des deutsch-französischen Krieges der Jahre 1870 und 1871. Namentlich hat Dr. Joseph Hauber, der schon auf meiner Klinik eingehende Studien und Arbeiten über das Fieber machte, aus Antony vom 29. Oktober 1870 mir einen vortrefflichen Bericht zugeschickt; in welchem auseinandergesetzt und dargethan ist, wie unter dem engen Zusammensein sonst ganz gesunder Menschen, die unter der eisernen Macht des Krieges in Mitte ihrer Abfälle bei Mangel aller Pflege und Reinlichkeit des Körpers leben mussten, sich von dem einfachen Magen-Darmkatarrh durch alle Stufen der Zersetzungen und Zerstörungen der Flüssigkeiten und Weichtheile des Körpers der Typhus in allen seinen grässlichen Formen herausbildete, und selbst unter den Symptomengruppen der ausgebildetsten Cholera ablief. Die Wirkung fauligen Gift-stoffes war hier in grossartigem Stil zu sehen, und Dr. Hauber fand alle die Beobachtungen und Sätze, die er in meiner Klinik machte und hörte, im reichlichsten Maass erfüllt und bestätigt.

Die Strafanstalt Kaisheim, nur für Männer bestimmt, hatte im Jahr 1859/60 1085 Sträflinge zu verpflegen. In sechs Jahren herrschten ohne Unterbrechung akute Erkrankungen des Nahrungs-kanals, als: Darmkatarrhe, Dysenterie und Typhus, und die Ge-sammtsumme der Erkrankungen in diesem Zeitraum war 7141. Die Senkgruben der Anstalt werden im Juli oder August geräumt, und der Dünger dieser grossen Anzahl Büsser unmittelbar und unvermischt auf die neu kultivirten Felder des königlichen Ge-stüts Neuhof gebracht. Die Strafanstalt Kaisheim hat von dem königlichen Gestüt 70 Morgen Gründe zum landwirthschaftlichen Betrieb durch ihre Büsser gepachtet. Diese Gründe gehen in einer Linie von 4030 Fuss längs der Weideplätze der Fohlen, und wurden mit Menschendünger aus den Gruben der Strafanstalt überdeckt, wo er sechs bis acht Tage liegen blieb, bis er unter-geackert wurde. An dem Saume der also gedüngten Felder

---

*) Die Ursachen des enterischen Typhus in München etc., S. 86 u. s. f.

weideten die ein- und zweijährigen Fohlen von dem Gestüt.
Vor dem Ausbruch der Seuche in dem Gestüt wurden im weiten
Umkreise der Ortschaften keine Krankheiten unter den Thieren
wahrgenommen. Im August 1859 begannen die Erkrankungen
unter den Pferden. Die ersten Erkrankungsfälle trafen zwei
Hengstfohlen mit tödtlichem Ausgang; nun zogen sich diese Erkrankungen in vereinzelten Fällen und bei einigen mit tödtlichem
Ausgang bis zum Herbst hin, als in kurzer Zeit rasch sechs
Fohlen fielen. Alle die jungen Pferde waren auf der oben erwähnten Weide. Die Seuche erstreckte sich nun auch auf das
Nebengestüt Bergstetten, eine kleine Stunde von Neuhof entfernt
und nur für eine Abtheilung des Gestütes, vorzüglich für Zucht-
stuten bestimmt. Vom August 1859 bis April 1863 sind 106 Stück
an der Typhusseuche gefallen. Am 12. Oktober 1861 wurde
eine Kommission aus Thierärzten zusammengesetzt, zu welcher
auch der ordinirende Arzt von Kaisheim, Dr. Baur, eingeladen
wurde. Das schwerst erkrankte Pferd ward nun getödtet und
secirt: das Blut war sehr dunkel und theerartig; Herz und Lungen
sind ohne Veränderung; die Leber ist blutreich und weich; die
Gekrösdrüsen sind sämmtlich geschwellt und markig infiltrirt
von der Grösse einer Bohne bis nahe einer mässigen Mannsfaust;
diese Schwellung der Drüsen ist in der Nähe des Blinddarmes
am bedeutendsten, die Schleimhaut des Dünndarmes ist geschwellt,
gewulstet und ekchymotisch. Dr. Baur erklärte nun schliesslich:
dass dieser Befund jenem in den Leichen typhuskranker Menschen
gleichkomme, bei mangelnder Schwellung und Schorfbildung der
Drüsen der Darmschleimhaut. Ich begab mich nun nach den
genannten Gestüten, und habe die genauesten Untersuchungen
nach jeder Richtung angestellt und den Verlauf der Seuche unter
den Pferden weiter verfolgt, welche Forschungen mich zu der
Ueberzeugung drängten, dass diese verheerende Typhusseuche
ihre Quelle in dem auf die Wiesen gebrachten Menschendünger
von der Strafanstalt Kaisheim hatte, welcher, wie schon oben
erwähnt, eine lange Strecke hin an dem Rande des Weideplatzes
der Fohlen ausgebreitet wurde. Am 11. Juli ward zum wieder-
holtenmal eine kommissionelle Untersuchung, welcher auch der
Armee-Oberveterinärarzt Gräff und ich anwohnten, abgehalten.
Nach genauer Besichtigung der Stallungen und Felder wurden
zwei kranke Thiere getödtet und secirt, wobei das gleiche wie

bei der ersten Kommission gefunden ward, indem die zweite
Kommission nun ebenfalls die Ursache der Seuche in den von
Kaisheim her gedüngten Feldern erkannte. Diese lehrreiche Beobachtung und für Kavallerie und Gestüte so wichtige Thatsache
— putrider Vergiftung von Pferden durch Menschendünger —
wird durch folgendes Ereigniss noch weiter erhärtet. In Lands-
hut ist eine Station des königlichen Landgestüts, in welcher
Hengste aufgestellt sind, von denen in der zweiten Hälfte des
Jahres 1865 mehrere erkrankten und zwar einige mit tödtlichem
Ausgang. In der nächsten Nähe der Stallung dieser Pferde ist
ein Graben (Johannisgraben), welcher den Inhalt von Aborten
aus der Stadt und der Kaserne in sich aufnimmt und im Sommer
durch Gräser und Pflanzen so verengt wird, dass sein Abfluss
sehr schwach ist und eine sehr starke Ausdünstung dadurch veranlasst wird. Das oberveterinärärztliche Gutachten bezeichnet
nun auch die fauligen Emanationen dieses Grabens als Ursache
der Typhusseuche unter den Hengsten, von denen 26, unter denselben Erscheinungen wie im Gestüt Neuhof, erkrankt und acht
gefallen sind.

Schlussfolgerungen.

Aus meiner massenhaften Sammlung von aufgezeichneten
Beobachtungen über den Typhus habe ich die vorstehenden Thatsachen ausgewählt, welche als Anhaltspunkte und bildliche Belege
für die hier aufgestellten Sätze gelten sollen.

Der Typhus ist der Repräsentant der Fäulnisserkrankungen
und eine eminente Fieberkrankheit. Der enterische oder
abdominale Typhus ist eine spezifisch - putride Vergiftungskrank-
heit, welche aus einer Kette von Krankheitsprozessen besteht,
die sich unter einander bedingen, aber weder an Zahl noch
Reihenfolge eine Regelmässigkeit einhalten; seine Lokalwirkung
ist ein Katarrh des Nahrungsschlauches, die weitere und eigenthümliche, d. i. spezifische, Wirkung ist eine Schwellung des
Drüsenapparats sowohl des Gekröses als der Schleimhaut des
Nahrungskanals mit gewöhnlich darauffolgender Schorfbildung und
Verschwärung; seine Endwirkung ist Mortifikation aller Grade.

Der Typhus kann sich autochthon entwickeln, wozu aber
immer der Mensch mit seinen Abfällen nothwendig ist. Wenn

mehrere ganz gesunde Menschen in engen wenig ventilirten
Räumen, die wenig Licht haben und feucht sind, zusammenleben,
ihre Abfälle nicht entfernen und Reinlichkeit und Pflege des
Körpers nicht einhalten können, entstehen Störungen im ganzen
Nahrungskanal, als Gastricismen, Diarrhöen, Brechdurchfälle,
schliesslich die specifische Erkrankung des Darmdrüsenapparates
und Fieber (Typhus) mit seiner zersetzenden und destruktiven
Wirkung auf die Flüssigkeiten und Weichtheile des Körpers.
Die Ausleerungen des Typhuskranken sind die Träger des Giftes,
deren weitere Zersetzung und Fäulniss das Gift noch mehr aufschliessen und dessen Verbreitung begünstigen. Die Keimfähigkeit des Giftes hat eine lange Dauer. Durch massenhafte Beobachtung wird man zu der Annahme gezwungen, dass der Träger
des Giftes ein Staub (organischer Natur) sei, welcher, einmal
entstanden, bei langer Lebensdauer die Fähigkeit besitzt, unter
ihm günstigen Verhältnissen sich fortzuentwickeln. Fäulniss begünstigt sein Leben und Gedeihen; in geschlossenen dunkeln
Räumen lebt dieser Giftträger lange fort, während er bei fortwährendem Luftwechsel und Sonnenstrahlen nicht bestehen und
gedeihen kann. Dieser Giftträger hat sich noch nicht fixiren
lassen, weil er — wie jeder andere Staub — durch seine Form
das Gift nicht erkennen lässt. Seine Verbreitung geschieht wie
bei der Dysenterie und der giftigen Cholera. Er kann zufolge
seiner Beschaffenheit überall hingetragen werden und haften
bleiben. Man weiss, dass durch Wasser und Milch — in welche
Gift gerathen ist — Typhusinfektionen bewirkt werden, und so
geschieht es auch wohl durch Speisen. Das Gift muss verschluckt
und eingeathmet werden, wenn eine Infektion zu Stande kommen
soll. Die allergrösste Zahl der Infektionen geschieht in den
Schlafräumen, die geringere Zahl durch Getränke und Speisen*)
und bei selbst nur vorübergehendem Aufenthalt an Typhusherden.

Das Verweilen an einem Typhusherde braucht nämlich nicht
lange zu sein, um eine Infektion hervorzurufen. Ich habe viele
Fälle aufgezeichnet, welche nach Arbeit von kurzer Zeit an einem

---

*) In einer starkbevölkerten Strasse, aus der zerstreut immer Typhus-
fälle vorkommen, ist ein Wirthshaus mit einer Küche neben zwei Aborten,
aus welchem Wirthshaus viele unbemittelte Leute ihr Mittagessen holen.
Dabei kann man sich des Gedankens nicht entschlagen: ob nicht auf diesem
Wege der Typhus Verbreitung findet.

Typhusherd oder nach einem einmaligen Uebernachten in einem
Gast - oder Privathause von Typhus befallen wurden. Wo Aus-
leerungsstoffe hinkommen, können Infektionen geschehen. Der
reingehaltene Leib des Typhuskranken und dessen Leiche stecken
nicht an.

Der Typhus wird durch Typhuskranke, vorzüglich durch
jene, die starke Diarrhöe haben und noch herumgehen und reisen
können, sowie durch verschiedene Gegenstände, als fäkalbe-
schmutzte Wäsche und Kleider, Betten und Lumpen verschleppt.
Die Fälle von vermeintlicher Verschleppung des Typhus durch
Rekonvalescenten- und schon längst vom Typhus Genesene gehören
auch dahin, indem nicht durch ihre Leiber, sondern durch ihre
Kleider und Wäsche das Gift eingeschleppt wird. Das Gift besitzt
offenbar Intensitätsgrade. Dasselbe erreicht in seiner Wirkung
nicht immer die spezifische Veränderung des Darmschleimhaut-
und Gekrösdrüsen - Apparates, sondern bleibt häufig bei niedern
Affektionen stehen, als: Gastricismen, fieberlose und fieberhafte
Diarrhöen und Choleraanfälle des ausgebildetsten Grades.*) Das
gewöhnliche Vorkommniss ist, dass in einem Hause die Inwohner
innerhalb weniger Tage Gastricismen, fieberlose und fieberhafte
Diarrhöen und nur einer oder zwei ausgeprägten Typhus bekommen. Immer fällt die grössere Zahl auf die geringeren
Affektionen. Diese Intensitätsgrade geben sich auch bei ausge-
sprochenem Typhus kund, indem viele mit sehr leichten Erscheinungen durchkommen, während andere in zwei Tagen zu Grunde
gehen, oft schon der Eintritt der Krankheit beginnender Tod ist
und wieder andere bei der sorgfältigsten Pflege in der kürzesten
Zeit den ausgedehntesten brandigen Zerstörungen verfallen. Der
Typhus scheint das übertragene Gift erst zu erzeugen, wenn er
die spezifische Erkrankung des Schleimhaut - Drüsenapparates erreicht hat. Typhuskranke mit starken Diarrhöen und brandigen Zerstörungen vermitteln zunächst die Infektionen ihrer Nebenkranken,
wie man in Spitälern immer zu beobachten Gelegenheit hat.

---

*) Vom Januar bis zum April 1872, in welchem Jahr Europa keine
Cholera hatte, war das Krankenhaus mit Fieberkranken überfüllt, unter
welchen 17 Cholerafälle der ausgeprägtesten Art vorkamen, wovon 2 letal
endeten. Sie unterschieden sich in den Lebenden und Todten in nichts
von der asiatischen Cholera, nur dass ihnen die giftige Natur und die
Eigenschaft der Fortpflanzung fehlten.

Bei den tausendfachen Berührungen der Menschen in den
Städten und den Hunderten von Wegen, auf welchen das Gift
in diesen verschleppt wird, ist es unmöglich, die einzelnen Infektionen aufzufinden, während sie auf dem Lande gewöhnlich
von Fall zu Fall zu verfolgen sind. Daher kommt es, dass die
Aerzte in den Städten die Ansteckungsfähigkeit des Typhus
läugnen, die Aerzte auf dem Lande aber sie anerkennen.

Das Typhusgift führt, wie bei Dysenterie und Cholera, wenn
es den Körper verlassen hat, ein selbstständiges Leben, das aber
wieder in seiner Existenz und seinem Fortleben von vielen
Lokalverhältnissen abhängig ist — dadurch zieht sich über die
Ansteckungsfähigkeit und Verbreitung des Typhus ein Dunkel,
welches nun die Quelle der verschiedensten Anschauungen und
Hypothesen ist.

Der enterische Typhus giebt seine Verwandtschaft und Ge-
schwisterschaft mit dem Flecktyphus, ausser seinem fast gleichen
Verlaufe, auch noch durch das häufige Vorkommen von Roseola-
flecken kund; des letztern Ansteckungsfähigkeit und Verbreitung
ist aber eine offene und deutliche, wie bei Scharlach und Blattern.

Der einmal typhusdurchseuchte Körper verliert die Empfänglichkeit für Wiederholung der Krankheit. Die genauesten Nachforschungen haben nur äusserst wenige Fälle auffinden können,
dass Personen zum zweitenmale vom wahren enterischen Typhus
befallen wurden, und selbst über diese schwebt einiger Zweifel.
Die einfachen putriden Infektionen, die aus Typhusherden
kommen, wiederholen sich öfters. Die Schwierigkeit der positiven Entscheidung dieser Frage liegt in der Unmöglichkeit des
Auffindens und Verfolgens der Linie zwischen Typhusfiebern und
den ihnen ähnlichen und fast gleichen Fieberformen aus ganz
anderen Ursachen.

Die Witterungsverhältnisse üben keinen direkten Einfluss
auf die Erzeugung des Typhus, aber einen indirekten, insoweit
sie die Fäulniss befördern. Mehrmals ereignete es sich, dass
der Typhus im Juli und August in gleicher Zahl wie im März
und April vorkam, ja im Jahre 1856 hatte der August sogar
die meisten Fälle. Doch begünstigen feuchte Luft und Thauwetter die Verbreitung des Typhus oder das Aufschliessen von
dessen Gift. Im Dezember 1855 waren mehrere laue Tage, dann
trat im Januar 1856 strenge Kälte — 18° R. ein. In diesen

k'alten Tagen kamen noch immer Typhen vor; nun trat mit
einem Mal Thauwetter ein, womit in grosser Zahl Diarrhöen,
Cholerinen, ein ausgeprägter Cholerafall und heftige Typhen in
das Krankenhaus kamen. Mit eintretender Kälte — 10° R. —
hörten Diarrhöen und Cholerinen auf, aber Typhen giugeu noch
immer zu.

Der Boden hat nur insofern Einfluss, als seine Beschaffenheit
die Fäulniss befördert Gewiss ist aber anzunehmen, dass feuchte
Luft und feuchter Boden, welche die Fäulniss unterstützen, auch
dem Typhus günstig seien.

Durch mehr als zwanzig Jahre mache ich ohne Unterbrechung Aufzeichnungen der Häuser, Wohnungen, Arbeits- und
Werkstätten der auf meine Abtheilung kommenden Typhuskranken, mit besonderer Rücksichtnahme auf die Schlafräume
und Fäulnissstätten (als Aborte, Senk- und Kehrichtgruben,
Düngerstätten und unterirdische Kanäle), dann auf das Trinkwasser. Diese Untersuchungen führten zu dem wichtigsten Moment
in der Geschichte der putriden und typhösen Infektionen — zu
den Häusern, zu den Wohnungen.*) Die Zusammenstellungen
der Häuser und Wohnungen der Typhuskranken ergaben 66 bis
70 Prozent von notorisch schlechter Beschaffenheit, und zwar:
schlecht angelegte und nicht cementirte Senkgruben, welche oft
nicht einmal jährlich geleert werden, zumal wenn dieselben in
kleinen eingeschlossenen Hofräumen oder selbst in Kellern angebracht sind; die kleinen kaminartigen Höfe, welche allen
Schmutz der Häuser aufnehmen, sind ein bedeutender Faktor zur
Schaffung eines Typhusherdes; dann kleine dunkle Schlafzimmer
mit Fenstern in enge Höfe oder schmale Gänge, oder auch ohne
Fenster, Holzlagen als Schlafstätten; Ueberfüllung kleiner Schlafzimmer. In einer Charkuterie haben 10 — 12 Burschen ein nie-
deres Schlafzimmer, in welchem ein Abtritt mit einem Verschlag
angebracht ist, und gleich ausser der Thür ist ein zweiter Abort:
das Fenster dieses Schlafzimmers geht in einen engen Gang,
und das Fenster dieses Ganges in den Hof, in dem täglich viele

---

*) Die Ursachen des enterischen Typhus in München etc., S. 98 u. s. f.
Ueber die Aetiologie des Typhus. Vorträge, gehalten in den Sitzungen
des ärztlichen Vereins in München, etc. München 1872. Sechster Vortrag,
gehalten von Prof. *v. Gietl*, S. 85 u. s. f.

Schweine geschlachtet werden; von diesem Hause kommen auch immer putride und typhöse Infektionen ins Spital.

Ein derartig angelegtes Haus, mit Fäulnissstätten versehen, kann auf jedem beliebigen Boden, in Niederungen, auf hohen Bergen, auf Felsen typhöse Infektionen veranlassen. In der Typhusepidemie zu Berchtesgaden im Sommer und Herbst 1856 beobachtete ich Gruppen von Typhusfällen auf einer Höhe bis zu 3500 Pariser Fuss.

Die Trinkwasser veranlassen Typhus, wenn Fäkalstoffe in sie gerathen; wenn sie sonst schlecht sind und organische Bestand-theile enthalten, bewirken sie putride Gastricismen und Diar-rhöen, aber nicht Typhus mit seiner spezifischen Erkrankung des Darmes. Wie in allen grossen Städten, so giebt es auch in München Brunnen mit schlechtem Trinkwasser, ich habe aber daraus nie Typhen entstehen sehen. Wie in Wasser und Milch Typhusgift gerathen kann, so wird es wohl auch mit den Speisen ergehen; aber ich habe nie Fälle aus dieser Quelle sicher konstatiren können. Auf den Genuss verdorbener und in Fäul-niss begriffener Fleische, besonders von Eingeweiden, dann von Charkuterieartikeln, habe ich Choleraanfälle und heftige Fieber entstehen sehen, welche aber nie die Spezifität des Typhus — die Erkrankung des Darmdrüsenapparates — erreichten.

Aus allem diesem geht hervor, dass der Typhus ganz vor-zugsweise eine Krankheit der Häuser und der Fäulnissstätten von Menschenabfällen ist. Dass darin die grossen Städte vor den Dörfern, wo grössere Sorglosigkeit herrscht, den Vorzug haben, liegt nicht bloss in der grösseren Menge der Menschen und deren engerem Zusammenwohnen, sondern auch in dem Ein-geschlossensein der Fäulnissstätten und dem Mangel ergiebigen Luftwechsels und Luftzutrittes zu denselben. In den Städten hört desswegen der Typhus nie ganz auf, weil er als eine Lokal-krankheit an vielen Punkten seine nie versiegenden Quellen hat. Daher liegt auch dem Typhus keine allgemeine Ursache — als Luft, Boden, Wasser — ausschliesslich zu Grunde, wie sie die Verkältungs-, Grippe- oder Influenza-Fieber haben.

Der Typhus bewegt sich in grossen Städten in fortwährendem Ab- und Zunehmen; das Anschwellen zu einer Epidemie hängt immer von einem Zusammenfluss von Ursachen ab, welche die Fäulnissstätten in grössere Thätigkeit versetzen; dahin gehören:

rascher Wechsel der Temperatur und Feuchtigkeit,. feuchte Wärme, Thauwetter, Ueberschwemmungen. Das konstante Zunehmen des Typhus im Herbst und Winter liegt zum grössten Theil in dem Zuwandern von Arbeitern und ärmeren Leuten in die Städte, einem engeren Zusammenwohnen derselben in beschränkten, nicht ventilirten Räumen. bei Mangel an Reinlichkeit und wenig nahrhafter Kost — Verhältnisse, welche nun das Ausbrüten eines intensiveren Giftes und das Verschleppen desselben begünstigen. Aus dem allem ist ersichtlich, dass diese Krankheit auf der ärmeren Bevölkerung lastet, und nur zu den Wohlhabenden und Begüterten hinaufreicht, wenn sie zufällig an Typhusherde gerathen. Der Wohnungswechsel liefert hierzu ein reiches Beobachtungsmaterial: Eingeborne, sowie Eingewanderte, können bei noch so langem Verweilen in grossen Städten in ihrer Gesundheit und Behaglichkeit unberührt bleiben, bis ein Wohnungswechsel das eine oder andere Glied der Familie ins Grab legt. Noch mehr tritt dieses Ereigniss bei Reisenden hervor; es ist wohl keine grosse Stadt in Europa, aus welcher von Reisenden nicht tödtliche typhöse Infektionen geholt werden. In einer italienischen Seestadt hat eine deutsche ärztliche Familie — zur Erholung dahin gereist — fast ihre Auflösung durch Typhus gefunden. So wurden in einer anderen im Süden gelegenen Stadt Italiens sämmtliche Glieder einer angesehenen deutschen Familie nach einem Aufenthalt von wenigen Tagen vom Typhus befallen.

Doch am bedauerlichsten giebt sich dieser Vorgang bei den Jüngern der Hochschulen grosser Städte kund. Mangel an Vorsicht bei der Wahl der Wohnungen, häufiger Wechsel derselben, das Aufsuchen wohlfeiler Miethzimmer und der abendliche, bis in die tiefe Nacht sich hinziehende Aufenthalt in sehr frequentirten Wirthshäusern, welche sehr häufig Typhusherde beherbergen, sind die Quellen typhöser Infektionen bei den Studierenden. Komisch ist es, zu hören, dass in München Pfälzer und Franken vorzugsweise dem Typhus verfallen sollen, als ob dessen Gift vor einem Holsteiner oder Böhmen mehr Respekt habe.

Die Erkenntniss des Typhus mit seinem spezifisch ulcerösen Prozess in dem Darmdrüsenapparat stösst sehr häufig auf Schwierigkeiten, und in manchen Fällen bleibt selbst dem geübtesten Arzt durch den ganzen Verlauf des Fiebers Zweifel, bis schliesslich die Sektion ihn löst. Denn es giebt eine grosse Zahl von Fiebern,

aus den verschiedensten Ursachen entstanden, welche dem Typhus
sehr ähnlich sind und ihn aufs täuschendste imitiren. Vorzüglich
sind es die Resorptionsfieber, welche entstehen, wenn in irgend
einem Gewebe, Schlauch oder einer Höhle des Körpers, einge-
schlossener, gefaulter Schleim, Eiter, Urin, zersetzte Flüssigkeiten,
Jauche, zerfallene Gewebstheile liegen; und wenn diese in den
Säftestrom gerathen, geben sie zu den heftigsten Fiebern Veranlassung *). Deutlich und bildlich ist dieser Vorgang im Gesichtsrothlauf zu sehen, welcher so häufig und verderblich den
Typhus begleitet. Zahlreiche anatomische Untersuchungen, wozu
diese fatale Typhusbeigabe reiche Gelegenheit gab, führten mich
in den Jahren 1850 bis 1852 zu dem wichtigen Resultat: dass
dieser Rothlauf, nicht bloss wenn er in Verbindung mit Typhus,
sondern wenn er auch selbstständig auftritt, Folge einer Entzündung der Schleimhaut, der Höhlen des Gesichtes und der
Stirne mit zurückgehaltenem, zersetztem und verjauchtem Schleim
ist, welcher durch Resorption die Quelle des hohen Fiebers und
durch Reflex die Ursache des Rothlaufes im Gesicht wird. Die
aus diesem Fund gezogene Behandlung — auf fortwährende Entfernung des zersetzten und jauchigen Schleimes gerichtet — hat die
hochprozentige Mortalität des Rothlaufes auf ein nicht ganzes
Prozent herabgesetzt **).

Auf gleiche Weise veranlasst der um und in dem Kehl-
kopf angehäufte faulende Schleim, den die schwachen Typhuskranken nicht auszuwerfen vermögen, Brand dieses Organes mit
gewöhnlich letalem Ausgange und Erhöhung der Typhusmortalität.
Nachdem ich die Ursache gefunden hatte, lasse ich bei jedem
Typhuskranken auf das sorgfältigste mehrmals des Tages und
nach Bedürfniss auch in der Nacht den Schlund mit einem

---

*) Studien über die Bedingungen des Fiebers, nach Beobachtungen
aus der v. Gietl'schen Klinik und Abtheilung von Dr. med. *Joseph Hauber*,
Assistenzarzt. München, Christ. Kaiser, 1870.

**) Ueber den Gesichtsrothlauf im Typhus. Inauguralabhandlung von
Dr. *Zuccarini*, Assistenzarzt im allgem. Krankenhaus zu München, 1852.

Beobachtungen aus der med. Klinik und Abtheilung des Prof. v. Gietl
im allgemeinen Krankenhaus zu München, zusammengestellt von Dr. *Albert
Haug*, früher Assistenzarzt. München, 1860. S. 178.

Ueber Erysipelas. Inauguralabhandlung von Dr. *Ign. Lehrnbecher*,
Assistenzarzt. München, 1872. S. 23 u. s. f.

Charpiepinsel von Schleim reinigen, woraufhin diese furchtbare Todesart bei Typhuskranken eine Seltenheit geworden ist.

Weil nun die Typhusherde neben dem Typhus (der spezifisch putriden Infektion) auch noch gleichzeitig in grösserer Zahl putride Gastricismen und Diarrhöen mit und ohne Fieber erzeugen, so kommt dadurch ein neuer Zuschuss zu den oben aufgezählten Fiebern.

Wenn zwei Aerzte in einem Spital bei gleichheitlicher Vertheilung der Fieberkranken die zwei diagnostischen Wege einschlagen: dass der eine ein jedes hohe Fieber mit Eingenommenheit des Kopfes und gastrischen Erscheinungen zum Typhus rechnet, der andere aber bemüht ist, Typhus und typhusähnliche Fieber möglichst zu scheiden, so wird der erste um ein Drittheil bis nahezu um die Hälfte mehr Typhusfieber zählen als der zweite. Auf diesem Weg ist München zu einem Ruf gekommen, den die Stadt unverschuldet trägt, welcher aber noch durch die Gewohnheit der Bevölkerung, in jedem hohen Fieber Typhus zu ahnen und zu sehen, unterhalten wird. Münchens endemische, durch Lage und Klima bedingte Krankheit ist der acute Rheumatismus mit seinen Konsequenzen, aber nicht der Typhus, der aus Quellen kommt, wie sie jede Stadt hat. Denn in Europa, auch in Deutschland, giebt es Städte genug, welche das Jahr durch mehr Typhen zählen als München.

Weil nun der Typhus eine fieberhafte Fäulnisskrankheit ist, so sollte man auch diesem Fieber, statt der sinnlosen Bezeichnung Typhus*), seinen natürlichen Namen geben, und zu dem alten mundgerechten Ausdruck „Faulfieber" zurückkehren, womit die Leute fortwährend erinnert würden, sich gegen die Brutstätten der fauligen Gifte zu wehren. Es wäre daher eine Wohlthat für die Bevölkerung der Städte, wenn die Aerzte sich entschliessen könnten, von dem Ausdruck „Typhus" abzulassen.

In den vorstehenden Aufzählungen der Thatsachen über die Verbreitung des Typhus liegen die zu ergreifenden Massregeln und einzuschlagenden Wege, wie die fauligen Krankheiten fern gehalten werden können, offen und klar zu Tage. Es ist dar-

---

*) Τῦφος — Gefühllosigkeit — Sinnlosigkeit — *Schneiders* gr. W., II. Bd., S. 637.

gethan, dass Typhushäuser ganz freigemacht werden können, und so wird es auch gelingen, den Typhus in Städten auf ein Minimum herabzubringen. Auf diesen Erfahrungssatz gestützt, hat sich in der öffentlichen Gesundheitspflege eine Thätigkeit entwickelt, welche jetzt schon von den wohlthätigsten Folgen ist, und darauf hin auch in München der Typhus in Abnahme begriffen ist; und wenn die Bevölkerung den Gemeindebehörden, welche mit Energie den nun betretenen Weg verfolgen, willig und mit Ausdauer entgegen kommt, wird das Ziel erreicht werden. Während die öffentliche Gesundheitspflege im Grossen aufzuräumen bestrebt ist, hat doch noch der Einzelne für sich viele Vorsicht einzuhalten, um dem immer noch furchtbaren und tückischen Feind ausweichen zu können. Die Haus-, Gasthof- und Wirthshausbesitzer mögen nicht säumen, ihre Häuser in einem salubren Stand herzustellen, denn bei den sich mehr und mehr verbreitenden Kenntnissen in der Gesundheitspflege werden schlecht besorgte Häuser immer mehr gemieden werden. Wenn in einem Hause Typhuskranke lagen, sie mögen nun genesen oder gestorben sein, so reichen zur Vertilgung des an den Wänden haftenden Giftes ergiebige Ventilation und der Gebrauch von Chlor und Schwefel nicht aus, sondern die Wände der Krankenzimmer sollen abgekratzt und getüncht werden. Familien und Arbeitgeber mögen ihren Dienstboten und Gesellen, welche sich Wohnungen und Schlafstätten nicht wählen können, gesunde Schlafräume zuwenden, indem erwiesenermassen in kleinen Lokalitäten, die keine Ventilation und wenig Licht haben und schliesslich noch fauligen Emanationen ausgesetzt sind, das Typhusgift so sehr gedeiht und da die häufigsten Infektionen vor sich gehen; daher auch die Zahl der Typhuskranken unter Gesellen und Mägden so gross ist. Zusammenstellungen ergeben auch das Resultat, dass 70—80 Prozent der Typhuskranken jenen Klassen der Bevölkerung angehören, die zufolge ihrer Lebensverhältnisse und Arbeiten den Infektionsherden zunächst stehen. In der Wahl der Wohnungen meide man Häuser, deren Aborte schlecht gehalten und neben Wohn- und Schlafräumen angebracht sind, und enge, geschlossene, kaminartige Höfe — als Aufbewahrungsorte aller Abfälle und des Schmutzes des Hauses — haben. Häuser, in welchen Gastricismen und Diarrhöen häufig vorkommen, sind eines Typhusherdes verdächtig, und sollen nicht bezogen werden, noch viel weniger solche, in welchen Typhuskranke lagen und starben. Bei dem Bezug der Milch versichere man sich von der Reinlichkeit der Milchläden und Milchhäuser, und ob nicht die gefüllten Milchgefässe in Lokalitäten aufbewahrt sind, welche zugleich als Schlaf- und Krankenzimmer dienen, wie ich schon beobachtet habe. Man beziehe das Trinkwasser nicht aus Pumpbrunnen. Man meide Wirths- und Kaffeehäuser, deren Küchen zunächst den Aborten gelegen sind.

Alle hier gegebenen Regulative möge namentlich der Reisende aufs Strengste beachten. Ehe er sich in einem Gasthof niederlässt, richte er sein Augenmerk auf dessen Reinlichkeit, insbesondere die der Küche und Aborte, und achte schliesslich auf sehr reine Bettwäsche, weil der Verdacht, dass von den Betten Infektionen geholt werden, sehr gross ist. In Schwangau machte ein Taglöhner einen Typhus leichten Verlaufs durch. Genesen und gekräftigt ging er in Arbeit zu dem Postwirth in Rosshaupten, und schlief bei dem ganz gesunden Hausknecht. Nach acht Tagen erkrankte dieser und die Magd, welche das Aufbetten besorgte. Der Hausknecht ging in seinen Heimathsort, der aus drei Häusern besteht, starb daselbst und veranlasste in den drei Häusern eine Epidemie von acht Fällen. Nicht sein Leib, sondern die schmutzige Wäsche und die Kleider waren die Träger des Giftes.

Von Waschanstalten kommen sehr häufig schwere Typhen ins Krankenhaus, indem sie mehr oder minder Herde putrider Infektionen sind. Ob von da durch die vielleicht nicht gründlich gereinigte Wäsche weitere Verbreitung des Typhus veranlasst wird, habe ich nicht beobachtet, aber eine Wahrscheinlichkeit besteht dafür, und soll hier erwähnt sein. Während die prophylaktischen Massregeln Ergiebiges zr leisten vermögen, ist auch der einzelne vom Typhusgift Befallene, nachdem die Behandlung des Typhus mehr Bestand gewonnen hat, weniger gefährdet, obwohl der Typhus noch immer viele Opfer verlangt. In der Mitte der vierziger Jahre habe ich die vergessenen kalten Bäder wieder herbeigezogen, und damit das Chinin, das schon von manchen Aerzten gegen Schleim- und Nervenfieber gebraucht wurde, in höheren Dosen gegen den Typhus in Anwendung gebracht, und so die kalten Bäder und das Chinin in einer methodischen

Behandlung zusammengefasst*), womit ich dann noch den Gebrauch
des schwarzen Kaffees und eine kräftige Ernährung — so viel
nur immer die Digestion des Kranken leisten kann — verband.
Letztere wird seit einigen Jahren durch den von Professor Voit
angegebenen frisch ausgepressten Fleischsaft (succus carnis) in
vortrefflicher Weise unterstützt. Diese Behandlungsweise hat das
Mortalitätsverhältniss von 24 und 20 auf 13, 10 und 7 Prozent
herabgesetzt, und ist nun allgemein verbreitet.

Wer in grossen Städten, die doch nie ohne Typhusherd
sind, von gastrischen Erscheinungen und Diarrhöen befallen wird,
soll verbleiben, .die Wohnung nicht verlassen und den Verlauf
unter entsprechendem Verhalten ruhig abwarten. Denn ist ein
typhöses Fieber im Anzug, so treibt eine Reise mit den damit
verbundenen Versäumnissen in der Pflege den Typhus auf die ab-
schüssigste Bahn mit gewöhnlich letalem Ausgang, und giebt
häufig genug Veranlassung zur Verschleppung und weiteren Verbreitung dieser infektiösen Krankheit. Dann soll selbst der Besuch
dieses nun Erkrankten von seiner Verwandtschaft mit Auswahl
geschehen, indem die Aengstlichen und von Schrecken Gepeinigten
zu Hause bleiben sollen; denn ich habe mehrmals beobachtet,
dass diese infizirt wurden und starben, während Jener — der
zuerst Erkrankte — durchkam.

So bewährt kalte Bäder und Chinin sich bewiesen haben,
so kann deren Anwendung doch nur von einem Arzt unter gehöriger Individualisirung geleitet werden. Denn beide Mittel
können gegenüber der Gehirn - und Herzschwäche der Typhuskranken auch grossen Schaden anrichten. Die Bäder und Begiessungen, zu kalt und zu rasch auf einander augewandt, können
tödtliche Brustentzündungen veranlassen; sowie das Chinin, in
so unmässigen Gaben zu mehreren Grammen auf einmal oder
auch in kurzen Zwischenräumen genommen, wie es jetzt viel-
seitig angewendet wird, bei sehr hirnschwachen Typhuskranken
den Tod herbeiführen kann. Denn auch .in zulässigen Gaben

---

*) Ueber die Anwendung der kalten Bäder und Begiessungen im
Typhus; Inauguralabhandlung von Dr. *Julius Stein*, Assistenzarzt im all-
gemeinen Krankenhaus in München. München, 1849. Gedruckt bei
Georg Franz.

leistet es bei Typhuskranken, deren Gehirnfunktion tief herab-
gedrückt ist, wenig oder nichts. *)

Fortwährend erneuerte Luft, frisches Wasser, kühle, laue
und warme Bäder, Kaffee (ohne Milch und Zucker), Wein und
kräftige Ernährung, häufiger Wechsel des Lagers und die
fleissigste Pflege können ohne Chinin uud jede Medikation die
schwersten Typhen glücklich durchbringen.

---

*) Im Jahr 1840 gab ich einem Studierenden der Medicin gegen epi-
leptische Zufälle, die ihn alle Frühjahr befielen, das Chinin zu einem Skrupel
auf einmal in gleichen Zwischenräumen — typisch. Nach jeder solchen
Gabe bekam er eine Wüstigkeit und Stumpfheit des Kopfes, Zittern der
Glieder, Unvermögen zu gehen und eine unendliche Mattigkeit, die ihn
zwang, sich zu legen. Seit vielen Jahren lasse ich methodisch nach jedem
pyämischen Fieberanfall zehn Gran Chinin mit gutem Erfolg reichen; wenn
nun durch mehrere in kurzen Zwischenzeiten eintretende Anfälle die Gaben
des Chinins sich steigerten, so sah ich eine Eingenommenheit des Kopfes
und Taubheit in einer Höhe eintreten, welche nicht mehr leicht hinzu-
nehmen waren. In van Hasselts Giftlehre, I. Bd., S. 436 und Hermanns
Lehrbuch der experimentellen Toxikologie, S. 365 sind letale Fälle, nach zu
grossen Gaben von Chinin konstatirt.

Original - Abhandlungen.

I.

Two Newly Discovered Skin Diseases; one originating in the Cat and the other in the Dog. Both Cryptogamic and Infectious; and both capable of being transmitted from the Animal to the Human Body.*)

By

J. H. Salisbury, B. N. S. A. M. M. D.

(With Tab. V, Fig I a—f.)

I. Trichosis Felinis.

This is a skin disease originating in the cat, and is readily transmissible to the human subject. It resembles in appearance *Trichosis furfuracae,* and, like it, has a cryptogamic cause. It is produced by a species of fungus that developes in fermenting cat's milk. It developes on kittens, while nursing; — first around the lips, nose, face and eyes, and spreads — often — to the head and body. It forms, — with the epidermic cells, — circular patches of thin, rusty scurf on the face, nose, lips and head. The hair soon sickens, curls up, dies, and crumbles away, and the eyes become sore and more or less closed. Often the eyes become entirely shut. After nursing ceases, this growth gradually disappears. It often lasts, — however, — two or three months, and may be longer, after weaning.

The disease is infectious, and is readily transmissible to the human subject, from the kitten, — aud then from one person

---

*) An account of these diseases was first published in the American Journal of Medical Sciences for April 1867.

to another. It is contracted more readily by young children, than by grown persons. On infants and young children it spreads rapidly, attacking all parts of the body alike. It spreads rather more rapidly on the hairy, than on other parts of the body. The plants attack the hair follicles, in which they develope luxuriantly, sending off branches aboundantly through the epidermic and cuticular layers. The spores and filaments of this mucedinous growth, resemble those of *Trichosis furfuracae.* They however develop much more rapidly on the human body, — causing the disease to spread in isolated patches to all parts of the surface often in a few days' time.

The patches on the scalp do not differ materially from those of ordinary *Trichosis furfuracae,* save that the surface is, perhaps, slightly more raised and inflamed, and produce more irritation. On parts of the body not covered with hair, they spread less rapidly, — starting from a single point, or hair follicle and extending in all directions, — forming circular and oval patches of greater or less extent. The patches are slightly elevated above the surrounding surface, red, and covered with scales and little elevations, — marking the position of the hair follicles. The color of the patches is deeper, and the irritation and itching more severe than in ordinary *Trichosis.* In less than a week after the kitten affected with this disease comes in contact with a child, the eruption begins to show itself upon some parts of the surface of the latter, — usually about the hands, arms, and face, — especially if the child has been caressing the kitten. Soon after patches appear on the limbs and body and rapidly spread, producing after an intolerable itching, — which is only partially relieved by rubbing and scratching the patches. This is purely a local disease, — it being contracted alike readily by the healthy- and fable.

Pathology. The cells of the hair-follicles, and of the epidermic layer between them, are shrunken and shrivelled and the hairs — diminished in size — become brittle, break off and crumble away. The deeper parts of these follicles become enlarged often, and the hairs die, shrink and fall out.

The cappillary vessels in the papillary layer of the skin — beneath the diseased surface — become congested and enlarged producing a redening of the skin and a slight elevation of the diseased surface. The epidermic cells of the follicles and plane surfaces are robbed of their normal nourishment, become diseased and shrivelled, — and finally die and fall off in dry scales. Frequently the irritation is so great, that Pus is formed in little vesicles, — which become broken by scratching.

Cause. The disease is purely local and parasitic and has nothing to do with constitutional derangement. The cause is simply a fungus; a mucedinous growth, that developes primarially in the epidermic cells saturated with the fermenting milk of the cat, which, during nursing, becomes smeared over the noses and faces of the kittens. It does not appear to be readily transmissable from the kittens to the old cat. It does not appear; so far as at present known — to be a disease, prevailing to any great extent among cats, save during the period of nursing and from one to three months succeeding. This plant is unlike the species developing in human milk. Neither is it like that which developes in the fermenting milk of the cow.

This fungus finds a fit soil — after it becomes once animalized — in the skin of persons of all ages. The cells of the epidermis, — howewer, — of the young are more tender and better supplied with nourishment, than those of the mature and old. Hence this disease more readily attacks, and more rapidly spreads over the surface of the former.

In ordinary ringworm — *Trichosis furfuracae* — the fungoid cause exists mostly in the spore state. The plant does not advance, often, beyond its cell condition. Its growth seems to be confined simply to cell multiplication by pullulation. In this disease the plant cells multiply by pullulation, and these advance to the filamentous stage of growth. These filaments are formed running through among the cells of the epidermic layer.

Treatment. This being a disease produced by a cryptogamic cause, — any agent that retards the growth of, or destroys this kind of vegetation, — becomes a more or less useful remedy. Among the remedies of this class may be mentioned, — Tinct. ferri chlorici, — Tr. Jodine; dilute sulphuric acid; dilut. nitric acid, dilute hydrochloric acid; dilute nitromuriatic acid; sulphurous acid; creasote; ointment of the pernitrate of mercury; dilute oint of the pernitrate of mercury made with codliveroil; carbolic acid wash and ointment; solutions of the soluble sulphites, — strong

14 *

solutions of quinia, etc. In short all antifermentative substances ; or all those bodies that prevent yeast from exciting fermentation in sacharine and farinaceous materials, — or that tend to prevent animal tissues from undergoing fermentative changes, — become useful agents in diseases caused by parasitic cryptogames. Under ordinary circumstances, this plant, probably will not grow upon the healthy body. It only becomes capable of developing in such situations, after becoming animalized — so to speak — by developing in the milksmeased and saturated epithelial tissues of the cat.

One of the most ready remedies for perfectly eradicating this eruption is the tincture ferri chloridi. This should be painted over the eruption daily till cured. Frequently a single application will do the work. The mineral acids, when used should be sufficently diluted, so as not to cautizize, or to produce too much irritation.

II. Trichosis Caninis.

This is a skin disease, affecting dogs. The eruption begins by a small pustul or elevation, covered with epithelial scales; other little pustules appear around this, — and beyond these, others soon arise. In this way the disease gradually extends in all directions from the starting point, — from follicle to follicle, — producing circular and oval patches, elevated above the surrounding healthy surface about one line and covered with dry epithelial scales, rolled and wisted up. The patches extend, and have a shape like those of *Trichosis furfuraceae,* on the human subject. Like the last named disease this is cryptogamic. It is produced by a parasitic mucedinous growth, which develops among the epithelial cells of the epidermis, passing down among the cells of the hair, sweat and fat follicles of the skin, depriving them of nourishment. This causes them to sicken, shrivel and dry up, die, become detached and fall off in dry scales. The cells from which the hair is supplied with food and cell elements, becoming diseased, the hair is imperfectly nourished, shrivels up, dies, and falls from the follicles. This disease extends to all parts of the surface of the dog. Young dogs, while nursing, are more susceptable to it than old ones; yet no age is exempt. It resembles closely the *Trichosis felinis* of kittens, but appears to differ from it in this particular, to wit — that the fungus appears more luxuriant, large and is more confined to its filamentous stage of development. It attacks less the hair follicles than the Felinis, — and extends more generally to all parts of the epidermic cell surfaces. These diseases may however be both produced by the same specific cause, — the difference arising from the difference in the animal cell surfaces in which they are developed. I have however designated these two diseases by distinct names. The development of these two growths, to this stage of fruiting will alone settle the question as to the identity or difference of the cause in these two diseases. This part of the investigation is now in progress and I hope to soon be able to say positively whether there is or is not a difference.

This disease is transmissable to the human subject; but so far as investigations have at present gone, it is much less readily communicable than the ·*Trichosis felinis*. It is much more readily transplanted upon children than upon the mature and old. It attacks all parts of the body alike readily. It usually, however, first attacks the face, hands and arms; other parts of the body being more or less protected by the clothing.

Pathology. The cells of the epidermis, — deprived of their normal nourishment, — become shrivelled, dry and smaller in size, — and separate from each other to a greater or less degree. This dying and separation of the cells, causes the diseased surfaces to rise above the surrounding healthy parts, — the dead, dried and curled-up cells, separate and fall off, presenting a braw-like appearance. The cells of the hair follicles are affected in the same way as the plane surfaces; the hairs sicken, become small and shrivelled, die, and fall from their follicles, having the surface bare and inflamed.

Cause. This is a parasitic fungus, — developing among the cells of the Epidermic layer of the skin. The Mycelium is found developing more aboundantly than the spores. The Mycelium sends out branching filaments in all directions forming a close net work in the Epidermic layer. As the fungoid filaments extend in all directions from the starting point; the disease extends.

Treatment. This is the same as for *Trichosis felinis.*

History of Investigations. Without troubling the reader with
the tedious details of the investigation, I will here briefly state
that these diseases were first recognized by myself to be peculiar,
in the summer of 1864; while treating them in an orphan
assylum, whose some thirty small boys were affected with them.
During the following year quite a number of cases of the same
character were under my care. It was not however till July
and August 1866 — that I commenced studying these diseases
with the view of tracing them to these true source. I had noticed
that in most families where they prevailed, the children were
playing with either kittens or young dogs, or both. In every
instance I found the little animals with diseased faces. On com-
paring the mucedinous growths on the diseased animals and
children; they were found to be apparantly identical in the shape
of the shores and the arrangement of the filaments among the
epidermic cells. My next experiment was to procure a number of
diseased kittens, and distribute them to families where there were
no cats or dogs and where the children were all free from
skin disease. In every instance, in from five to ten days after
the children began playing with the diseased kittens, they commenced breaking out with the eruption. The next step was to
inoculate myself with the spores of this fungus from the cat.
In about three days they began to develop rapidly, and send out
filaments in all directions among the epidermic cells, producing a
disagreable itching and forming circular and oval patches of
eruption precisely like the disease previously described. The
eruption yielded readily to treatment.

I now inoculated myself with the spores from the patches
of Eruption on a child, to whom I had given about two weeks
before a diseased kitten. The characteristic eruption followed,
extending in all directions from the point of inoculation. Many
other experiments were performed connected with the disease,
both on the cat and dog, a detail of which would here be un-
interesting and unnecessary.

Concluding Remarks. It is a singular and instructive fact, —
that the low types of vegetation that develope in the fermenting
animal secretions, — (when apart from the animal body), —
do not possess the power of growing, — as a general rule, — upon

or in living animal tissues, where planted in them; but where animal tissues are kept saturated with these secretions for a time and these same growths are allowed to develope in the saturated tissues; these vegetations become, — so to speak, — animalized, — so changed in constitution, that they will thenceforth grow on an animal soil; or they have imparted to them the new power of developing in the living tissues, that are not saturated with these secretions. They now have become infectious, and may be transplanted from one animal or human being to another, having taken on the abnormal property of acting as a cause of infectious parasitic disease. No doubt most, — if not all of the vegetations of infectious diseases, — reeeive their property to become parasites on abnormal soils, in this way. These vegetations are probably all perfectly innoctious and harmless, when grown in their normal soils; only becoming causes of disease, when the proper rules of cleanliness and other principles of hygiene are neglected.

The mucedinous and algoid growths that cause fermentation in farinaceous, sacharine and some other vegetable matters, when allowed to vegetate in living animal tissues, saturated with these vegetable products, — also to a certain extent become animalized or so changed in constitution, that they to a limited degree, — and under the proper conditions, are thence forth able to develope on living animal tissues, — producing disease, — and may be transplanted from one human being to another, — providing such persons are living largely upon the vegetable products, — which are the normal soil for these vegetations. Favus is a disease of this kind. Skin eruptions I have often noticed in bakers and millers, — which are produced by the cryptococcus Cerevisiae and Puccinia. I have also occassionally found the whole body of vegetable feeders completely covered with an ugly looking scabby eruption produced by yeast vegetation.

Explanation of Figures Tab. V, No. I.

a. The spores of *Trichosis felinis* in the epithelial tissue of the noses of kittens.

b. The spores of *Trichosis felinis* in the Epidermis of children affected with the disease.

c. The mycelium of *Trichosis felinis* in the epithelial tissue of the noses of kittens.

d. The mycelium of *Trichosis felinis* in the Epidermis of children affected with the disease.

f. The spores of *Trichosis caninis* in the epithelial tissue of dogs. They have the same general appearance where growing in the skin of the human body.

e. The mycelium of *Trichosis caninis*, as it appears running among the Epidermic Cells on Dogs. It presents a similar appearance where growing among the human Epidermic Cells.

II.

Untersuchung des pflanzlichen Organismus, welcher die unter dem Namen Gattine bekannte Krankheit der Seidenraupen erzeugt.*)

Von

Ernst Hallier.

(Hierzu Tafel V, Fig. 1—21.)

Einleitende Worte.

Im Frühjahr dieses Jahres (1867) wurde mir von Herrn Oekonomierath *v. Schlicht* in Potsdam die ehrenvolle Aufforderung zu Theil, mich mit dem pflanzlichen Parasiten der berüchtigten Gattine der Seidenraupen zu beschäftigen.

Mit Freuden folgte ich diesem Auftrag, überzeugt, dass bei einem so einfachen Organismus, wie derjenige der Seidenraupe, es weit leichter sein müsse, die Rolle aufzudecken, welche der Parasit bei der Krankheit spielt, als dies bei den Krankheiten des so complicirt gebauten menschlichen Körpers der Fall sein kann.

Ich wurde bei dieser Arbeit durch gütige Materialsendungen von Seiten des Herrn Oekonomierath *v. Schlicht* und des Königl. Hoflieferanten Herrn Kommerzienrath *Heese* in Berlin freundlichst unterstützt und sage beiden Herren hierdurch meinen verbindlichsten Dank.

Meine Arbeit wurde in überraschender Weise vom Erfolg belohnt, denn wenn auch noch mehre wichtige Fragen unbeant-

---

*) Wenig veränderter Abdruck aus dem Jahresbericht über die Wirksamkeit des Vereins zur Beförderung des Seidenbaues für die Provinz Brandenburg im Jahre 1867—1868.

wortet bleiben und Chemikern sowie Zoologen zur Beantwortung empfohlen werden mussten, so gab doch der Parasit in Bezug auf die Frage nach seinem Ursprung eine so präcise und bestimmte Antwort, dass sich der Ort und die Art und Weise seiner Einwanderung in den thierischen Organismus genau beantworten liess, so dass man leicht Mittel und Wege angeben kann, wo und wie dem Uebel zu steuern sei. Und das ist ja für die Praxis, der die Wissenschaft dienen soll, die Hauptsache.

Mögen denn diese Mittheilungen eine freundliche und nachsichtige Aufnahme finden und Einiges beitragen zur Einschränkung der Seuche, die einen so wichtigen Industriezweig beeinträchtigt.

I. Einleitung in die Hefelehre.

Schon, seitdem *Schleiden* und *Schwann* die Zellenlehre für Pflanzen- und Thierwelt begründeten, hat sich die Ansicht gelteud gemacht, dass der grösste Theil derjenigen chemischen Prozesse, welche man unter dem Namen: Gährung, Fäulniss, Verwesung u. s. w. zusammen zu fassen pflegt, durch pflanzliche und thierische Organismen hervorgerufen werden. Diese Ansicht hat sich seit *Pasteur's* weltberühmt gewordenen Entdeckungen von allen Seiten als die vollkommen richtige bewährt. Sowohl Chemiker als Physiologen sind jetzt fast einstimmig überzeugt, dass fast die gesammten Gährungsvorgänge durch Organismen angeregt werden. Natürlich ist dabei zweierlei zu unterscheiden: 1) der Stoff, welcher die meist so energischen Umsetzungen bewirkt und 2) die Form, an welche dieser Stoff gebunden.

Es kann wohl keinem Zweifel unterliegen, dass die Pflanzenzellen nur deshalb auf ihre Umgebung so energisch zersetzend und umsetzend einwirken, weil sie einen, solche Zersetzungen bewirkenden Stoff beherbergen. Dieser Stoff ist ohne Zweifel im Plasma, im Bildungsstoff der Zellen zu suchen, was schon daraus folgt, dass manche Zellen, welche Gährung hervorrufen, eine von dem Plasma gesonderte Membran gar nicht besitzen. Durch den Mangel dieser klaren Unterscheidung von Stoff und Form sind in der Gährungslehre vielfache Missverständnisse eingerissen und es steht der allgemein anerkannten Wahrheit, dass die Hefe- und Schimmelbildungen die Ursache der Gährungen seien, noch eine kleine Partei schroff gegenüber, welche die Ursache davon lediglich im Stofflichen sucht.

Die Gährung ist Folge der Einwirkung der Pflanzenzelle auf das sie umgebende Medium. Der Unterschied in der chemischen Zusammensetzung des Plasmas in den Zellen und dem umgebenden Mutterboden ruft Diffusion, einen Stoffwechsel zwischen Zelle und Aussenwelt, hervor, und dieser Stoffwechsel macht es zugleich der Zelle möglich, zu wachsen und sich zu vermehren. Hier ist also die Wirkung des Stoffes und die Wirkung der Vegetation der Pflanzenzelle ziemlich gleichbedeutend, aber für die Gährungsvorgänge in der Natur ist doch die Form der Zelle das wichtigste, weil die gährungserregenden Stoffe im freien, von der Zelle unabhängigen Zustand in der Natur nicht vorkommen.

Wir haben also vollkommen Recht, wenn wir sagen: Die Organismen sind die Ursache der Gährungsvorgänge.

Nun entsteht zunächst die Frage: Welcher Art sind die Organismen, welche Gährungsprozesse hervorrufen?

Dieselben gehören natürlich den niedrigsten aller Organismen überhaupt an.

Wir wollen zunächst von der Betheiligung der niederen Thiere und der Algen an den Gährungsvorgängen absehen, denn hier sind die Beobachtungen noch unsicher, die Vorstellungen dunkel.

Alle wichtigeren Gährungsvorgänge werden durch Pilze eingeleitet. Die Pilze also sind vorzugsweise als die Gährungsorganismen zu betrachten.

Die Gährungen werden grösstentheils durch Schimmel- und Hefeformen hervorgerufen; wir haben uns also zunächst zu fragen: Was ist Schimmel und Hefe und wie verhalten sich diese Gebilde zu den übrigen Pilzformen?

Diese Frage hat erst im letzten Jahrzehnt, nach vielen aufgestellten Dogmen und Theoremen, eine auf Thatsachen sich stützende allgemeine Lösung gefunden.

Tulasne haben wir es besonders zu danken, dass das Chaos der von den Systematikern aufgestellten Pilzarten allmählig entwirrt und gelichtet wird. *Tulasne* zeigte nämlich an einer grossen Anzahl von Beispielen, dass sehr viele Fruchtformen von Pilzen, die man als generisch und specifisch verschieden beschrieben hatte, oft als Morphen oder Formen in ein und dieselbe Species gehören. So z. B. zeigte er, dass die Formen des Russthaus,

Pleospora herbarum Rab., von früheren Forschern in mehr als 20 Arten und 16 Gattungen vertheilt worden sind.

In derselben ausgezeichneten Schrift, worin der für die Seidenraupenkrankheit, wie wir unten sehen werden, so bedeutungsvolle Russthau beschrieben und prachtvoll abgebildet wird, giebt *Tulasne* einen ähnlichen Nachweis für eine grosse Anzahl anderer Pilze [*]).

In den letzten Jahren gelang mir der Nachweis, dass es ausser den typischen, meist als echte Schmarotzer auftretenden Pilzformen einer Art noch solche giebt, welche als unvollkommene Entwickelungszustände, gewissermassen als unreife oder, wenn der Ausdruck erlaubt ist, als degenerirte Formen anzusehen sind. Solche Morphen nennt man Schimmel und Hefe.

Man nahm früher eine Gruppe der Schimmel- und Hefenpilze an. Ich habe gezeigt, dass eine solche selbständige Gruppe der Schimmelpilze oder Hyphomyceten gar nicht existirt, sondern dass sämmtliche Schimmel- und Hefeformen nur Morphen, Entwickelungszustände, höherer Pilze sind. Soweit meine Untersuchungen reichen, entwickelt jeder Pilz, unter gewissen Bedingungen, Schimmelformen und Hefeformen.

Den ganzen Complex der Formen einer Pilzart nennt man nach *Richter* die οὐσία, das Wesen eines Pilzes, und der Formenreichthum heisst Pleomorphie.

Nun könnte es scheinen, als hätten die neueren Untersuchungen, namentlich diejenigen über die Schimmelpilze, das Chaos der Formen noch vergrössert, statt es zu vereinfachen. Dem ist aber nicht so. Es stellt sich nämlich eine strenge Beziehung heraus zwischen den Schimmelformen und den Früchtformen der Pilze. Jeder Pilz hat Schimmelformen und Hefeformen, welche zwar bei jedem Pilz etwas im Bau abweichen, aber doch für alle Pilze nach analogen Bildungsgesetzen entstehen.

Mit dieser Auffassung der Schimmelbildungen fällt natürlich auch die frühere Eintheilung der Pilze in Saprophyten und Parasiten weg, denn mancher Pilz ist Parasit, so lange er auf lebenden Wesen vegetirt. Gerathen aber einzelne seiner Morphen auf todte Organismen oder auf organische, aber nicht organisirte Substanzen, so bilden sich Schimmel- und Hefeformen aus.

---

[*]) Selecta Fungorum Carpologia. Bd. II. Paris 1863.

Es ist also manche Pilzspecies gleichzeitig parasitisch und saprophytisch.

Aber nicht jede Morphe eines Pilzes ist im Stande, Schimmelformen auszubilden, wenigstens ist es bei mancher noch nicht gelungen, diese hervorzurufen.

Ausser den echt parasitischen Morphen, welche man nur auf noch lebenden Pflanzen oder Thieren zu erziehen vermag, giebt es nun noch solche, welche parasitisch in der Natur vorkommen und doch auch in derselben Form in leblosen organischen Materien gezogen werden können. Dahin gehören alle echten Brandpilze (Ustilagineae), so z. B. die, Brandkrankheiten des Getreides hervorrufenden Formen.

Auch diese hat man früher zu einer besonderen natürlichen Pilzgruppe vereinigt, aber auch sie haben sich als untergeordnete Morphen· höher organisirter Pilze herausgestellt. Die Gruppen der Brandpilze, der Schimmelpilze und der Hefenpilze mussten also aus dem mykologischen System gestrichen werden, da sie nur anderen Pilzen angehörige Formen (Morphen) begreifen.

Wenn man die in Schläuchen zu acht ausgebildeten Thecasporen des Lärchenpilzes, welcher den Krebs der Lärchen hervorruft (Peziza calycina), auf stickstoffreichen Kleister aussäet, dann keimt die Spore noch innerhalb des Schlauchs und bringt im Innern des Kleisters einen Brandpilz hervor, den man nach früherer Nomenclatur in die Gattung Ustilago stellen würde.

Eine solche Form nennt man eine anäerophytische Form, weil sie im Innern des Bodens vegetirt, ohne direct von der Luft abhängig zu sein. An der Luft nimmt der Pilz eine ganz andere Form an, welche man früher in die Gattung Cladosporium gestellt haben würde.

Moritz Willkomm, der mich zuerst auf die Pleomorphie dieses Pilzes aufmerksam machte, hat gezeigt, dass dieses Cladosporium sich in einen Pinselschimmel (Penicillium) umwandelt, sobald der Boden, worauf er wächst, in Verwesung geräth.

Wir sehen also, dass ein so hoch organisirter Pilz wie die Peziza calcina eine anäerophytische oder Brandform, eine Schimmelform und, wie ebenfalls *Willkomm* gezeigt hat, auch Hefeformen ausbildet.

Die Peziza ist ein Ascomycet, also der höchsten Ent-

wickelungsform der Pilze angehörig. Ein anderer Ascomycet,
die Claviceps purpurea Tul., welcher auf dem Getreide das
Mutterkorn hervorruft, hat ebenfalls, wie ich zeigen konnte, eine
Ustilago-ähnliche anäerophytische Morphe. Dass dieselbe eine
Schimmelform besitze, hat *Tulasne* schon vor geraumer Zeit nachgewiesen, ja dass das ganze Mutterkorn aus Schimmel- und Hefeformen hervorgeht.*)

Nach und nach gelang mir der Nachweis anäerophytischer
oder Brandformen für eine ganze Reihe hoch entwickelter Pilze
und ebenso konnte ich zeigen, dass bekannte Brandpilze nichts
Anderes sind als anäerophytische Morphen, welche höheren Ent-
wickelungsformen angehören.

II. Kurze Uebersicht über die früheren Arbeiten bezüglich der Seidenraupenkrankheiten.

Krankheiten der Seidenraupe sind schon seit der Mitte des
vorigen Jahrhunderts bekannt; aber es dauerte achtzig Jahre,
bevor man die beiden wichtigsten seuchenartigen Erkrankungen
der Seidenraupen wissenschaftlich unterscheiden lernte. Von
diesen ist die Muscardine früher bekannt geworden, die Gattine
weit später.

Nach *Boissier de Sauvages* **) soll eine Seidenraupenkrankheit
vor dem Jahre 1763 aus Piemont in Frankreich durch kranke
Eier eingeschleppt sein. Er nennt sie Muscardine und beschuldigt
den Mangel an Lüftung im geheizten Raum als die Ursache.
Für contagiös hält er die Krankheit nicht. Der Saft der kranken
Raupe reagirt stark sauer. Auch *Pomier* ***) hält die Krankheit
nicht für contagiös, denn er sieht, dass kranke Raupen, den gesunden beigemengt, diese nicht anstecken.

Schon zu Anfang unseres Jahrhunderts hatte sich unter den
praktischen Seidenzüchtern die Ansicht verbreitet, dass die Muscardine Folge einer Schimmelbildung sei; aber von den Gelehrten
wurde diese Ansicht lebhaft bekämpft, so namentlich 1808 durch

---

*) Vergl. *E. Hallier*, Phytopathologie. Leipzig 1868, S. 228 ff.
**) Mémoires sur l'éducation des vers à soie. Paris 1763.
***) Traité sur la culture des muriers blancs, la manière d'élever les
vers à soie, etc. Paris 1763.

Nysten, 1810 durch *Paroletti*, 1816 durch *Dandolo* und 1818 durch *Vincent de St. Laurent.* Wahrscheinlich ist in den Arbeiten dieser Forscher mehrfach die Muscardine mit der Gattine verwechselt worden. Fast gleichzeitig (1820) suchten die drei Italiener *Foscarini, Conflighacchi* und *Brugnatelli* die Contagiosität der Muscardine nachzuweisen, und die letztgenannten beiden Forscher *) erkannten in dem Contagium einen Schimmelpilz. *Bonafous*, welcher im Jahre 1821 noch auf das Lebhafteste die Contagiosität der Muscardine bestritten hatte, gab diese doch acht Jahre später unbedingt zu. Den genaueren Nachweis, dass die eigentliche Muscardine durch einen Schimmelpilz hervorgerufen werde, gab zuerst *Bassi* **) im Jahre 1835. *Balsamo* nannte ihm zu Ehren den Pilz Botrytis Bassiana. Der Name „Muscardine" entstand in der Provence durch einen Vergleich der Leiche des an der Krankheit gestorbenen Thieres mit einer Art länglicher Kuchen während „Gattine" ein Kätzchen bedeutet. Bei der Muscardine tritt bis kurz vor dem Tode durchaus keine Veränderung in der äusseren Erscheinung der Raupe ein, und dadurch unterscheidet sich die Krankheit sehr leicht von der Gattine, wo der Körper ganz einschrumpft, missfarbig wird und zuletzt in Fäulniss übergeht. *Bassi* übertrug die Sporen der Botrytis Bassiana auf gesunde Seidenraupen und rief dadurch die Muscardine hervor. *Andoine* ***) bestätigte und erweiterte diese Untersuchungen. Eine wesentliche Erweiterung fanden dieselben im Jahre 1836 durch *Montagne.*

Dieser produktive Mykolog wies nach, dass am zweiten Tage nach der Aussaat der Sporen der Botrytis Bassiana auf die gesunde Seidenraupe sich in deren Körper schon eine grosse Menge von Fäden gebildet hat, welche an allen ihren Zweigen kurze cylindrische Fortpflanzungszellen abschnüren. †)

De Bary hat vor Kurzem diese Zellen unter dem Namen Cylinderconidien aufs Neue beschrieben. ††)

---

*) Giornale de fisica, chimica, etc. Pavia 1820.

**) Del mal del segno, calcinaccio o moscardino. Milano 1835.

***) Comptes rendus des séances de l'Académie des sciences, 1836. — Annales des sciences natur., 1837.

†) Comptes rendus des séances de l'Académie des sciences de Paris, 1836.

††) Botanische Zeitung, 1867, Nr. 1—3.

In der Form der Botrytis mit endständigen Sporen bricht nach *Montagne,* wie nach allen späteren Forschern, der Pilz erst nach dem Tode der Seidenraupe aus deren Körper, besonders aus den Tracheenöffnungen, hervor. Sehr richtig hat schon *Montagne* gesehen, dass diese Sporen bald scheinbar in kleinen Köpfchen, bald in Ketten beisammen stehen. Er behauptet aber auch ausdrücklich, dass oft 2—5 Sporen simultan abgeschnürt werden und in kleinen Wirteln stehen; *Turpin* beobachtete 1836 den Muscardinepilz auf verschiedenen anderen Raupen. *Montagne* machte die Beobachtung, dass die Hyphen der Botrytis zuletzt wie bei einer Isaria stammförmig zusammentreten.

1837 schlug *Bérard* gegen die Muscardine Waschungen mit Kupfervitriol und Räucherungen mit Schwefel vor. *Robinet* erklärte im Jahre 1843 die im Raupenkörper gebildete Säure für Milchsäure. *Remak* zeigte im Jahre 1845, dass bisweilen die an der Muscardine zu Grunde gegangenen Puppen keine Spur der Botrytis Bassiana, wohl aber andere Schimmelpilze erkennen lassen, so z. B. nach der Bestimmung von *Klotsch:* Trichothecium roseum Lk., Sporotrichum conspersum Fr., Sporotrichum virescens Lk., Eurotium herbariorum Lk. Unter diesen wurde das Trichothecium häufig, die übrigen Pilze nur je ein Mal angetroffen, und wirklich ist unter allen Schimmelbildungen auf moderndem Maulbeerlaub das Trichothecium die häufigste.

Eine vortreffliche Arbeit über die Muscardine erschien im Jahre 1847 von *Guérin-Méneville.* *) Namentlich die äusseren Veränderungen der Raupen und Chrysaliden sind durch vortreffliche charakteristische Abbildungen erläutert. Vier Jahre später beobachtete *Guérin - Méneville* an den Blutkörpern der an der Muscardine gestorbenen Raupen contractile Bewegungen. Das Blutkörperchen sendet, wie es später so häufig bei Blutkörpern niederer Thiere und bei den weissen Blutkörperchen der Menschen beobachtet worden ist, kleine Fortsätze aus, verlängert und verkürzt dieselben u. s. w. Eine sehr wichtige Beobachtung machte ferner *Guérin - Méneville* an den Blutkörperchen kranker Raupen. Er sah nämlich, dass dieselben Kügelchen von 0,001 — 0,002 mm im

---

*) Extrait des Annales de la société séricicole. Muscardine. Mission confiée par M. Cunin-Gridaine, ministre de l'agriculture, à M. Guérin-Méneville.

Durchmesser einschliessen, welche die Blutkörper als amöben-
artige Zellen verlassen. Diese Thatsache, welche von vielen
späteren Beobachtern übersehen worden ist, habe ich für die
Gattine durchaus bestätigen können. Man vergleiche mit der
Darstellung *Guérin - Méneville's* die Figur 6 dieser Arbeit. Diese
kleinen amöboïden Zellen, welche *Guérin - Méneville* „Hématozoïdes"
nennt, sind, wie ich unten zeigen werde, bei der Gattine der
Micrococcus des die Krankheit hervorrufenden Pilzes. Es muss
also bei der Muscardine ebenfalls eine solche Hefebildung stattfinden, was auch bei der sauren Reaction des Raupensaftes
während dieser Krankheit kaum anders zu erwarten ist; oder
Guérin - Méneville hatte einen Fall zur Untersuchung, wo Gattine
und Muscardine gleichzeitig auftraten. Da *Guérin - Méneville* ausdrücklich hervorhebt, dass er jedesmal beim Ausbruch der Muscardine diese Körperchen gesehen habe, so kann man wohl nur
annehmen, dass sie ein constantes Vorkommniss bei der Muscardine
sind. Sie vergrössern sich nach *Guérin - Méneville* und vermehren
sich ausserordentlich. Er scheint anzunehmen, dass sie zuletzt
keimen und durch ihre ungeheure Anzahl das Eintrocknen des
Insects bewirken.

Dass man, wie zahlreiche Forscher schon bald nach dem
Bekanntwerden des Pilzes gezeigt haben, die Muscardine durch
Uebertragung der Botrytis auf die Haut erzeugen könne, beweist
natürlich nicht, dass die Krankheit immer und nur auf diesem
Wege entstehen könne und müsse.

Die kleinen Körper, welche von den Blutkörpern verschluckt
und transportirt werden, sind Micrococcus. Nachdem sie die Blutkörper verlassen haben, schwellen sie nach *Guérin - Méneville* allmählig zu grösseren eiförmigen Körpern an, d. h. sie verwandeln
sich in Arthrococcus, von dem die saure Gährung abhängt. Dieser
Arthrococcus keimt zuletzt, und daher verschwindet die Hefebildung wieder gegen das Ende der Krankheit. Dass ausserdem
auch Cylinderconidien keimen, kann nicht bestritten werden.

Robin[*]) hat im Jahre 1853 die Arbeiten über die Muscardine
übersichtlich zusammengestellt Die Gattine kennt er noch nicht
als Pilzkrankheit. Später haben *Vittadini*, *de Bary* und mehre

---

[*]) Ch. H. Robin, Histoire naturelle des végétaux parasites qui croissent
sur l'homme et sur les animaux vivants. A Paris 1853.

Andere einzelne Beiträge zur Kenntniss der Botrytis Bassiana und verwandter Pilzformen geliefert. Noch ist hervorzuheben, dass *Montagne* schon 1852 in einem Briefe an *Robin* auf die grosse Aehnlichkeit zwischen Botrytis Bassiana Balsamo und Stachylidium diffusum Fries (Botrytis diffusa Dittmar und Greville) aufmerksam macht.

Wenn auch die praktischen Seidenzüchter schon früher die Gattine von der Muscardine unterschieden, so erregte jene doch die Aufmerksamkeit der theoretischen Forscher erst spät. Selbst *Cornalia*, welcher die seitdem so berühmt gewordenen Cornalia-schen Körperchen im Jahre 1856 kannte und beschrieb, hielt sie für das Produkt einer Gewebsmetamorphose und verkannte ihre parasitische Natur.

Charrel (1857) kannte die von Späteren so vielfach bestätigten sauren Eigenschaften des Saftes der mit Gattine befallenen Raupen und nannte die Krankheit Acetotrophie. Wir haben aber schon gesehen, dass auch bei der Muscardine der Saft sauer reagirt, dass also hiermit gar kein Unterscheidungsmerkmal für beide Krankheiten gewonnen ist.

Es kann keinem Zweifel unterliegen, dass *Lebert*[*] das Verdienst hat, zuerst (1858) den Parasiten der Gattine in den Körpern des Cornalia mit Sicherheit erkannt zu haben. *Lebert* wies nach, dass die genannten eiförmigen Körperchen sich durch Theilung vermehrten, und diese Beobachtung wurde von *Nägeli* bestätigt Chemische Untersuchungen von *Städeler* zeigten, dass das Blut kranker Raupen weniger Leucin und Harnsäure enthält, als das der gesunden. Im Gegensatz zu anderen Forschern wird hierbei angegeben, dass das Blut gesunder Raupen sauer reagire. *Haberlandt* hat die Untersuchungen *Lebert's* nicht nur bestätigt, sondern in manchen Punkten erweitert. Noch im Jahre 1866 ist er freilich geneigt, die Körper des Cornalia für eine Modification der Blutkörperchen zu halten[**], aber 1868 weist er nach, dass es nicht nur mit der von *Lebert* entdeckten Vermehrung durch Zweitheilung seine völlige Richtigkeit habe, sondern dass ausserdem diese Körperchen aus sehr kleinen Kernen durch allmählige

---

[*] Jahresbericht über die Wirksamkeit des Vereins zur Förderung des Seidenbaues für die Provinz Brandenburg im Jahre 1856—1857. Berlin 1858.

[**] Die seuchenartige Krankheit der Seidenraupen. Wien 1866.

Anschwellung entstehen können. Ich habe weiter unten zu zeigen, dass diese Beobachtung *Haberlandt's* vollkommen richtig ist.

In den letzten beiden Jahren haben auch die Franzosen und Italiener sich eifrig mit der Gattine beschäftigt.

Werthvoll ist die Beobachtung von *Béchamp*, dass die in kranken Seidenraupen vorkommenden Körperchen als Hefe Alkoholgährung, Essigsäuregährung u. s. w. einzuleiten vermögen.*)

Pasteur bestätigt die Theilung dieser Körperchen, welche schon so viel früher von *Lebert* und *Nägeli* nachgewiesen war, und ebenso liefert er den Nachweis, dass die Krankheit durch das Laub verbreitet wird und, was übrigens längst bekannt war sich auf die Eier vererbt.

Keimungsversuche gelangen zuerst *Béchamp*. Die keimenden Körperchen des Cornalia brachten ein Mycelium hervor, welches offenbar einem entwickelteren Pilz angehören musste.**) Diese Entdeckung ist jedenfalls eine der wichtigsten in der Geschichte der Gattine.

Weit geringeren Werth haben die ebenfalls im letzten Bande der „Comptes rendus" mitgetheilten Ansichten von *Balbiani*. Er erklärt die Corpuscula des Cornalia für Psorospermien. Gegen *Pasteur* und *Béchamp* bestreitet *Balbiani* die Vermehrung der Corpuscula.

Schon beim ersten Bekanntwerden der Gattine war in Italien die Ansicht aufgetaucht, dass eine Degeneration des Laubes, namentlich ein zu geringer Stickstoffgehalt desselben, die Gattine hervorrufe. Nach den Arbeiten von *Lebert, Haberlandt* und *Pasteur* verdiente diese Ansicht kaum noch eine Erwähnung, wenn sie nicht auch in Deutschland neuerdings wieder aufgetaucht wäre.***)

Nach dieser Ansicht wäre geringer Stickstoffgehalt der Blätter die Ursache der Krankheit. *Haberlandt* hat schon auf das Schlagendste das Unrichtige dieser Vorstellung und der zu ihrer Rechtfertigung aufgestellten Berechnungen nachgewiesen. Er

---

*) Es ist hier von einer scheinbar verschiedenen Krankheit, der „Pebrine", die Rede, deren Verschiedenheit aber noch keineswegs auf einen sicheren Ausdruck gebracht ist.

**) Comptes rendus des séances de l'Acad. des sciences. Paris 1867. Band 64.

***) *J. v. Liebig*, Ueber die Seidenraupenkrankheit, 1867. — Ferner: Allgem. deutsche Zeitschrift für Seidenbau, Bd. 1, Nr. 3 u. 4.

zeigte erstlich*) durch Zusammenstellung sehr verschiedener chemi-
scher Analysen des Laubes, dass gar kein Zusammenhang zwischen
dem Stickstoffgehalt des Laubes und der Gattine nachweisbar
sei, und dass die Raupen auch bei dem stickstoffärmsten Laube
weit mehr Stickstoff erhalten, als sie assimiliren können und zu
ihrer Ernäbrung bedürfen. Dass der Stickstoffgehalt des Laubes
keine ätiologische Bedeutung habe, geht aus meinen unten mitzutheilenden Untersuchungen zur Genüge hervor. Es wird hier,
wie so oft, die eigentliche Ursache mit den disponirenden Momenten
verwechselt. Dass, wenn der Krankheitskeim schon vorhanden
ist, die schlechte Beschaffenheit des Laubes disponirend einwirken
kann, bedarf kaum der Versicherung.

In einzelnen Fällen, nämlich überall da, wo die Krankheit
in Folge der Affection des Laubes durch den Pilz autochthon
zum Ausbruch kommt, kann sehr gut Beides, nämlich Abnahme
des Stickstoffgehalts im Laube und Erkrankung der Raupen
parallel neben einander gehen. Wer aber das erste als Ursache
des zweiten ansehen wollte, der würde einen groben Missgriff
begehen. Es haben vielmehr beide Erscheinungen eine gemeinsame Ursache.

Ich habe weiter unten zu zeigen, dass der Pilz vom Laube
in die Raupen gelangt, dass er das Laub in dieselbe saure Gährung
versetzen kann, wie den Darminhalt der Raupe, dass er oft schon
auf dem Laub vorhanden ist, wenn das blosse Auge noch keine
Spur von ihm entdeckt. Analysirt also der Chemiker solches
Laub, so kann sehr leicht der Irrthum sich einschleichen, als sei
das Laub frei vom Pilz, und der geringere Stickstoffgehalt die
Ursache der Gattine. Solche Vorstellung kann sich aber niemals
einschleichen, wenn ein Chemiker und ein Botaniker gemeinsam
arbeiten, sondern nur dann, wenn der Chemiker allein an die
Arbeit geht, ohne Kenntniss der botanischen Untersuchungen und
ohne Rücksichtnahme auf dieselben.

Eine gewiss höchst anerkennenswerthe Bestrebung unserer
Zeit ist die seit vorigem Jahr angebahnte Errichtung einer Ver-
suchsstation für Zwecke des Seidenbaues in Oesterreich. Die
Station soll nach dem Beschluss des Seidenbaukongresses, welcher

---

*) Vergl. dafür besonders: Neue Beiträge zur Frage über die seuchen-
artige Krankheit der Seidenraupen. Potsdam 1867. Ung. Altenburg 1866.

vom 15. bis 17. Oktober in Wien tagte, die Bedingungen zur
Entwickelung der Seidenraupenzucht überhaupt erforschen, Accli-
matisation fremder Racen vornehmen und die Ursachen der Krankheiten der Seidenraupen aufdecken.*)

Wenn es mir nun vergönnt sein mag, ein Wort darüber
voranzuschicken, wie sich meine Arbeit zu den Resultaten bis-
heriger Forschung und praktischer Erfahrung verhält, so muss
ich bekennen, dass sich hier auch wieder der alte Satz bewährt,
dass die Praxis gewissermassen instinktiv ergreift, was die theo-
retitsche Forschung als richtig weit später nachweist.

Ich habe als Ursache der Seidenraupenkrankheit einen Pilz
nachgewiesen, der sich über den grössten Theil der alten Welt
verbreitet, also auch in China und Japan nicht fehlt. Ich habe
zu zeigen, dass dieser Pilz den Maulbeerbaum ebenso gut wie
andere Holzgewächse befällt, dass er, von den Raupen gefressen,
die Körper des Cornalia im Nahrungskanal zur Ausbildung
bringt. Ich habe ferner zu zeigen, dass der Pilz in Folge seiner
grossen Verbreitung in der Natur auch in die Zuchten gerathen
kann, wenn diese auf irgend eine Weise, so z. B. durch Anhäufung
von Laub, durch mangelhafte Lüftung, Feuchtigkeit, Unreinlichkeit u. s. w., die Schimmelbildung begünstigen.

Es folgt also aus dem Allen, dass die Chinesen und Japanesen
eben deshalb weit seltener von Seidenraupenkrankheit zu leiden
haben als wir, weil sie auf die Kultur des Maulbeerbaumes wie
auf die Seidenraupenzucht überhaupt eine ganz pedantische Sorgfalt verwenden.**)

Nun wird es bei einem europäischen Kulturvolk, welches
nicht unter dem unabweislichen Gebot pedantischer Lebensregeln
und Vorschriften der Etiquette steht, wie das chinesische, niemals an Einzelnen fehlen, welche durch Nachlässigkeit, Unreinlichkeit, Unordnung und Unwissenheit sich selbst um die Ernte
oder einen Theil derselben bringen, und aus diesem Grunde wird
die Krankheit der Seidenraupen in Europa niemals aufhören.
Aber es ist doch schon viel gewonnen, wenn der einzelne Züchter
einsieht, dass es einzig und allein von ihm abhängt, ob seine

---

*) Vgl. u. a. Preussische Annalen der Landwirthschaft, 1868. — Die
landwirthschaft. Versuchsstationen etc., von Prof. *Fr. Nobbe.* Bd. X, Nr. 1.

**) Vgl. *E. Reichenbach,* Ueber Seidenraupenzucht und Kultur des
Maulbeerbaums in China. München 1867.

Ernte eine vorzügliche oder eine minder gute sein werde. Es
ist schon viel gewonnen, wenn man den Nachweis führen kann,
welche Ursache die Krankheit hervorrufen und durch welche
Massnahmen sie vermieden werden kann. · Und dazu glaube ich
durch die folgenden Mittheilungen beitragen zu können.

Und auch in Deutschland ist auf manchen Uebelstand, der
zu den disponirenden Veranlassungen der Gattine gehört, schon
vielfach aufmerksam gemacht worden. Mehrfach hat man auf
kühle Aufbewahrung der Eier und mässige Temperatur im Zuchtlokal hingewiesen. *)

Ebenso giebt es für die Kultur des Maulbeerbaums manchen
praktischen Wink, welcher allgemeine Befolgung verdiente. **)
Ganz besonders muss ich betonen, dass der mehrfach gemachte
Vorschlag, nur Blätter von Wildlingen zur Fütterung zu verwenden, welche an einem warmen, sonnigen, wo möglich nach
Süden abhängigen Ort auf mässig schwerem Boden stehen, völlig
richtig ist. Nicht genug kann ich warnen vor Heckenanlagen,
besonders an niedrigen Orten ***), denn gerade solche hegen und
pflegen den Parasiten.

Eine sehr ausführliche Belehrung über den Maulbeerbaum,
seine Kultur u. s. w. findet man in einem französischen Werk,
welches von *Séringe* herrührt. †)

Noch auf einen Punkt in meiner unten mitzutheilenden Arbeit
möchte ich ganz besonders aufmerksam machen, weil derselbe
nicht bloss für die Seidenraupenkrankheit, sondern für die gesammte Parasitologie, insbesondere für die contagiösen Krankheiten des Menschen, von Bedeutung werden kann. Ich meine
die Bestätigung · der Beobachtung *Guérin - Méneville's* bezüglich der
Blutkörperchen. Es lässt sich in einem gewissen Stadium der
Gattine nachweisen, dass kleine Micrococcuszellen des Pilzes sich
innerhalb der Blutkörperchen befinden, dass sie darin wachsen
und sich zu kleinen Arthrococcuszellen ausbilden.

---

*) Vgl. die Veröffentlichung des Seidenbauvereins für die Provinz
Brandenburg vom April 1867.
**) Vgl. Allgem. deutsche Zeitschrift für Seidenbau von *Ed. Wartig*.
Bd. I, Heft 1—8.
***) Vgl. ebendaselbst Nr. 5.
†) *N. C. Séringe*, Description des Muriers, leurs espèces, variétés,
culture, taille. Lyon 1855, avec atlas.

Es dienen also die Blutkörperchen als Transportmittel der Pilzzellen durch den ganzen Raupenkörper, und nur so ist das Vorhandensein derselben im Fettgewebe, in den Muskeln u. s. w. erklärlich. Diese Beobachtung gewinnt an Bedeutung im Verhältniss zu ähnlichen Vorgängen im Blut und Eiter bei Wirbelthieren, insbesondere beim Menschen. Die kleinen Micrococcuszellen, welche zum Theil die Wirkung des Speichels hervorrufen, dringen in die Speichelkörperchen ein, vermehren sich in denselben und verlassen diese wieder.

Im Blut eines mit constitutioneller Syphilis behafteten Mädchens fand ich auf und in den weissen Blutkörperchen den Micrococcus des Syphilispilzes (Coniothecium syphiliticum), ebenso fand sich derselbe Micrococcus in den Eiterzellen beim harten wie beim weichen Schanker. Es kann also nicht Wunder nehmen, dass er in jedem leidenden Körpertheile bei Syphilitischen vorkommt. Bei der Rotzkrankheit der Pferde fand ich denselben Micrococcus im Innern der weissen und rothen Blutkörperchen, und *Zürn* nahm an solchen Blutkörperchen contractile Bewegungen wahr. Ebenso belagert der Micrococcus des Typhuspilzes die Blutkörperchen der Typhuskranken.

Man mag nun in allen diesen Fällen über das Verhältniss des Pilzes zum Contagium denken, wie man will, soviel steht jedenfalls fest, dass die Natur sich der Blutkörperchen, Eiterkörperchen und Speichelkörperchen als Transportmittel des Pilzes durch den gesammten Organismus bedient. Es mag immerhin sein, dass bei der Muscardine ausserdem das Mycelium durch sein Durchwachsen des gesammten Gewebes an der Penetration betheiligt ist, für die Gattine fällt jeder Versuch einer solchen Erklärung ganz weg, weil überhaupt nur äusserst selten unbedeutende Mycelbildungen stattfinden und dies jedenfalls niemals in den früheren Stadien der Krankheit der Fall ist.

III. Die Gattine der Seidenraupen.

Ohne die Controverse bezüglich des Namens der Seidenraupenkrankheit vermehren zu wollen, also auch ohne Präjudiz, schliesse ich mich der Bezeichnung „Gattine" an, nicht, weil sie Vorzüge vor den übrigen zahlreichen in Vorschlag gebrachten Namen hat, sondern weil sie kurz und naturwüchsig ist und

weil kein Zweifel darüber obwalten kann, was man darunter zu
verstehen habe.

Was Gattine und Muscardine sei, ist allgemein bekannt, und
das ist ja die Hauptsache bei einem Namen, dass man weiss,
was er bezeichnen soll. Zur Definition wird sich die Nomenclatur doch niemals erheben.

Verstehen wir also unter Gattine diejenige Seidenraupenkrankheit, bei welcher der Pilz nur in Form der Cornalia'schen
Corpuscula auftritt, bei Lebzeiten der Raupe aber niemals
Schimmelbildungen hervorruft, so lässt sich die Muscardine, bei
welcher der Pilz schon während des Lebens der Raupe mit
seinem Mycelium das Gewebe durchwuchert und spätestens gleich
nach dem Tode aus dem Körper der Raupe in Gestalt fructi-
ficirender, Conidien tragender Fäden hervorbricht, leicht genug
unterscheiden. Dass diese Unterscheidung der Gattine und der
Muscardine vollkommen berechtigt sei, geht schon daraus hervor,
dass, wie wir sehen werden, die Pilzarten in beiden Krankheiten
ganz verschieden sind. Da aber hier Pilz und Contagium oder
Miasma identisch sind, so unterscheiden sich die beiden Krankheiten wesentlich in ihren Ursachen.

Die Fragen, welche ich mir bei Untersuchung der Gattine
vorzulegen hatte, bestanden wesentlich in Folgendem:

1. Woher kommen die Cornalia'schen Körperchen und welche
Bedeutung haben sie?

2. Auf welche Weise und in welcher Form gelangen sie
zuerst in das Insect?

3. Wodurch ist die epidemische, seuchenartige Ausbreitung
der Krankheit bedingt?

4. Welche Mittel zur Verhütung und Hemmung der Krankheit gewinnen wir durch die Beantwortung der drei erstgenannten
Fragen?

Die Beantwortung der ersten Frage konnte nur a) durch
Untersuchung und b) durch Zuchtversuche gelingen. Die Beantwortung der zweiten Frage war nur auf experimentellem Wege
möglich, d. h. durch das von der Erfahrung eingegebene Experiment. Bei der dritten Frage mussten wieder Zuchtversuche der
Lösung näher führen. Die Beantwortung der vierten Frage folgt
theils aus den früheren Resultaten, theils aus den Ansichten über
Schimmel- und Hefebildung überhaupt.

1. Ursprung und Bedeutung der Körperchen des Cornalia.

a) Voruntersuchung.

Es waren natürlich die Eier, die Raupen in ihren verschiedenen Lebensstadien, die Puppen und die Schmetterlinge
mit ihren Eiern zu untersuchen.

Zur Untersuchung der Eier dienten kranke und gesunde
Grains, welche mir der Königl. Oekonomierath Herr *v. Schlicht*
gütigst zugehen liess. Hier muss zunächst unterschieden werden,
was sich an der Oberfläche der Eier und was sich im Innern
derselben befindet. Beiderlei Vorkommnisse können sehr leicht
mit einander verwechselt werden, wenn man die Eier bloss zer-
quetscht und den ausgetretenen Saft untersucht. In diesem Falle
mischen sich natürlich die der Oberfläche der Eier anhaftenden
Körperchen mit dem Safte des Embryo. Es ist daher durchaus
nothwendig, die sorgfältig abgelöste Eischale für sich zu untersuchen.

An dieser Eischale sieht man bei Eiern, welche von kranken
Schmetterlingen stammen, am Rande häufig anklebende Körnchen
von ausserordentlich geringen Dimensionen. Am deutlichsten
sieht man diese kleinen meist kugeligen Körner bei auffallendem
Licht, verstärkt durch die Beleuchtungslinse, mit Hülfe starker
Immersionssysteme. Ganz gesunden Eiern fehlen meistens diese
Körnchen gänzlich, auch sind sie keineswegs immer am kranken
Ei sichtbar; man kann sie daher nicht zur Unterscheidung der
kranken Eier von den gesunden benutzen. Als Unterscheidungs-
mittel sind sie auch deshalb unbrauchbar, weil sie der stärksten
Vergrösserungen, sowie der besten Beleuchtung bedürfen, um
deutlich sichtbar zu werden. Diese Körnchen sind höchst wahrscheinlich Micrococcuszellen, welche sich im ersten Stadium der
autochthon auftretenden Krankheit stets, entweder allein oder neben
den Cornalia'schen Körperchen, im Innern der Eier vorfinden.

Ausser diesen Körperchen finden sich sehr häufig einzelne
Sporen vor, welche ebenfalls der Aussenfläche der Eischale anhaften. Figur 1 zeigt verschiedene derartige Vorkommnisse,
worunter am häufigsten braune oder blasse längliche oder spin-
delige Zellen (Fig. 1, c—e, i, k, p - t) sind, die man unschwer
als Glieder von Ketten eines Cladosporium oder eines sehr ähnlichen Kettenpilzes erkennt. Auch grössere einfache (Fig. 1, n)

oder septirte (Fig. 1, o) Sporen mit zierlich punktirt warzigem Epispor sind ziemlich häufig. Seltener sind kugelige Pilzzellen (Fig. 1, a, b, f, g), die man mitunter in Theilung begriffen findet (Fig. 1, h) und längere Glieder (Fig. 1, l) eines oidiumartigen Pilzfadens.

Alle diese Vorkommnisse sind der Beachtung werth, weil sie möglicherweise Aufschluss geben können über den Ort, wo die Raupe inficirt wird, sowie über den Parasiten, welcher die Infection hervorruft. Jedenfalls müssen diese Pilzzellen ja entweder schon im Zuchtlokale sich befunden haben, was am wahrscheinlichsten ist, oder sie sind später auf die Eier gelangt und an ihnen haften geblieben. Was die erste Annahme anbelangt, so wird dieselbe schon dadurch im höchsten Grade wahrscheinlich, dass der Aussenfläche der kranken Raupe meist dieselben oder sehr ähnliche Pilzzellen anhaften.

Im Saft der kranken Eier befinden sich meist zahlreiche, äusserst kleine und grössere Micrococcuszellen, oft in Theilung begriffen (Fig. 2—4), wobei sich zuerst das Plasma theilt. Zum Theil sind diese Zellen von unmessbarer Kleinheit, Micrococcuszellen von 0,0005 mm. im Durchmesser gehören schon zu den grösseren. Die kleinsten sieht man noch bei 1200facher Vergrösserung (Fig. 3) punktförmig, während die grösseren bei einer nahe 2000fachen Vergrösserung den Inhalt von der Membran oder Hülle deutlich unterscheiden lassen (Fig. 4). Bewegung sieht man an diesen Zellen anfänglich nicht, ausgenommen die gewöhnliche Molecularbewegung. Auch zeigt die stärkste Vergrösserung (1970 linear) keine Bewegungsorgane.

Sehr leicht kann man den Micrococcus mit kleinen Fetttröpfchen verwechseln, welche stets massenhaft neben ihm in den Eiern vorhanden sind. Bei dieser Gelegenheit will ich nicht unterlassen, zu bemerken, dass in den unbefruchteten Eiern meist die Fettmasse bedeutend überwiegt, während die befruchteten Eier weit weniger Fett zu enthalten pflegen. So viel steht fest, dass oft die unbefruchteten Eier schon mit Micrococcus erfüllt sind, woraus hervorgeht, dass sie jedenfalls durch die Mutter inficirt werden können. Ob auch gesunde Eier durch den Coitus inficirt werden können, wäre eine sehr interessante Frage, die aber wohl von einem Zoologen an einem Orte gelöst werden muss, an welchem der Seidenbau in Blüte steht.

Der Micrococcus ist keineswegs immer der einzige pflanzliche Befund in den kranken Eiern. Befruchtete vollkommen ausgebildete Eier zeigen sogar stets noch andere Pilzzellen, wenn sie von der Krankheit inficirt sind. Diese Pilzzellen (Fig. 5) sind die berühmten Körperchen des Cornalia. Diese sind von verschiedener Grösse und in verschiedenen Stadien der Entwickelung. Anfangs sind sie kreisrund, fast kugelig. Im Wachsthum strecken sie sich immer mehr in die Länge, werden eiförmig, lanzettlich, ja stabförmig. Im ausgewachsenen Zustande sind sie meist eiförmig (Fig. 5), häufig an beiden Enden etwas abgeplattet. Sie sind in diesem Zustand niemals ganz stielrund, haben daher mit den von *Montagne* und *de Bary* beschriebenen Cylinderconidien*), welche bei der Muscardine vorkommen, keine Aehnlichkeit.

Ist die Krankheit des Embryo noch in den ersten Stadien befindlich, so findet man diese Körper stets nur im Nahrungskanal (Fig. 5). Erst im weiter vorgerückten Stadium der Erkrankung verbreiten sich diese Zellen durch den ganzen Körper, sehr häufig erst nach dem Auskriechen der jungen Raupe. Diese Beobachtung scheint nicht ganz unwichtig, da sie Aufschluss giebt über den Weg, welchen die Körper des Cornalia durch den Embryo und durch die junge Raupe nehmen. Man hatte sich bisher damit begnügt, die Eier zwischen Glasplatten zu zerquetschen und den so gewonnenen Brei zu untersuchen. Es gelingt aber mit einiger Vorsicht leicht, die Eischale durch Präpariren mittelst feiner Nadeln zu entfernen und den Nahrungskanal freizulegen.

Demnächst findet man die Blutkörperchen inficirt.

Ich sah sehr häufig sowohl im Innern als an ihrer Oberfläche (Fig. 6) Micrococcus von verschiedener Grösse, d. h. in verschiedenen Stufen der Entwickelung. Dass diese Pilzzellen auch im Innern der blassgelben, kreisförmigen Blutkörper vorkommen, kann man leicht durch Einstellung auf die Mitte der Blutkörperchen constatiren. Es mag gleich hier bemerkt werden, dass weder Jod noch Chlorzinkjod, noch Jod und Schwefelsäure den Micrococcus und die Körper des Cornalia färben. Die Membran dieser Pilzzellen wird durch Chlorzinkjod stark gequellt,

---

*) Botanische Zeitung, 1867, Nr. 1—3.

ohne dass blaue Färbung einträte, und auch die braune Färbung
des Plasma tritt nur sehr schwach hervor.

Ueber die Grösse der Cornalia'schen Körperchen lässt sich
Allgemeines kaum angeben. Man findet alle Mittelstufen zwischen
den Micrococcuszellen und den ausgewachsenen Körpern des
Cornalia (Fig. 7), welche durchschnittlich etwa 0,002 bis 0,005 mm.
Länge ¦haben. Doch sind sie meistens kleiner, namentlich im
Anfang der Krankheit.

Schon *Lebert* *) hat in seiner Arbeit sehr richtig die eine
Entstehung der Körper des Cornalia nachgewiesen. Diese lässt
sich leichter beobachten, weil sie nur an ganz oder nahezu ausgewachsenen Individuen vorkommt. Ich meine die Entstehung
und Vermehrung durch Theilung schon vorhandener Individuen,
wie man sie so schön im Nahrungskanal kranker Embryonen
(Fig. 5) beobachten kann. Schon *Lebert* musste es auffallen**),
dass die in Theilung begriffenen Individuen grösser sind, als dic
meisten anderen, und dass man meist entweder nur Individuen
ohne Theilungen beisammen findet (Fig. 7), oder dass sich die
meisten in Theilung befinden. Eben dieser Umstand war auch
der Grund, warum man so lange an der pflanzlicheu Natur und
an der pflanzlichen Vermehrung der Körper des Cornalia zwei-
felte, weil man meist nur die jüngeren Zustände sah, bei welchen
noch keine Theilung stattfindet. Da nun diese Jugendzustände
der Körper des Cornalia oft nicht minder massenhaft vorkommen,
wie die ausgewachsenen Individuen, so hat offenbar dieses Gebilde noch einen anderen Ursprung.

Diesen Ursprung kennen wir durch *Guérin-Méneville.* Dieser
ausgezeichnete Beobachter sah bei der Muscardine und auch bei
anderen Krankheiten von Insekten die Blutkörper von kleinen
Zellen belagert. Diese drangen auch in die Blutkörper ein, ver-
grösserten und vermehrten sich in denselben und verliessen sie
in Gestalt von eiförmigen Körperchen des Cornalia. Diese Beobachtung stimmt völlig mit der unsrigen (Fig. 6) überein.
Später ist sie durch Herrn Professor *Haberlandt* vervollständigt

---

*) Jahresbericht über die Wirksamkeit des Vereins zur Beförderung
des Seidenbaues für die Provinz Brandenburg im Jahre 1856—1857.
Berlin 1858.
**) a. a. O., S. 30.

worden.*) Derselbe sagt: „Sonach entstehen die Doppelzellen aus kleinen kugeligen Sporen, die bei ihrer Fortbildung entweder die Ei- oder die Birnform annehmen." Ebenso konstatirte *Haberlandt* die Vermehrung durch Quertheilung der ausgewachsenen Individuen. Bei der Muscardine ist entweder der Arthrococcus des Muscardinepilzes thätig, oder *Guérin-Méneville* hat Raupen untersucht, welche zugleich an der Gattine und an der Muscardine erkrankt waren. Jedenfalls hatte er eine Bildung vor sich, welche den Cornalia'schen Körperchen analog war, d. h. den Arthrococcus, die Säurehefe öder Gliederhefe eines Pilzes.

Es wird auch von *Robin***) ausdrücklich hervorgehoben, dass das Blut der Raupen bei der Muscardine sauer reagire, und ganz dasselbe ist bei der Gattine im höchsten Stadium der Erkrankung der Fall.

Der Vorgang im Embryo des Eies ist also kurz folgender: Zuerst ist der Embryo mit Micrococcus erfüllt, und der Saft reagirt schwach alkalisch. Die Alkalescenz des Saftes nimmt ab, und die Micrococcuszellen strecken sich in die Länge, allmählig zum Arthrococcus sich ausbildend. Während dieses Stadiums findet keine Theilung der Zellen statt; man sieht daher nur einzelne Arthrococcuszellen (Cornalia'sche Körperchen). Erst wenn diese ausgewachsen sind, beginnt ihre Theilung, und nun reagirt der Saft sauer. Im Darm des Embryo befinden sich sehr häufig Individuen, welche nicht nur einmal, sondern zwei- bis sechsmal eingeschnürt sind.

Um auf die Untersuchung der Eier zurückzukommen, habe ich noch hervorzuheben, dass man sehr häufig nur das letzte Stadium der Entwickelung, nämlich ausgebildeten Arthrococcus in den Eiern antrifft. Besonders ist das stets der Fall, wenn die Embryonen dem Auskriechen nahe sind.

Jetzt reagirt der Saft kranker Embryonen stets sauer, und die eiförmigen bis stäbchenförmig-lanzettlichen Arthrococcuszellen sind meist schon in Vermehrung begriffen. Die ausgekrochenen kranken Raupen zeigen, wenn sie nur sehr schwach inficirt sind,

---

*) *Fr. Haberlandt*, Neue Beiträge zur Frage über die seuchenartige Krankheit der Seidenraupen. Wien 1868. Nr. 39.

**) *Ch. Robin*, Histoire nâturelle des végétaux parasites qui croissent sur l'homme et sur les animaux vivants. Paris 1853, p. 569.

den Arthrococcus stets zuerst und auch später am massenhaftesten im Nahrungskanal.

Das Maulbeerlaub ist der Vermehrung des Arthrococcus sehr förderlich. Die Raupe hat stets sauren Saft, so lange sie krank ist. Nur kurz vor dem Tode geht eine plötzliche Veränderung vor. Der Körper beginnt nämlich jetzt zu faulen und es entwickelt sich auf eine Weise, die ich später ausführlich mittheilen werde, aus dem Arthrococcus wieder der Micrococcus. Bald nach dem Tode des Thieres findet man in demselben nur noch Micrococcus und der Saft reagirt alkalisch. Eben diese starke Fäulniss verhindert die Ausbildung des Mycelium, und auch dadurch unterscheidet sich die Gattine von der Muscardine.

Die Vertheilung des Arthrococcus durch den Raupenkörper haben *Lebert* *) und *Haberlandt* **) bereits so gut beschrieben, dass ich kaum etwas hinzuzufügen wüsste. Ich darf daher auf ihre angeführten Schriften verweisen.

Vom Nahrungskanal aus scheinen immer zuerst das Blutgefäss und die Malpighischen Gefässe ergriffen zu werden. Zuletzt findet man aber den Arthrococcus im Fettkörper und überall bis unter die Haut vorgedrungen, wo, sogar die ersten Stadien der Keimung und Bildung von Gliederfäden vorkommen.

Gewisse Krystallbildungen, welche diesen Gliedern sehr ähnlich sind, verdienen jedenfalls eben so sehr eine gründliche chemische Untersuchung wie der ganze Vorgang der sauren Gährung in dem kranken Insekt überhaupt. Die erwähnten tafelförmigen Krystalle sind übrigens keineswegs die einzigen bei der Krankheit vorkommenden, vielmehr tritt in verschiedenen Stadien eine grosse Mannigfaltigkeit derselben auf, wovon schon mehre von diesem oder jenem Schriftsteller Berücksichtigung gefunden haben.

Die Krankheit der Raupen verkündigt sich bekanntlich, sobald sie erst stark zum Ausbruch gekommen ist, durch mannichfache äussere Zeichen. Kranke Raupen bleiben hinter gesunden merklich im Wachsthum zurück, mag die Krankheit nun vererbt oder erst später zum Ausbruch gekommen sein. Oft nehmen

---

*) a. a. O., S. 20 ff.
**) *Fr. Haberlandt*, die seuchenartige Krankheit der Seidenraupe. Wien 1866, S. 19 ff.

die Raupen sogar an Grösse ab, ja, wenn die Krankheit einen
tödtlichen Grad erreicht hat, so ist das stets der Fall. Die
Raupen schrumpfen dann stark ein; die Haut wird welk, schlaff
und gelblich bis braun. Diese Verfärbung hat mit dem Pilz
nur indirekten Zusammenhang; sie ist nämlich lediglich Folge
der gestörten Ernährung. Es ist eine—einfache Nekrose, der
Vorgang des Absterbens, welcher hier schon am lebenden Thier
beginnt.

Der Prozess beginnt bekanntlich sichtbar zuerst am Hörn-
chen. Unter scharfer Loupe oder unter dem Mikroskop sieht
man ihn ausserdem an der Spitze der Haare hervortreten. Diese
der Luft am meisten ausgesetzten Theile der Haut bräunen sich,
anfänglich nur schwach, zuletzt immer stärker. Nun nehmen die
Oberhautzellen ringsum an der Bräunung Theil, und es entstehen
bräunliche Flecke, die bald dem blossen Auge sichtbar werden
und an Grösse und Dunkelheit beständig zunehmen. Eine regelmässige Anordnung und Gestalt ist durchaus nicht an ihnen ersichtlich; nur fiel mir auf, dass sie besonders dann stark zur
Entwickelung kommen, wenn sie die Oeffnungen der Tracheen
umgeben, was wiederum auf den Einfluss der Luft bei diesem
Phänomen hindeutet. Uebrigens sind, wie gesagt, die Flecken
lediglich ein äusseres Symptom der Krankheit, welches freilich
schon auf ein vorgerücktes Stadium derselben hindeutet. Solche
starkfleckige Raupen spinnen sich selten ein. Man sollte jede
fleckige Raupe unbedingt aus den Zuchten entfernen.

Auffallend war mir, dass die Krankheit bald im Steigen, bald
im Sinken begriffen ist. Sehr oft sieht man Raupen, welche
schon ganz im Wachsthum zurückgeblieben, schon vergilbt und
schlaff sind, so dass man binnen wenigen Tagen ihren Tod er-
wartet, wieder zunehmen, praller und weisser werden, ja nicht
selten die normale Grösse erreichen.

Ich glaube zwar nicht, dass solche Raupen wieder ganz
genesen können, aber lehrreich ist diese Thatsache jedenfalls,
weil sie zeigt, dass man durch äussere Einflüsse stark auf den
Gesundheitszustand einwirken kann. Der Krankheitsverlauf ist
meist ziemlich langsam, oft aber auch erstaunlich rapid.

Die Agentien, welche auf den Krankheitsverlauf am stärksten
einwirken, sind: die Temperatur, die Luft und das Futter. Es
steht unumstösslich fest, wie wir später sehen werden, dass die

eigentliche Ursache der Krankheit die Pilzbildungen, nämlich
der Micrococcus und der aus diesem hervorgehende Arthrococcus,
eines ganz bestimmten Pilzes sind; aber ebenso fest steht es,
dass jene drei Agentien gewaltig auf den Krankheitsverlauf einwirken. Schwerlich wird man die einmal inficirten Raupen heilen
können, aber sicherlich kann man durch sorgfältige Ueberwachung der Luftzufuhr, der Temperatur und des Futters die
Gefahr für die Nachkommenschaft auf ein Minimum zurückführen,
wenn nicht ganz vermeiden.

Jeder plötzliche Temperaturwechsel verstärkt die Krankheit
und beschleunigt ihr weiteres Umsichgreifen. Stagnirende Luft
begünstigt die Pilzbildung und damit auch die Krankheit; man
hat daher für möglichst raschen Luftwechsel im Zuchtlokal zu
sorgen. Man wird mir hier vielleicht einwenden, dass diese
beiden Forderungen sich schwer vereinigen lassen? Ich glaube
aber, dass das dennoch möglich ist und zwar einfach dadurch,
dass man die Raupen an eine möglichst niedrige Temperatur
gewöhnt. Das ist, wie die Erfahrung gelehrt hat, möglich.
Nicht die niedrige Temperatur an sich ist den Raupen so schäd-
lich, als vielmehr ein plötzlicher Wechsel, der allerdings in geheizten Lokalen bei der so nöthigen Ventilation schwer zu vermeiden ist. Je kühler aber das Zuchtlokal constant gehalten
wird, um so häufiger wird man lüften können, um so kleiner
wird der Zeitraum werden, während dessen man alle äussere
Luft vom Lokal ausschliesst, und um so seltener wird man heizen.

Das Wichtigste aber ist das Futter. Freilich hat die Ver-
schlechterung desselben oft schon in dem Mangel an Ventilation
ihren Grund. In einem schlecht gelüfteten Zuchtlokal häufen sich
überhaupt stets Pilzzellen im Staube an, die dann bei dem geringsten Zuge sich in die Luft erheben und auf das Maulbeerlaub niederfallen, und unter diesen Pilzzellen stellt sich meistens
dann auch sehr bald der Parasit der Gattine ein.

Indessen kann, wie wir später sehen werden, das Laub auch
schon am Baum inficirt sein. Am wichtigsten aber ist die möglichst häufige und schnelle Entfernung des Laubes, die möglichst
häufige Zufuhr frischen Laubes, denn die Anhäufung des Laubes
wirkt noch schädlicher ein, als der Mangel an Ventilation. Da
nämlich Pilzzellen niemals ganz fehlen, so geräth das Laub um
so leichter in Vermoderung und Verwesung, je massiger es bei-

sammen und je länger es liegt. Ohnedies ist aber das welke Laub den Raupen bekanntlich wenig zuträglich.

Unter den Krystallbildungen hebe ich besonders die Harnsäurekrystalle hervor. Diese sind meines Wissens zuerst von *Lebert* beobachtet und abgebildet worden.*) Meist sind diese Krystalle ganz flach scheibenförmig oder tafelförmig, so dass sie, auf die hohe Kante gestellt, stabförmig erscheinen. Sie erscheinen von der grösseren Fläche gesehen parallelogrammatisch, $1^1/_2$ bis 2 Mal so lang wie breit, an beiden Enden durch sanft konvexe Linien begrenzt, wie es *Haberlandt* in der Schrift vom Jahr 1866 (Fig. 10) sehr richtig abbildet. Ich erwähne diese Harnsäurekrystalle, welche ganz denjenigen gleichen, die man in den Exkrementen der Boa Constrictor antrifft, deshalb ausdrücklich, weil dieselben von Unkundigen sehr leicht mit den Körpern des Cornalia verwechselt werden können. Sie sind aber weit grösser, meist doppelt so gross als diese, weit flacher und von etwas verschiedener Gestalt, sowie von meist geringerem Brechungsvermögen. Der Arthrococcus hat meist ziemlich starken Glanz; diese Krystalle dagegen sind matt und blass. Natürlich lassen sie sich ausserdem mikrochemisch leicht unterscheiden.

Als Erkennungszeichen der Krankheit kann man diese Harnsäurekrystalle gar nicht benutzen. Sie fehlen wohl selten in der Raupe, wenigstens sind sie mir überaus häufig bei vollkommen gesunden Raupen aufgefallen. Sie finden sich in den Malpighischen Gefässen, mischen sich den Exkrementen bei, gerathen mit diesen auf die Oberfläche der Blätter, sowie auf die Haut der Raupen.

Diesem Umstand ist es wohl zuzuschreiben, dass *Haberlandt* sie für ein Häutungsprodukt der Raupe gehalten hat. Sie treten gewöhnlich in kranken Raupen massenhafter auf als in gesunden; jedoch kann man sie, wie gesagt, durchaus nicht als ein Kennzeichen zur Beurtheilung des Krankheitszustandes benutzen.

Ausser diesen Krystallen fand ich noch andere von unregelmässig tafelförmiger Gestalt, ferner sphärokrystallinische Bildungen, welche einem harnsauren Salze anzugehören scheinen, und die von *Lebert***) und Anderen für die Muscardine beschrie

---

*) a. a. O., Tafel 6, Fig. 26
**) *Lebert,* a. a. O., Tafel 6, Fig. 29. — *B. Robin,* Atlas, Fig. 5 Tafel VII.

benen Formen. Auch von *Haberlandt* sind diese Krysallformen beobachtet worden. *)

Uebrigens muss hier ausdrücklich hervorgehoben werden, dass die erwähnten Harnsäurekrystalle grosse Aehnlichkeit haben mit gewissen Pilzzellen, welche im Körper stark erkrankter Raupen niemals zu fehlen scheinen. Diese Pilzzellen (Fig. 18) sind bisher wohl niemals von den Cornalia'schen Körperchen unterschieden worden, noch häufiger mögen sie mit den Harnkrystallen verwechselt sein. Sie sind, wie die Figur zeigt, etwas verschiedener Gestalt, durchschnittlich grösser als der Arthrococcus und meist mit einigen kleinen Kernen versehen. Ihre Form ist oft der jener Krystalle sehr ähnlich, wenn man sie von der Fläche betrachtet.

Niemals fehlen diese Zellen dem Raupenkörper, wenn man die Raupen durch inficirtes Laub krank gemacht hat; dagegen sind sie gewöhnlich nicht vorhanden, wenn die Krankheit vererbt ist. Sie entstehen, wie ich später zeigen werde, durch Schimmelbildung desjenigen Pilzes, welcher die Seidenraupen erkranken macht, und sind die Gebilde einer oidiumartigen Form.

Von den Harnsäurekrystallen lassen sich diese Oidiumglieder nur mikrochemisch sicher unterscheiden, denn die Kerne fehlen bisweilen und dann ist die grössere Dicke das einzige morphologische Unterscheidungsmerkmal.

Ganz besonders schwer unterscheiden sie sich, wenn das Insekt schon dem Tode nahe ist. In diesem Stadium der Krankheit sind sie nämlich oft ihres Plasmas beraubt und stellen nun flache, leere, zusammengefallene, blasse Hüllen dar.

So lange die Raupe krank ist, sind die Exkremente beständig mit den Arthrococccuszellen versehen. Man findet die kleinen Blattstücke meist noch der Form nach ganz unversehrt, und zwischen wie auf ihnen zahllos den Arthrococcus zerstreut. Erst kurz vor dem Tode der Raupe findet sich im Darminhalt und in den Exkrementen statt des Arthrococcus immer mehr der Micrococcus ein. Auch die Exkremente reagiren sauer, zuletzt aber alkalisch.

Die Krankheit verbreitet einen ganz eigenthümlichen unangenehmen Geruch, besonders da, wie die Raupen in Masse bei-

---

*) Die seuchenartige Krankheit der Seidenraupe. Wien 1866. Fig. 9, d.

sammen liegen. Gleich nach dem Tode tritt ein anderer noch
hässlicherer Geruch an die Stelle, dem etwas Süssliches und
Brenzliches beigemengt ist. Ebenso riechen faulige Puppen und
an der Gattine gestorbene Schmetterlinge.

Natürlich mussten auch die etwa in den Exkrementen ausser
dem Micrococcus und Arthrococcus vorkommenden Pilzbildungen
genau untersucht werden, weil diese ebenso leicht wie die pilz-
lichen Vorkommnisse auf der Eischale für die Genesis des Arthrococcus, d. h. der Körper des Cornalia, von Werth sein können.

Im Darminhalt von Raupen, die ich schon im kranken Zu-
stand durch die Güte des Herrn Commerzienrath *Heese* in Berlin
erhielt, fand ich die in Fig. 8 dargestellten Pilzbildungen. Unter
a sind rothbraune Sporen gezeichnet, welche mit den ähnlichen
Gebilden auf der Eischale (i, k, p, q, Fig. 1) übereinstimmen.
Noch grössere Uebereinstimmung zeigen gelbbraune Cladasporium-
Sporen (b, c, Fig. 8) mit den gleichen Vorkommnissen auf der
Eischale. Auch Sporidesmium-Früchte (Schizosporangien), wie die
Fig. 8 d und f gezeichneten, kommen auf der Eischale vor, was
um so wichtiger, als solche Früchte stets mit einer Cladosporium-
form verbunden vorkommen.

Solche Sporidesmiumfrüchte (f, Fig. 8) zeigen häufig sehr
schön das Zerfallen des Inhaltes in Micrococcus. Das ist namentlich gleich nach dem Tode der Raupe der Fall. Dann sieht
man nicht nur in den Exkrementen, im Darminhalt, sondern
überall im Körper der Raupe den Arthrococcus in Micrococcus
zerfallen. Ganz besonders schön pflegt diese Metamorphose im
Kopf der Raupe stattzufinden. Man sieht sehr bald sämmtliche
Arthrococcuszellen in dem Zustand, wie ihn Fig. 9 a, b zeigen.
Vorher findet man leicht die Entwickelungszustände auf, welche
zeigen, dass das Plasma des Arthrococcus zuerst zu 2 (c, Fig. 9),
darauf nochmals zu 2 (d, Fig. 9), hierauf zu 8 (e, Fig. 9), zu 16
(f, Fig. 9) u. s. w. Theilen zerfällt, so dass bald statt der Arthrococcuszelle nur ein Haufen sehr kleiner Micrococcuszellen von der
Form der sich auflösenden Mutterzelle übrig bleibt. Selbst
mehrgliedrige Reihen (g, Fig. 9) erkennt man noch deutlich,
während der Micrococcus in den Gliedern schon vollkommen entwickelt ist. Zuletzt vermehren sich die Zellen über die Grenze
der ursprünglichen Mutterzelle hinaus, und man sieht den Micrococcus sich ins Unendliche vermehren.

Ueber die Art und Weise, wie der Parasit in der Puppe und im Schmetterling auftritt, hätte ich dem von meinen Herren Vorarbeitern, insbesondere von den Herren *Lebert* und *Haberlandt* Mitgetheilten kaum etwas Wesentliches hinzuzufügen. Im Tode geht auch hier die Micrococcusbildung von Statten und es entwickelt sich der eigenthümliche, faulige und süssbrenzliche Geruch. Dass die Krankheit, wenn sie bei der Raupe nicht zum Tode führt, sich auf die Puppe, von dieser auf den Schmetterling und auf dessen Eier vererben kann, ist eine zu vielfältig constatirte Thatsache, als dass sie hier noch besonderer Bestätigung bedürfte.

Die Eier werden jedenfalls schon durch die kranke Mutter inficirt. Das zu wissen, genügt für die Praxis. Aber es giebt noch eine andere Infectionsquelle. Das sind die der Eischale anhaftenden Sporen. Diese stammen meist von verschiedenen Pilzen her, zum grössten Theil aber immer von demjenigen Cladosporium, von welchem wir weiter unten sehen werden, dass die Cornalia'schen Körperchen durch dasselbe als Arthrococcus oder Säurehefe erzeugt werden. Diese Sporen, wie sie z. B. Fig. 1, c—e, r—t abgebildet sind, ebenso die Schizosporangien (Fig. 8, d) desselben Pilzes kommen aber auch auf ganz gesunden Eiern auf der Schale vor; sie können mithin gar leicht die jungen, völlig gesunden Raupen anstecken, indem sie von ihnen verschleppt und auf das Laub übertragen werden. Wenn die Grains bei Aufbewahrung in einem feuchten kühlen Lokal schimmeln, so tritt ausser anderen Schimmelpilzen wie Penicillium, Aspergillus etc. stets auch das Cladosporium herbarum Lk. auf, ja dieses bildet sogar den Arthrococcus aus, so dass man solche Grains, wenn man nur ihren Saft untersucht, mit diesen Zellen versehen und erkrankt glaubt.

Auch auf der Unterlage, auf welcher die Grains befestigt werden, befinden sich häufig neben anderen Sporen diejenigen des Cladosporium herbarum. Es wäre daher sehr wünschenswerth, dass man die Unterlage durch Eintauchen in absoluten Alkohol, der dann vor dem Gebrauch wieder abgedämpft wird, desinficirt.

Ob die Grains ein kurzes Eintauchen in eine Lösung von Kali hypermanganicum vertragen können, weiss ich nicht, jedenfalls scheint es der Mühe werth, den Versuch zu machen. Natürlich müssten sie sofort durch Abspülen in destillirtem Wasser

oder reinem Brunnenwasser gereinigt und rasch an der Luft getrocknet werden. Auf alle Fälle ist eine Aufbewahrung der
Grains in Baumwolle dringend zu empfehlen. Sie müssen dicht
mit desinficirter Watte umhüllt werden. Solche Watte gestattet
der Luft den Zutritt, hält aber bekanntlich alle Pilzsporen ab.
Man desinficirt die Baumwolle dadurch, dass man sie eine halbe
Stunde lang in eine Lösung von Kali hypermanganicum unter-
taucht, darauf in Wasser abspült und eine zweite halbe Stunde
in absoluten Alkokol eintaucht. Dieser dunstet nun ab, und die
Baumwolle kann zum Einwickeln der Grains verwendet werden.

Auf die Behandlung des Laubes kommen wir später zu
sprechen.

Die Voruntersuchung ergiebt also kurz zusammengefasst
Folgendes:

1) An der Eischale, auf der Haut u. s. w. kommen beim
kranken Insekt häufig anhaftende Sporen vor, unter denen diejenigen eines Cladosporium am häufigsten sind.

2) Die Körperchen des Cornalia sind nichts Anderes als der
Arthrococcus eines höher entwickelten Pilzes.

3) Der Krankheitsprozess besteht demnach in einer sauren
Gährung, deren nähere Beschaffenheit eine chemische Untersuchung erfordert.

4) Der Arthrococcus, welcher die Gattine erzeugt, wird entweder schon als solcher in die Raupe, in das Ei u. s. w. eingeführt, oder in anderen Fällen entsteht er aus vorhandenem
Micrococcus.

5) Beim Tode des Insekts tritt stets Fäulniss ein, eingeleitet durch den aus dem Arthrococcus sich entwickelnden Micrococcus.

6) Der Arthrococcus und mit ihm die Krankheit geht vom
kranken Schmetterling in das Ei über, und von diesem in die
Raupe, von der Raupe in die Puppe, von der Puppe in den
Schmetterling.

7) In jeder der vier Generationen kann durch zu grosse Ueber-
handnahme der Krankheit der Tod eintreten.

8) Die Krankheit bewegt sich nicht bloss abwärts, sondern
auch aufwärts; es können also kranke Insekten, wenn nicht
völlig gesund, so doch weit kräftiger werden.

Als Mittel zur Kräftigung der Raupen sind gesundes Futter,

Desinfection der Lager, der Eier, ihrer Unterlage, Lüftung und
gleichmässige Temperatur zu empfehlen.

10) Als Kennzeichen der Erkrankung sind die Arthrococcuszellen, die Flecken der Haut und der Verfall anzusehen; die
Krystallbildungen, besonders die Harnsäurekrystalle, kann man
nicht als Krankheitszeichen auffassen. Entschieden kranke Raupen
sind aus den Zuchten zu entfernen.

b. Zuchtversuche.

Die Züchtungen hatten hauptsächlich den Zweck, eine
Antwort auf die Frage zu suchen: Welcher Pilz bringt den
Arthrococcus der Gattine hervor?

Da die Voruntersuchung die Frage nach dem Ursprung der
Körper des Cornalia so weit gelöst hatte, dass diese sich als
Arthrococcus, d. h. Säurehefe oder Gliederhefe eines Pilzes zu erkennen gegeben, so entstand zunächst die weitere Frage: Ist es
ein bestimmter Pilz, dessen Arthrococcus die Gattine hervorruft,
oder können vielleicht verschiedene Pilze unter günstigen Bedingungen diese verderbliche Krankheit erzeugen?

Die zur Entscheidung dieser Frage eingeleiteten Zuchtversuche bestanden in Aussaaten der Cornalia'schen Körper oder
des Arthrococcus auf verschiedene Substrate, um diese Zellen
unter dem Einfluss der Luft womöglich zur Keimung zu bringen.

Die Methode bei solchen Zuchtversuchen, die Art und Weise,
wie filtrirte, also pilzfreie Luft zugeführt wird u. s. w., habe ich
in meinen „Gährungserscheinungen"*) ausführlich mitgetheilt
und muss hier auf jene Schrift verweisen.

Zu den Züchtungen wurden die Eier, die Raupen und
Theile derselben, insbesondere ihre Exkremente, Theile todter
Puppen und Schmetterlinge verwendet.

1) *Aussaaten von Eiern auf verschiedene Substanzen.*

Es wurden als Substrate theils völlig stickstofffreie Substanzen, wie Zuckerlösung, Glycerin, theils stickstoffreiche Substrate, wie Eiweiss, Kleister, der mit gleichen Theilen phosphorsauren Ammoniaks bereitet war, und mannigfach zusammen-

---

*) *E. Hallier*, Gährungserscheinungen. Untersuchungen über Gährung,
Fäulniss und Verwesung. Leipzig 1867.

gesetzte Substanzen, insbesondere Scheiben von Aepfeln und Citronen, angewendet.

Auf allen Substanzen, welche nass oder flüssig, bildet sich zuerst Micrococcus aus dem vorhandenen Arthrococcus, ebenso vermehrt sich der vorhandene Micrococcus ausserordentlich.

An der Oberfläche der Flüssigkeit bilden sich Mycothrixkettchen, d. h. die Micrococcuszellen bleiben mit einander im Zusammenhang unter dem Einfluss der Luft. Diese Mycothrixkettchen (Fig. 10) sind genau denen gleich, welche man, besonders gegen das Ende der Krankheit, im Darm der kranken Raupen findet.

Die Micrococcuszellen nehmen unter dem Einfluss des Lichtes schwärmerartige Bewegung an. Diese Bewegung ist strenge genommen die der Amoeben, und in der That haben auch diese schwärmenden Micrococcuszellen mit Amoeben die allergrösste Aehnlichkeit.

Ausserordentlich stark wird die Bewegung des amoeboiden Micrococcus im Sonnenlicht. Man sieht bei einer nahezu zweitausendfachen Vergrösserung (Fig. 11), dass die runden Zellen ihren starken Glanz (Fig. 4) verlieren. Sie zeigen deutlich Contraktiliät und einen oder mehre schwanzförmige Fortsätze (Fig 11), welche sich verlängern und verkürzen und offenbar als Bewegungsorgane dienen. Bei starker Sonnenbeleuchtung ist die Bewegung pfeilschnell, sie verlangsamt sich aber im Schatten bedeutend. Bevor die amoeboiden Micrococcuszellen zur Ruhe kommen, geht mit ihnen unter dem Einfluss des Lichtes eine eigenthümliche Wandlung vor. Sie bilden nämlich einen Fortsatz (d, Fig. 12), selten mehre, bleibend aus, dieser verlängert und verdickt sich (e, f, g, Fig. 12), und die ganze zuletzt stabförmige Zelle bleibt contraktil. Sie fährt fort, langsame aber höchst wunderliche Bewegungen auszuführen. Solche Gebilde sind unter dem Namen Bakterien bekannt. Sie haben zuletzt oft ganz wunderliche, unregelmässige, in Folge der Contraktilität veränderliche Gestalten (h, Fig. 12). Endlich kommen sie zur Ruhe, verkürzen und verdicken sich (a, Fig. 12) und schnüren sich in der Mitte ein. So entstehen zwei Glieder einer Mycothrixkette (a, b, c, Fig. 12), welche an der Luft im Zusammenhang bleiben und den Theilungsprozess fortsetzen. Bisweilen sind bei der ersten Theilung die Zellen noch contraktil (i, Fig. 12). So bildet sich an der Oberfläche der Flüssigkeit eine dichte Mycoderma von Mycothrixketten,

während im Innern der Flüssigkeit die Micrococcuszellen nach
ihrer Theilung sofort zerfallen und sich rasch vermehren. Natürlich bilden sie je nach der chemischen Natur des Substrats verschiedene Hefeformen hervor, wovon weiter unten das Nähere.

Die Kettenbildung liess sich mit dem starken *Merz'schen*
Immersionssystem mit Hülfe des Sonnenlichts sehr schön verfolgen (Fig. 13, a — d). Ganz besonders gute Bilder von der
Vermehrung durch Zweitheilung erhält man nach Anwendung
von Chlorzinkjod. Die Gliederung wird dadurch sehr deutlich.
Die Kerne werden nämlich durch das Reagens gelblichgrün, und
man sieht sie sehr deutlich theils kugelig (d, Fig. 13), theils
schwächer oder stärker in der Mitte eingeschnürt oder länglich
(a, b, Fig. 13), theils im Begriff sich zu halbiren (c, Fig. 13).
Die Theile letzten Grades findet man stets am nächsten beisammen (c, d, Fig. 13), die Glieder zweiten Grades (x, d, Fig. 13)
sind weiter von einander entfernt und die Glieder dritten Grades
(z, Fig. 13, d) am weitesten. Diese sind meistens durch deutliche Scheidewand getrennt, so dass die ganze Kette gewöhnlich
in 4 gliedrige (2 × 2 gliedrige Stäbchen zerfällt. Diese Bruchstücke sind den Bakterien ähnlich, aber ohne Eigenbewegung.
Sämmtliche Kerne sind, wie Fig. 13 es andeutet, in eine gelatinöse
Hülle gebettet, und mit einer solchen ist auch die ruhende Micro-
coccuszelle versehen. Die amoeboide Form ist also nur ein vor-
übergehender, unter dem Einfluss des Lichtes hervortretender
Zustand des Micrococcus.

Der Micrococcus verhält sich in verschieden zusammenge-
setzten Flüssigkeiten ganz analog dem Micrococcus anderer Pilze.
In einer sauer gährenden Flüssigkeit bildet sich binnen kurzem
aus demselben der Arthrococcus, sowie bei geistiger Gährung
Cryptococcus zur Ausbildung kommt.

Ebenso geht auch aus dem Arthrococcus Cryptococcus hervor, sobald jener auf einen der geistigen Gährung geneigten
Boden geräth. So zeigt Fig. 14 die Cornalia'schen Körperchen
aus einem Ei, wie dieselben in Fruchtsaft zu sprossen beginnen,
also zum Uebergang in Cryptococcus sich anschicken.

Bei den Aussaaten sind natürlich, wenn man Reinkulturen
des Arthrococcus (der Körper des Cornalia) beabsichtigt, die Eischale sowie die Haut der Raupen möglichst sorgfältig zu entfernen, denn, wie wir oben gesehen haben, hangen diesen stets

Sporen verschiedener Pilze an. Unter den auf den Raupen häufiger vorkommenden habe ich noch kleine zweitheilige Sporen von der Gestalt des Cephalothecium roseum zu erwähnen.

Auf den verschiedensten Flüssigkeiten keimen die Arthrococcuszellen an der Oberfläche und am Rande, so bald man nur wenig Flüssigkeit nimmt. Am besten gelingt die Keimung auf einem Tropfen Glycerin oder Zuckerlösung auf dem Objektträger im Kulturapparat, der mit feuchter Luft gesättigt ist. Die Arthrococcuszelle schwillt zuerst ein wenig an und zeigt einen centralen glänzenden Plasmakern (a, Fig. 15), darauf theilt sich diese in zwei Theile (b, c, Fig. 15), welche sich von einander entfernen, um sich abermals zu theilen (c, d, Fig. 15). So entsteht ein Faden, der sich hier und da zu Gliedern einschnürt (e, f, Fig. 15), bald aber auch zu einem förmlichen Myceliumfaden (g, Fig. 15) ausgebildet wird. Dieser Faden verzweigt sich und bildet an den Zweigenden Ketten von Sporen eines Cladosporium. Diese Sporen sind braun, wie auch die Enden zuletzt sich bräunen; die Sporen sind am unteren Theile der Kette (c, Fig. 16) spindelig und häufig durch eine Scheidewand getheilt, dann werden sie allmählig kürzer, zuletzt fast kugelig. Man sieht, da diese Sporen sehr leicht abbrechen, viele derselben umherliegen, bald kurz und lanzettlich (a, Fig. 16) und dann abgesehen von der Farbe, dem Arthrococcus sehr ähnlich, bald spindelförmig (b, Fig. 16) oder schmal lanzettlich.

Das in den Zuchten als Keimungsprodukt des Arthrococcus auftretende Cladosporium ist dem Cl. herbarum Lk. völlig gleich, indessen erfordert die Bestimmung bei der grossen Unbestimmtheit einer solchen Form doch noch weitere Proben.

Ich habe in meinen „Parasitologischen Untersuchungen" *) gezeigt, dass das echte Cladosporium herbarum Lk., welches, wie *Tulasne* nachgewiesen hat, der Fungus conidiophorus von Pleospora herbarum Rab. ist, nicht nur die beiden von *Tulasne* unterschiedenen Fruchtformen: Cladosporium mit Sporen in Ketten und Sporidesmium oder Helminthosporium mit Schizosporangien besitzt, sondern dass auch beide Fruchtformen auf einem in Gährung oder Verwesung begriffenen festen Boden je eine Schimmelform erzeugen. Dem Cladosporium entspricht ein Peni-

---

*) Parasitologische Untersuchungen. Leipzig 1868, S. 8 ff.

cillum, welches ich Penic. grande genannt habe, und dem Schizo-
sporangium entspricht der bekannte Rhizopus nigricans Ehrenb.

Ich säete aus diesem Grunde, um nämlich zu erfahren, ob
das Cladosporinm, welches die Körper des Cornalia erzeugt,
wirklich Cl. herbarum sei, diese Arthrococcuszellen auf Frucht-
scheiben, auf Scheiben von Aepfeln und Citronen und auf Kleister
mit einer grösseren Menge phosphorsauren Ammoniaks. Diese
Aussaaten hatten durchaus den gewünschten Erfolg.

In den Kulturen auf Citronen entwickelten sich schon bis
zum sechsten Tage aus den Keimlingen des Arthrococcus die
Cladosporiumketten. Wo diese ins Innere des Substrats ein-
drangen, da bildeten sie aus stark anschwellenden Gliedern die
Macroconidien, welche keimten und kräftigen Rhizopus erzeugten.
Figur 17 zeigt ein Bruchstück vom Rhizopus bei schwacher Vergrösserung. Man sieht einen Faden, welcher sich stolonenartig
über das Substrat fortspinnt, an einem Punkt zwei junge Kap-
selu, au einem anderen drei reife Kapseln, von denen die eine
schon geplatzt ist, auf langen Stielen tragend. So ist die typische,
kräftige Form des Rhizopus. In schwächlichen Exemplaren, wie
sie bei Kulturen nicht selten vorkommen, wird die Verzweigung
unregelmässiger, und es müssen noch andere Kennzeichen hinzukommen. Es giebt eigentlich nur einen Pilz, mit dem der Rhizopus leicht verwechselt werden könnte, das ist der Mucor
mucedo Fres. Die Hauptunterschiede sind: bei Mucor mucedo
Fres. langstachlige Kapseln, deren haarartige Stacheln auch im
Wasser nicht sofort abfallen, eiförmig-längliche, farblose oder
violette Sporen, septirte Hyphen; bei Rhizopus kurzstachlige
oder kahle Kapseln, jedenfalls gehen im Wasser die Stacheln
ihnen sofort verloren, kugelige oder unregelmässig kantige,
braune oder schwärzliche Sporen, selten septirte Hyphen.

Ich habe in meinen „Parasitologischen Untersuchungen"[*])
eine möglichst genaue Beschreibung dieser Pilzform gegeben, auf
welche ich daher hier für das Weitere verweisen darf.

Das Resultat der Kulturen mit dem Arthrococcus kranker
Eier ist also in Kürze folgendes:

---

*) *E. Hallier*, Parasitolog. Untersuchungen bezügl. auf die pflanzl.
Parasiten bei Masern, Hungertyphus, Darmtyphus, Blattern, Kuhpocken,
Schafpocken, Cholera nostras etc. Leipzig 1868, S. 8—21.

Die Cornalia'schen Körperchen sind der Arthrococcus von Pleospora herbarum Tul., deren verschiedene Morphen, insbesondere die beiden Schimmelformen Rhizopus nigricans und Penicillium grande man leicht unter günstigen Verhältnissen aus dem Arthrococcus erziehen kann.

2) Aussaaten von Theilen kranker, getödteter, sowie an der Krankheit gestorbener Raupen, Cocons und Schmetterlinge.

Diese Kulturen gaben mit den vorigen genau übereinstimmende Resultate. So z. B. entwickelte der Arthrococcus, welcher in frischen Raupenexkrementen vorhanden war, nach der Aussaat auf Citronen- und Apfelscheiben aus seinen Keimlingen das Cladosporium herbarum Lk., von diesen wurden ebenso wie bei den Eieraussaaten die Macroconidien gebildet, welche in 8—14 Tagen Rhizopus nigricans Ehrenb. erzeugten. Ebenso entstand der Rhizopus aus dem Micrococcus des Darminhalts einer schon der Krankheit erlegenen Raupe. Hier schwoll aber der Micrococcus erst zu Sporoiden an, welche keimten und das Cladosporium mit Macroconidien und aus diesem den Rhizopus erzeugten.

Diese Versuche wurden sowohl mit den Eiern, als auch mit Theilen des Raupenkörpers der Puppen und Schmetterlinge vielfach wiederholt und stets genau mit demselben Erfolg. Es kann also der Ursprung der Cornalia'schen Körperchen keinem Zweifel mehr unterliegen, und es ist nun die zweite Frage zu beantworten: die Frage nach dem Ort der Infection der Raupen mit dem Arthrococcus von Pleospora herbarum Rab. oder genauer von Cladosporium herbarum Lk.

2. Auf welche Weise und in welcher Form gelangen die Körper des Cornalia zuerst in das Insekt?

Wir haben schon gesehen, dass die Cornalia'schen Körper, dass die Arthrococcuszellen von Cladosporium herbarum Lk. in dem Seideninsekt gewissermassen einen Kreislauf ausführen. Sie finden sich schon im jungfräulichen Ei, vermehren sich während des Lebens der Raupe, gelangen in die Puppe, von dieser in den Schmetterling und endlich wieder in die durch ihre Mutter, vielleicht auch den Vater inficirten Eier. Da nun aber die völlig gesunden Raupen keinen Arthrococcus führen, so muss es doch nothwendig irgend einen Ort und eine Gelegenheit geben, wodurch die Raupen zuerst mit dem Arthrococcus versehen werden. Bei der ganzen Lebensweise der Raupen kann man

diesen Ort wohl kaum anderswo suchen als in der Nahrung, also
auf dem Maulbeerlaub.

Auf dem Laub kann aber der Pilz aus zweierlei Gründen
entstehen. Entweder lebt derselbe schon als Parasit auf demselben oder er befindet sich im Zuchtlokal, auf den Lagern, an
den Wänden oder in der Luft und gelangt so auf das Laub.

Da es sich nun um Pleospora herbarum Rab. handelt, so
kann der Pilz in diesem Fall sowohl als Schmarotzer auf dem
Laube eingeschleppt werden, als auch im Zuchtlokal entstehen,
sobald die für ihn günstigen Bedingungen vorhanden sind.

Pleospora herbarum Rab. lebt als sogenannter Russthau, als
schwarzer Ueberzug auf den grünen Theilen sehr vieler Pflanzen,
namentlich Holzgewächse, aber auch der Gräser und niedriger
Kräuter, ganz besonders häufig auf dem Lolchgrase (Lolium
perenne L.). Gewiss durfte man von vornherein voraussetzen,
dass dieser Halbschmarotzer, wie *Tulasne* ihn nennt, auch auf
Morus alba L. vorkomme. Ich beruhigte mich indessen keineswegs bei dieser Annahme, sondern stellte nach besten Kräften
Nachforschungen nach dem Vorkommen der Pleospora auf Morus
alba an.

Zuerst sandte mir Herr Seidenfabrikant Kommerzienrath *Heese*
in Berlin mit freundlicher Bereitwilligkeit scheinbar krankes
Maulbeerlaub ein. Ich fand dasselbe an manchen Stellen missfarbig, gleichsam chlorotisch entfärbt. An solchen Stellen liess
sich aber nur sehr wenig Mycelium eines Pilzes nachweisen.
Auch einige wenige Sporen eines Cladosporium fand ich auf den
Blättern, von denen sich weder die Abschnürung an dem erwähnten Mycelium noch die Identität mit Cladosporium herbarum
Lk. sicher nachweisen liess.

Ich nahm solches krankes Laub auf Obstscheiben in Kultur
und erzielte kräftigen Rasen von Cladosporium herbarum Rab. und
Rhizopus nigricans Ehrenb.

Demnächst wurden in den kleinen Maulbeerpflanzungen der
Umgegend Jena's Nachforschungen nach dem Pilz angestellt.
Die mir zunächstgelegene Pflanzung befindet sich im Garten des
Spitals und zwar vorzüglich in der Umzäunung des Gartens, mit
anderen, zum Theil weit hochwüchsigeren Gesträuchen und
Bäumen untermischt. Diese Lokalität und Behandlungsweise ist
nun für gegenwärtigen Zweck die allergünstigste, für die Seiden-

raupenkultur dagegen die ungünstigste. Denn eine solche Lokalität, wo die Sträucher und Bäume zum Theil versteckt und dumpfig stehen, wo sie einen starken Schnitt erleiden müssen, ohne dass man darauf Rücksicht nähme, das natürlich massenhaft sich ausbildende dürre Holz zu entfernen: eine solche Lokalität begünstigt die Ansiedelung der Pleospora ganz ausnehmend.

Es konnte daher auch nicht fehlen, dass ich fast an jedem Strauch diesen Pilz auffand. Als Halbschmarotzer siedelt sich die Pleospora auf dem dürren Holz des vorigen Jahres an. Im Spätherbst pflegt bei feuchtem Wetter die Aussaat der Pleospora zu geschehen. Im Hochsommer hat sich der Pilz gewöhnlich auf dem Laube der Bäume und niedrigen Pflanzen angesiedelt, diese mit schwarzem Ueberzug bedeckend. Feuchtigkeit und Honigthau begünstigen seine rasche Ausbreitung. Er bildet dann den Russthau, welcher ganzen Bäumen das Ansehen giebt, als seien ihre Blätter mit Russ bestäubt. Während des Laubfalles zieht sich der Pilz auf das dürre Holz zurück, wo er überwintert.

Auf den dürren Zweigen von Morus alba L. erblickt man den Pilz genau so, wie ich ihn in einer früheren Arbeit*) abgebildet habe. Aus grossen unregelmässigen Schizosporangien bricht ein Büschel dicker brauner Keimfäden hervor, welche theils einzeln, theils in Ketten die kleinen keuligen Schizosporangien (Fig. 19) tragen, welche früher zu den Gattungen Helminthosporium oder Sporidesmium gestellt wurden, bis *Tulasne* ihre Zugehörigkeit zu Pleospora herbarum Rab. nachwies. Es sind diese Früchte (Fig. 19) genau denen gleich, welche, wie wir weiter oben gesehen haben, so häufig im Nahrungskanal kranker Raupen (Fig. 8) vorkommen.

An anderen Stellen der mit dem Russthau behafteten Zweige findet man die vollkommenen Früchte der Pleospora, welche *Tulasne* so ausgezeichnet beschrieben und abgebildet hat**), welche früher von *Rabenhorst* als Pleospora herbarum, von *Persoon* als Sphaeria herbarum und Pleospora asparagi beschrieben worden sind. Ebenso fehlen die Pycniden von *Tulasne* selten, welche

---

*) Parasitologische Untersuchungen, Tafel I, Fig. 31.
**) Selecta Fungorum Carpologia Tom. II; vgl. „Parasitologische Untersuchungen", S. 18 19.

Berkeley früher unter dem Namen Cytispora orbicularis beschrieben hatte.

Aber auch die Körper des Cornalia fand ich mit leichter
Mühe .auf Morus alba auf. Ich habe schon früher *) gezeigt, dass
auf Lolium ·perenne L., wenn es mit Pleospora behaftet ist, bei
anhaltend nassem Wetter Hefebildung und Fäulniss eintritt.
Ferner zeigte ich an demselben Ort (Fig. 18, 19, 20), wie der
Micrococcus der Schafpocken bei sauer gährendem Substrat
Arthrococcus ausbildet. Wer die Fig. 20 der ersten Tafel meiner
„Parasitologischen Untersuchungen" mit den Cornalia'schen Körperchen vergleicht, der wird an der Identität des Arthrococcus
von Pleospora herbarum Rab. mit diesen nicht zweifeln. Und
jene Tafel wurde drei Monate früher gezeichnet, bevor ich zum
ersten Mal in meinem Leben der Körper des Cornalia ansichtig
wurde; ich konnte also damals von dieser Identität nicht die
entfernteste Ahnung haben.

An den mit der Pleospora behafteten Maulbeerstengeln findet
man aber fast immer die Körper des Cornalia, d. h. den Arthrococcus von Pleospora sehr schön ausgebildet (Fig. 20).

Wie wir weiter oben sehen, geht das Laub und die jungen
Zweige von Morus alba L. sehr leicht eine saure Gährung ein,
sobald Sporen von Pleospora vorhanden sind. Werden nun Stengel
oder Laub nass, so bildet sich natürlich sehr bald der Arthrococcus aus dem Sporeninhalt. Die im Nahrungskanal der kranken
Raupen ihren Anfang nehmende saure Gährung nimmt also ihren
Ursprung in der sauren Gährung des gefressenen Laubes. Da
nun das im Nahrungskanal vorhandene Futter bekanntlich im
Gewicht einen beträchtlichen Theil vom Gewicht der gesammten
Raupe beträgt, so kann es nicht Wunder nehmen, dass der Saft
der getödteten Raupe sauer reagirt, sobald die Krankheit einen
merklichen Grad erreicht hatte.

Die Säurebildung des erkrankten, d. h. mittelst der Pleospora
in saure Gährung versetzten Laubes von Morus alba L. wird der
chemischen Untersuchung wohl nicht so schwer zugänglich sein,
wie die Säurebildung im Körper der Raupe, denn das Maulbeerlaub ist ja eine mehr homogene Materie, und es muss leicht

---

*) Parasitologische Untersuchungen, S. 16, 17, Tafel I, Fig 31.

sein, dieses Material in grösseren Mengen mittelst der Pleospora
in Gährung zu versetzen.

Dass sich die Pleospora auf dem Maulbeerbaum anders verhalten sollte, wie auf jedem anderen Holzgewächs, kann man
nicht annehmen. Es ist also mehr als wahrscheinlich, dass bei
feuchtem Wetter die Sporen auf dem Laub zur Keimung gelangen
und dasselbe inficiren werden. Wenn das aber auch nicht geschieht, so fallen doch jedenfalls die Sporen von den dürren
Stengeln auf das Laub und inficiren dasselbe.

Es folgt also hieraus die praktische Regel: dass die zur
Seidenkultur bestimmten Maulbeerbäume stets ganz frei stehen
müssen, dass sie sich in gehöriger Entfernung von einander befinden müssen und niemals in den Schatten anderer Holzpflanzen
gebracht werden dürfen. Dass man von Hecken kein gesundes
Maulbeerlaub gewinnen kann, versteht sich hiernach von selbst.
Noch wichtiger aber ist die Behandlung der Maulbeerbäume. Es
sollte das zur Fütterung bestimmte Laub stets mit scharfen Hand-
Baumscheeren, wie sie auch zum Beschneiden feiner Obstbäume
benutzt werden, abgeschnitten, niemals aber abgerissen oder ab-
gebrochen werden, denn an solchen Bruchflächen oder Fetzen
des abgefaserten Bastes siedelt sich der Russthau nur zu
leicht an.

Noch wichtiger aber ist das sorgfältigste Ausputzen aller
dürren Zweige. Dieses sollte zwei Mal im Jahre geschehen, zum
ersten Mal vor dem Laubfall im Herbst oder gleich nach Beendigung der Fütterungen, zum zweiten Mal im Frühjahr vor
dem Austreiben oder während desselben.

Man erkennt dürre und mit der Pleospora versehene Zweige
leicht daran, dass sie missfarbig, schwärzlich gefleckt sind und
dass der Bast aufgefasert ist. Der Pilz zerstört nämlich stets
Oberhaut und Rinde und siedelt sich auf den Bastfasern an.

Da ich nun die Ursache der Krankheit der Seidenraupen
in dem Arthrococcus der Pleospora herbarum Rab. aufgefunden
hatte, so war zunächst durch Infektionsversuche der Beweis zu
führen, ob wirklich die Arthrococcuszellen von Pleospora zur
Hervorbringung der Krankheit genügen, oder ob noch Anderes
hinzukommen muss. Diese Frage und ihre Beweisführung musste
natürlich ziemlich genau zusammenfallen mit der Frage nach
der Art der Infektion der Seidenraupen.

Diese Fragen konnten nur durch Uebertragungsversuche gelöst werden.

Als ich solche Uebertragungsversuche beginnen wollte, war ich zwar schon durch die Güte des Herrn Oekonomieraths *v. Schlicht* mit gezüchteten, scheinbar gesunden und verdächtigen, sowie Japanesischen importirten Grains versehen, aber meine Züchtungen waren noch zu jung, um die Uebertragungsversuche schon zu einem sicheren Resultat führen zu können.

Ich nahm deshalb zunächst verschiedene andere Insekten vor. Den Anfang machte ich mit Maikäfern. Sechs Maikäfer wurden durch einen Stich an den Brustringen mit Arthrococcus aus kranken Eiern geimpft und mit Zwetschenlaub gefüttert. Das zur Impfung bestimmte Material wurde durch Quetschung der Eier mit etwas destillirtem Wasser gewonnen. Die Impfung nahm ich mit einer Lanzette vor. Am 4. Tage starben 5 der Maikäfer, der letzte starb am 6. Tage. Gleichzeitig unter denselben Bedingungen, ohne Infection aufgefütterte Maikäfer blieben völlig gesund. Im Nahrungskanal der inficirten Maikäfer waren die Arthrococcuszellen massenhaft vorhanden und bildeten nach dem Tode sehr rasch Micrococcus aus.

Hier konnte an den Tod in Folge der freilich sehr sorgsam vorgenommenen Verwundung gedacht werden. Ich brachte deshalb an drei weiteren Maikäfern die zerquetschten Eier nur aussen an, nämlich dadurch, dass ich den Brei an die Brust strich. Natürlich beschmutzten die Maikäfer das Laub, über welches sie hinstrichen. Sie lebten die doppelte Zeit wie die geimpften, starben aber dann und ihr Nahrungskanal war dicht erfüllt mit Arthrococcus und Micrococcus. Das Laub, welches zu ihrer Fütterung verwendet wurde, hatte sich an denjenigen Stellen, wo die Maikäfer die Materie von ihrer Brust abgestreift hatten, mit einer schönen Vegetation von Cladosporium herbarum Lk., also von dem zu Pleospora gehörigen Kettenpilz überzogen.

Ferner wurde eine grössere Anzahl von Raupen des Nesselfalters direkt durch das Laub inficirt. Ich nahm eine Partie Laub von der grossen Brennnessel: Urtica dioica L., in ein reines Glasgefäss. In dieses wurde ausserdem der Darminhalt von an der Gattine gestorbenen Seidenraupen und etwas destillirtes Wasser gethan. Das Gefäss wurde nun mit einem dicht schliessenden

Glasstöpsel geschlossen und tüchtig geschüttelt. Mit dem so inficirten Nessellaub fütterte ich die Raupen. Die noch jungen Raupen lebten sämmtlich nur noch wenige Tage. In ihren Exkrementen fanden sich dieselben pflanzlichen Elemente wie bei der Gattine.

Man könnte nach diesen Versuchen meinen, dass alle Insekten künstlich inficirt, der Gattine zum Opfer fallen. Dem ist aber nicht so. Eine grosse Anzahl von der schönen blauen Chrysomela, welche auf Mentha silvestris L. lebt, fütterte ich mit inficirtem Laube dieser wilden Minze. Das Laub trug schöne Cladosporiumrasen, die Käfer frassen aber monatelang von diesem Laub, ohne sichtbar zu erkranken.

Bis zur Beendigung der Versuche mit den Maikäfern und Nesselraupen hatte ich für Anzucht von einigen Hunderten junger Seidenraupen Sorge getragen und war ausserdem mit einigen ausgewachsenen Seidenraupen durch die Güte des Herrn Seidenfabrikanten *J. A. Heese* in Berlin versehen worden.

Die zu inficirenden Raupen wurden gefüttert:

1) Mit Maulbeerlaub, welches mit dem oben erwähnten inficirten Zwetschenlaub in einem Glase umgeschüttelt war.

2) Mit Maulbeerlaub, welches mit dem aus an der Gattine gestorbenen Raupen bereiteten Brei geschüttelt war.

Ausserdem wurde eine grössere Anzahl Raupen möglichst normal gefüttert und behandelt.

Die Fütterung nach den beiden angeführten Methoden hatte ganz den nämlichen Erfolg.

Die Raupen erkrankten schneller oder langsamer, heftiger oder schwächer, je nach dem Grade der Infektion des Laubes. Kranke Raupen, plötzlich mit gesundem Laub gefüttert, nahmen wieder zu und wurden bedeutend kräftiger, als andere, welche beständig mit krankem Laub gefüttert wurden.

Einzelne der inficirten Raupen starben oft plötzlich, ohne dass sich ein besonderer Grund dafür nachweisen liess. Sehr leicht gingen die kranken Raupen, auch wenn sie noch ziemlich kräftig aussahen, kurz vor dem Einspinnen zu Grunde. Der Befund der kranken Raupen war stets sowohl äusserlich als im Innern des Körpers der für die Gattine bekannte. Die nach der ersten Methode gefütterten Raupen führten stets einzelne der

Sporen von Cladosporium (Fig. 1, 8, 16) im Nahrungskanal, und
nicht selten ausser diesen auch Schizosporangien (Fig. 19).

Es wird also durch diese Fütterungsversuche zur Gewissheit,
dass das mit der Pleospora behaftete Laub die Gattine hervorruft, und man wird wohl schwerlich nach einem anderen Grunde
des Ursprungs der Gattine zu suchen haben, als die Infektion
des Laubes mit der Pleospora.

Es ergiebt sich aus den früher mitgetheilten Thatsachen eine
höchst interessante Folgerung, nämlich diese:

Ich habe früher (Parasitol. Untersuchungen) gezeigt, dass in
den Dejektionen von Typhuskranken stets ein Micrococcus massenhaft auftrittt, welcher von Rhizopus nigricans Ehrenb. oder in
erster Linie von Pleospora herbarum Rab. stammt. Dieser kommt
zwar beim Ileotyphus in den Exkrementen eben nur als Micrococcus vor, vom Vorhandensein des Arthrococcus kann dabei
nicht die Rede sein. Ich habe aber in jener mehrfach erwähnten
Schrift gezeigt, dass man auf einem der sauren Gährung geneigten Boden sehr leicht aus dem Micrococcus des Ileotyphus
den Arthrococcus ziehen kann. Es muss also auch im Körper
der Seidenraupe aus diesem Micrococcus des Typhus der Arthrococcus, d. h. die Körperchen des Cornalia, erzeugt werden können
Mit einem Wort, man muss mit den Dejektionen der Typhuskranken die Gattine hervorrufen können. Das ist nun in der
That der Fall.

Ich inficirte mit den Stühlen von einem sehr heftigen Typhusfall das Maulbeerlaub, mit welchem gegen 100 Seidenraupen
gefüttert wurden. Diese bekamen alle binnen Kurzem die Gattine
in sehr heftigem Grade und unter den gewöhnlichen äusseren
und inneren Erscheinungen. Die Entstehung des Arthrococcus
aus dem Micrococcus liess sich dabei sehr schön verfolgen.

Es findet sich also im Darm des Typhuskranken eine Hefeform des nämlichen parasitischen Pilzes, welcher mit einer anderen Hefeform die Gattine der Seidenraupen erzeugt.

Zunächst wollte ich untersuchen, ob die Leichname der an
der Gattine gestorbenen Maikäfer und Seidenraupen nicht aus
dem entstandenen Micrococcus wieder irgend eine der Pleospora
angehörige Schimmelform erzeugten. Zu diesem Zweck brachte
ich die Leichen auf Glastellerchen in einen Isolirapparat, wie
ich ihn in meinen „Gährungserscheinungen" beschrieben und

abgebildet habe. Die Maikäfer und die Seidenraupen kamen je in einen besonderen Apparat. Die Leichname trockneten langsam ein und bedeckten sich nach einigen Wochen mit einem zarten weissen Schimmel. Dieser (Fig. 21) besteht sowohl bei den Seidenraupen, als bei den Maikäfern aus dem Mycelium, welches an seinen Zweigenden die Macroconidien von Rhizopus nigricans Ehrenb., bald einzeln, bald in Ketten (Fig. 21) trägt.

Wir haben also die Frage: Auf welche Weise gelangen die Körperchen des Cornalia zuerst in das Insekt? ohne Zweifel dahin zu beantworten: Die Infektion findet mittelst des mit Pleospora herbarum, mit dem Russthau, behafteten Futters statt. Dieser Pilz kommt hauptsächlich auf schlecht ausgeschnittenen Maulbeerbäumen oder bei dumpfiger, gedrückter Lage der Maulbeerpflanzung vor; er kann aber auch auf ganz gesunden Maulbeerbäumen sich ansiedeln, besonders dann, wenn Blattläuse vorhanden sind, welche Honig absondern (sogenannter Honigthau). Ausserdem kann sich aber der Pilz auch noch im Zuchtlokal auf dem Laube ansiedeln, eine Thatsache, die uns schon zur dritten der von uns aufgestellten Fragen führt.

Für die Praxis ergiebt sich also, um es nochmals kurz zusammenzufassen, die Regel:

1) Die Bäume im Herbst und im Frühjahr sorgfältig auszuschneiden.

2) Die Bäume weitläufig zu pflanzen und vor feuchter, dumpfiger Lage, sowie vor Untermengung mit anderen Bäumen zu hüten.

3) Das anzuwendende Futter sorgsam mit der Scheere abzuschneiden, nicht abzureissen.

3. Wodurch ist die epidemische Ausbreitung der Krankheit der Seidenraupen bedingt?

Um diese Frage zu beantworten, müssen wir zunächst genauer erwägen, auf welche Weise in den Züchtungen das Laub möglicher Weise inficirend auf die Raupen wirken kann. Es versteht sich wohl von selbst, dass kein Züchter Laub zur Fütterung in Anwendung bringen wird, welches deutlich mit dem Russthau (Pleospora herbarum Rab.) befallen ist. Und selbst, wenn das geschieht, so wäre es sehr fraglich, ob die Raupen solches geschwärztes Laub fressen würden.

Aber im frühesten Stadium des Befallenseins sieht man auf dem Laube noch keine Spur des Pilzes mit blossen Augen. Die Blätter sind gewöhnlich etwas hell und missfarbig, und man erkennt unter dem Mikroskop die ersten Anfänge des Pilzmyceliums mit einzelnen Sporen und Sporenketten. Solches Laub wird natürlich die Raupen mit der Krankheit inficiren, sobald es von ihnen gefressen wird. Und gerade dieses nur schwach befallene Laub wird man weniger leicht erkennen, denn ausser einer etwas helleren Färbung des ganzen Blattes oder einzelner Theile desselben, lässt sich meist mit blossem Auge gar nichts Abnormes wahrnehmen. Eine Desinfektion des Futters mit Alkohol wird sich aber nur schwer in Ausführung bringen lassen. Es bleibt mithin nichts übrig, als die sorgfältigste Auswahl des anzuwendenden Laubes.

Aber auch im Zuchtlokal kann nachträglich eine Infektion des Laubes stattfinden. Die Pleospora nämlich und die von ihr hervorgerufene Schimmelbildung: Rhizopus nigricans Ehrenb., sind ausserordentlich verbreitete Pilze. Die Pleospora herbarum Rab. findet sich z. B. ausser auf dem Baumlaub auch auf der Rinde unzähliger Holzgewächse, auf der Fruchtschale mancher Obstsorten, besonders des Kernobstes, wie Aepfel, Birnen, Citronen u. s. w., aber auch des Steinobstes, besonders der Zwetschen. Selbst auf feuchten Gegenständen aller Art, auf feuchten Kalkwänden, feuchtem Holz u. s. w. kann die Pleospora zur Entwickelung kommen. Namentlich in der Form des Cladosporium entwickelt sich dieser Pilz sehr leicht. Ausserdem bringt er auf faulendem Obst, auf Vegetabilien verschiedenster Art, sogar auf Fett den Rhizopus hervor.

Es folgt daraus, dass sehr leicht der Luft des Zuchtlokals Sporen von Cladosporium oder Rhizopus beigemengt sein können und dass ein feuchtes Lokal sogar derartige Vegetationen an den Wänden, auf den Lagern u. s. w. erzeugen kann.

Ganz ausserordentlich vergrössert wird aber die Gefahr, wenn das Laub länger als höchstens 24 Stunden auf den Lagern liegt. Ich liess bei einzelnen meiner Zuchten absichtlich das Laub sich anhäufen. Hier bildeten sich stets sehr bald verschiedene Schimmelarten. Unter diesen spielten Aspergillus glaucus Lk., Penicillium crustaceum Fr., Cephalothecium roseum und Cladosporium herbarum Lk. die Hauptrolle, und oft war das Cladosporium bei weitem vorberrschend, selten fehlte es ganz. *)

Dass solche Uebelstände durch Anhäufung der Exkremente kranker Raupen bedeutend vermehrt werden, versteht sich von selbst; denn da diese Exkremente ja niemals von Arthrococcus frei sind, so müssen solche nothwendig das noch gesunde Laub, auf welches sie fallen, inficiren. Stets findet man in den Exkrementen kranker Raupen Arthrococcus von Pleospora, fast immer auch Glieder des Pilzes, die den gewöhnlich ebenfalls vorhandenen Harnsäurekrystallen so sehr ähnlich sind, sehr oft findet man ausserdem Sporen der Cladosporiumform und Schizosporangien. Liegen diese Fäcalmassen mehre Tage auf dem Laub, so überzieht sich ihre Oberfläche mit einem weissen Anflug von Micrococcus, und ebenso bedeckt sich das Laub in der Nähe mit Micrococcus.

Hier mag noch die Notiz Platz finden, dass auch die Raupen des Bombyx Jama Mai, welche Herr Professor *Leuckart* mir durch die freundliche Vermittelung des Herrn *Dr. Brandt* zu übersenden die Güte hatte, mit Arthrococcus angefüllt waren, und einer der Gattine ähnlichen Krankheit erlagen. Ich nahm den Arthrococcus dieser Raupen in Kultur und erhielt nach vierzehn Tagen schöne Vegetationen des Cladosporium herbarum Lk. und Rhizopus nigricans Ehrenb. Es ist also der Arthrococcus des Bombyx Jama Mai ebenfalls durch Pleospora herbarum Rab. erzeugt.

Bei diesen Zuchten, ebenso aber bei mehren der früher erwähnten, beobachtete ich, dass bei eintretender Gährung und Verwesung das Cladosporium die Schimmelform das Penicillium (grande m.) annimmt und dass diese bei üppigem Boden ein sehr zierliches, dünnstämmiges Coremium bildet. Ich habe in einer den Stammbildungen der Schimmelpilze gewidmeten Arbeit **) nachgewiesen, dass das Coremium glaucum früherer Autoren nichts Anderes ist, als eine Stammbildung des Penicillium crustaceum Fries. Genau ebenso verhält sich die Schimmelform des

---

*) Man vergleiche damit die Arbeit Guérin-Méneville's über die Muscardine, Tafel 8.

**) *E. Hallier*, die Stammbildung der Schimmelpilze. Botan. Zeitung 1866, Nr. 50, Tafel 13.

Cladosporium, die ich als Penicillium grande von jenem gewöhnlichen Penicillium crustaceum unterschieden habe. Hier
sind aber die Stämmchen der Coremiumform weit höher, dünner
und schlanker, nicht selten verästelt. Auffallend war mir, dass
die so schlanken Stämme sehr starke Krümmungen gegen das
Licht ausführen.

Es geht nun aus dem Vorstehenden hervor, dass zwar die
Pleospora herbarum Rab. unwiderleglich als die eigentliche Ursache der Gattine anzusehen ist, dass aber die Krankheit ihren
epidemischen Charakter vermittelst der Verschleppung des Pilzes
durch das Laub erhält. Es folgt ferner aus obiger Darstellung,
dass schlechtes Futter, unreine Luft, unreines und feuchtes Zuchtlokal die Seuche verschlimmert, während aus demselben Grunde
erklärlich wird, weshalb die Gattine in nassen Jahren verderblicher aufzutreten pflegt, als in trockenen. Für die Praxis machen
sich also folgende Regeln geltend :

1) Nur völlig gesundes Laub von gesunden Bäumen zur
   Fütterung anzuwenden.
2) Das Laub möglichst oft zu erneuern.
3) Die Lager möglichst oft zu reinigen.
4) Bei ausgebrochener Seuche alle kranken Raupen und
   ihre Exkremente möglichst rasch zu beseitigen.
5) Die Lager von Zeit zu Zeit durch Anstrich mit einer
   Lösung von übermangansaurem Kali in Wasser (10 Gran
   auf 6 Unzen Wasser) zu desinficiren.
6) Das Zuchtlokal häufig zu lüften.
7) Nur trockene und gesunde Räume zur Züchtung zu verwenden.

Vielleicht könnte man auch, wie schon *Guérin-Méneville* vor-
schlug, das anzuwendende Laub durch Eintauchen in Alkohol
desinficiren.

Schlussübersicht über die Ergebnisse der bisherigen Forschungen.

Die Beantwortung der vierten und letzten Frage nach den
gegen die Gattine in Anwendung zu bringenden Mitteln und Vorsichtsmaassregeln haben wir bereits gefunden. Da diese Arbeit

aber nicht nur eine theoretische Erörterung der Frage nach dem
Ursprung der Gattine liefern soll, sondern noch mehr für die
praktische Verwerthung bestimmt ist, so glaube ich dem allgemeinen Bedürfniss der Seidenbauinteressenten am besten zu entsprechen, wenn ich im Folgenden noch eine kurze übersichtliche
Zusammenstellung gebe von Allem, was sich über das Wesen
der Gattine herausgestellt hat und von den daraus sich ergebenden
Regeln für die Praxis.

I. Das Wesen der Krankheit.

§ 1. Die Gattine der Seidenraupen wird hervorgerufen
durch die Körper des Cornalia, welche die Rolle der Ansteckung
spielen, also als ein Contagium zu betrachten sind. Die Körper
des Cornalia sind also die einzige wirkliche Ursache der Seuche.

§ 2. Die epidemische Ausbreitung der Gattine ist bedingt
durch verschiedene sogenannte Hülfsursachen oder Gelegenheits-
ursachen. Unter diesen sind die wichtigsten: feuchte Witterung
und feuchte Zuchträume, dumpfige und feuchte Standorte der
Maulbeerbäume, mangelhaftes Ausputzen derselben, Verletzung
der Zweige heim Einsammeln des Laubes, Unreinlichkeit im
Zuchtlokal, mangelhafte Lüftung in demselben, plötzlicher Temperaturwechsel u. s. w.

§ 3. Die Körper des Cornalia vermehren sich durch Ein-
schnürung und durchwandern, bei nicht zu heftiger Erkrankung
des Insekts, welche den Tod herbeiführt, alle Generationen desselben, vom Ei bis zum Schmetterling und wieder zum Ei.

§ 4. Die Körper des Cornalia treten beim Ausbruch der
Krankheit zuerst im Nahrungskanal auf und verbreiten sich von
da aus durch alle Theile des Körpers.

§ 5. Die Körper des Cornalia sind die Gliederhefe oder
der Arthrococcus von Pleospora herbarum Rab., einem überall
auf Gewächsen verbreiteten Pilz, der sehr häufig auf den Maulbeerbäumen vorkommt.

§ 6. Die erste Infektion mit dem Arthrococcus von Pleospora findet nur bei der Raupe statt und zwar durch das mit
dem Pilz behaftete Maulbeerlaub. Der Arthrococcus ist, so z. B.
auf verwesendem Laub, schon ausgebildet, häufiger aber nimmt
die Raupe die Sporen und Glieder des Pilzes auf und bildet aus
deren Inhalt erst im Nahrungskanal den Arthrococcus aus.

§ 7. Der Krankheitsprozess besteht in einer sauren Gährung, welche von dem Inhalt des Nahrungskanals ausgeht und welcher das Maulbeerlaub auch ausserhalb des Raupenlaubes unter dem Einfluss des Arthrococcus von Pleospora unterworfen werden kann. Die Gährung bedarf weiterer Untersuchung von Seiten eines Chemikers.

§ 8. Beim Tode des Insekts tritt Fäulniss ein, eingeleitet durch den aus dem Arthrococcus gebildeten Micrococcus.

§ 9. Die Krankheit ist nicht eigentlich contagiös wie die Muscardine, wie Krätze, Syphilis u. s. w., sie steckt vielmehr wie Cholera, Typhus u. a. menschliche Krankheiten nur durch Vermittelung der Dejektionen an. Wie die Erfahrungen in 30 Städten Englands und ausserdem in München und mehren neueren deutschen Städten im Grossen bewiesen haben, dass die Cholera sich durch Infektion des Trinkwassers mit den Exkrementen der Cholerakranken verbreitet, so steht es für die Gattine fest, dass die Krankheit epidemisch wird durch Infektion des Laubes mit den Exkrementen kranker Raupen. Ferner tragen Verwesung des Laubes, Verunreinigung der Lager und die oben erwähnten Dinge zur Ansteckung der Raupen bei.

§ 10. Wenn das Maulbeerlaub nur schwach mit dem Pilz inficirt ist, so lässt sich dessen Anwesenheit nur mikroskopisch nachweisen.

§ 11. Eine schwache Erkrankung der Eier, Raupen, Puppen und Schmetterlinge ist ebenfalls nur mikroskopisch nachweisbar.

§ 12. Die Gattine lässt sich mittelst des Futters auf einige Insektenarten übertragen, andere Insekten dagegen sind gegen diese Krankheit unempfänglich. Besonders empfänglich scheint Bombyx Jama Mai für die Infektion zu sein, denn Herrn Professor *Leuckart* in Giessen starben sämmtliche aus Originalgrains von ihm gezüchteten Raupen.

II. Praktische Maassregeln.

§ 13. Die Maulbeerbäume verlangen einen hellen, trocknen, sonnigen Standort, frei von anderen Pflanzen und in gehöriger Entfernung von einander.

§ 14. Die Bäume sind im Herbst und im Frühjahr auf das Sorgfältigste auszuputzen und aller dürren Zweige mit scharfem Messer zu berauben.

§ 15. Das Futter muss mit scharfen Handscheeren abgekniffen, nicht abgerissen werden.

§ 16. Das Zuchtlokal muss trocken, geräumig und reinlich sein, häufig gelüftet und sorgfältig gereinigt werden.

§ 17. Es ist eine möglichst niedere Temperatur während der Züchtung anzuwenden, denn dadurch wird die Vegetation des Pilzes, die Gährung in der Raupe, gemässigt, es wird leichter, die häufigen Lüftungen vorzunehmen, weil der Unterschied der Mitteltemperaturen innerhalb und ausserhalb des Zuchtlokals verringert wird, man also häufiger ohne Gefahr einer Erkältung der Raupen lüften kann, und man vermeidet die immer schädliche geheizte Luft so viel wie möglich. Bei importirten Grains muss man wohl von Jahr zu Jahr die Mitteltemperatur des Zuchtlokals mässigen. Die Temperatur muss auf alle Fälle eine möglichst gleichmässige sein.

§ 18. Sehr empfehlenswerth ist eine von Zeit zu Zeit, etwa wöchentlich ein Mal, vorzunehmende Desinfektion des Lagers und des Zuchtraumes. Die Luft und die Wände werden am besten durch Chlorgas gereinigt; die Lager aber müssen mit einer Auflösung von 10 Gran Kali hypermanganicum auf 6 Unzen Wasser bestrichen werden. Es wird am bequemsten sein, die Lager mit einem in die Lösung getauchten Badeschwamm abzuwaschen.

§ 19. Das Laub, die Exkremente und aller Unrath sind so oft und sorgfältig wie irgend möglich zu entfernen. Das Laub ist möglichst oft frisch zu liefern. Alle kranken Raupen müssen so rasch wie möglich beseitigt werden. Selbstverständlich darf man keine kranken Grains verwenden.

Erklärung der Abbildungen Tafel V, Fig. 1—21.

Fig. 1. Pilzzellen, der Aussenfläche von Seidenraupeneiern anhaftend.

Fig. 2. Micrococcus aus dem Saft kranker Seidenraupeneier.

Fig. 3. 4. Dieselben bei 1200facher und 1970facher Vergrösserung.

Fig. 5. Arthrococcus aus dem Nahrungskanal kranker Embryonen, in Theilung begriffen.

Fig. 6. Blutkörper der Seidenraupe mit schwellendem Micrococcus.

Fig. 7. Micrococcus im Blut der Seidenraupen, zum Arthrococcus heranwachsend.

Fig. 8. Conidia septata im Darm der Seidenraupe.

Fig. 9. Arthrococcus, im Darm Micrococcus ausbildend.

Fig. 10. Bildung von Mycothrix-Kettchen.

Fig. 11. 12. Amoeboide Zustände des Micrococcus. Vergr. 1970.

Fig. 13. Micrococcus, in Theilung begriffen. Vergr. 1970.

Fig. 14. Arthrococcus aus einem kranken Ei, in Cryptococcus übergehend.

Fig. 15. Keimung des Arthrococcus, d. h. der Körperchen des Cornalia.

Fig. 16. Endzweig des aus den Keimlingen hervorgegangenen Cladosporium herbarum.

Fig. 17. Glieder zerfallener Pilzfäden aus dem Darm einer kranken Raupe.

Fig. 18. Keimungsprodukt der Körperchen des Cornalia, Ausbildung des Rhizopus.

Fig. 19. Conidia septata der Keimlinge.

Fig. 20. Arthrococcus, gezogen aus dem Micrococcus von Pleospora herbarum Tul.

Fig. 21. Macroconidien derselben.

III.

Neue Untersuchung der durch Peronospora infestans Casp. hervorgerufenen Krankheit der Kartoffeln.

Ernst Hallier.

Erste Abtheilung.

Es giebt wohl keine Pflanzenkrankheit, welche eine so ungeheure Literatur hervorgerufen hätte, wie diejenige, welche man unter dem Namen der Kartoffelkrankheit schlechthin begreift Die Kartoffel leidet an zahlreichen Krankheiten, aber keine ist so gefürchtet wie diese; keine tritt häufiger und allgemeiner in so hohem Grade verheerend auf; gegen keine haben sich menschliche Maassregeln so machtlos erwiesen.

Schon dieser eine Grund, dass man genügende Vorbeugungsmaassregeln gegen die Krankheit noch nicht kennt, dürfte genügende Anregung geben zu einer neuen Untersuchung, deren Berechtigung ich überdiess durch den Nachweis der Lückenhaftigkeit aller bisherigen Arbeiten zur Genüge dargethan habe *) in einer kleinen Schrift, in welcher zugleich meine Untersuchungsmethode kurz mitgetheilt und ihre Richtigkeit nachgewiesen ist.

Grade die Vorarbeiten zu meiner Untersuchung über die Kartoffelkrankheit haben jenem Schriftchen zu Grunde gelegen.

Was ich dort in aller Kürze mitgetheilt habe, das soll hier zur ausführlichen und vollständigen Darstellung kommen.

---

*) *E. Hallier*, Reform der Pilzforschung. Offenes Sendschreiben an Herrn Professor de Bary zu Strassburg. Jena 1875.

Zu jeder mykologischen Arbeit, welche einen Gegenstand
vollständig und nach dem jeweiligen Standpunkt möglichst er-
schöpfend behandeln will, ist eine ausführliche Vorarbeit nöthig,
in welcher die Fragstellung scharf und richtig gegeben wird.
Es genügt nicht, die Literatur durchgesehen zu haben; man
muss von vorn berein kritisch zu Werke gehen und untersuchen,
ob die bis dahin mitgetheilten Beobachtungen korrekt und vollständig, und ob die aus ihnen gezogenen Schlüsse bündig sind.
Nur, nachdem diese Vorarbeit vollständig und gründlich zur
Ausführung gekommen ist, darf man hoffen, durch Weiter-
arbeiten das bisher Entdeckte zu ergänzen und zu berichtigen.

Hier wollen wir zuerst die Vorarbeit, dann die eigentliche
Untersuchung mittheilen.

Die ersten Kennzeichen der Kartoffelkrankheit zeigen sich
bekanntlich darin, dass auf dem Laube, besonders auf seiner
unteren Fläche, eine zarte Schimmelbildung auftritt, bestehend
aus feinen farblosen, also dem blossen Auge weisslich erscheinenden Fruchthyphen, welche an ihrer Spitze unregelmässig
schraubig gestellte Aestchen zur Ausbildung bringen, deren jedes
mit einer citronenförmigen Spore abschliesst. Unter einer
scharfen Lupe lässt sich dieser Pilz einigermaassen sicher als
die Peronospora infestans Casp. bestimmen, völlig sicher unter
dem Mikroskop. Je nach der Kräftigkeit des Auftretens, welche
wesentlich von Nahrung und Feuchtigkeit abhängt, ist die Hyphe
einfach oder sie löst sich in einige Hauptäste auf, welche ihrerseits dann die sporenerzeugenden Zweige tragen.

Diese Fruchthyphen sind schon so oft und so korrekt beschrieben und abgebildet worden, dass eine neue Abbildung jedenfalls überflüssig erscheint. Ich beschränke mich auf die Mittheilung solcher Figuren, welche wirklich etwas Neues vergegen-
wärtigen.

Fast alle früheren Beobachter stimmen darin überein, dass
das Mycelium der Peronospora scheidewandlos ist und mit der
Fruchthyphe und allen ihren Zweigen nur eine einzige grosse
Zelle darstellt, denn alle stehen in offener Verbindung. Ich kann
diesen früheren Beobachtern im Allgemeinen nur beipflichten.

Verhältnissmässig selten, nur bei sehr kräftigem Wuchs und
bei sehr feuchter Luft, bilden sich hie und da einzelne Scheidewände im Mycelium, bisweilen auch in der Fruchthyphe.

Ein charakteristisches Kennzeichen, welches nur selten fehlt, sind mehre Anschwellungen (a Fig. 23, Taf. V), welche die Hyphenäste in ihrem Verlauf zur Ausbildung bringen. Sie fehlen nur an solchen Exemplaren bisweilen, welche auf nassem Nährboden sehr üppig vegetiren. Bei der Kartoffelkrankheit in der freien Natur vermisste ich die Anschwellungen nie. Auch auf sie haben schon Payen und viele andere Forscher aufmerksam gemacht.

Die erste Frage, welche sich nach der Beobachtung der Peronospora auf dem Kartoffelblatt ganz von selbst aufdrängen musste, war diejenige nach der Fortpflanzung dieses Pilzes und nach der Rolle, welche derselbe auf seinem Wirth, der Kartoffelpflanze, spielt.

Dass die bisherigen Angaben über die genannten Punkte noch sehr lückenhaft und grossentheils gradezu falsch sind, sieht man nächst der oben citirten kleinen Schrift „Reform der Pilzforschung" am besten in dem betreffenden Abschnitt meiner „Phytopathologie"*).

Dass man die citronenförmigen Zellen, welche am Ende der Zweige der Fruchthyphen zur Abschnürung gelangen, als Fortpflanzungszellen anzusehen habe, musste von vornherein für wahrscheinlich gelten.

Nun fragt sich aber, auf welche Weise diese Zellen die Fortpflanzung einleiten, eine Frage, deren Berechtigung sich aus sehr verschiedenen Formen der Keimung der Pilzsporen von selbst ergiebt. Es sind hier mehre Möglichkeiten vorhanden. Entweder treiben die Sporen oder Keimzellen einen Keimschlauch, welcher direkt in das Nährgewebe eindringt, oder, es bilden sich, wie bei so vielen Ustilagineen, erst Nebenconidien, bisweilen in mehren Generationen, oder endlich, es tritt gar keine direkte Keimung ein, sondern das Plasma der Keimzelle zerfällt in Schwärmer, welche ausschwärmen und ihrerseits keimen.

Bei der Peronospora infestans Casp. war zuerst die direkte Keimung beobachtet worden, und man schien durchaus berechtigt, diesen Vorgang für den normalen zu halten.

Später machte man die schöne Beobachtung, dass unter

---

*) E. Hallier, Phytopathologie. Die Krankheiten der Kulturgewächse. Leipzig 1868. S. 305—312.

gewissen Verhältnissen sich das Plasma der Sporen in etwa 6—12
Portionen theilt und dass diese Portionen in Gestalt von Schwär-
mern, welche mit 2 Cilien versehen sind, ausschwärmen. Die
Umstände, welche zur Schwärmerbildung nothwendig sind, blieben
bisher ununtersucht. Man hatte, wenn Peronosporasporen in
Wasser ausgesäet werden, die Schwärmer sich bilden und ausschwärmen sehen und hatte diesen Prozess ohne Weiteres für
den normalen Vorgang erklärt und die früher beobachtete Keimung gewissermaassen für etwas Abnormes, wo nicht gar
Zufälliges.

Es ist keine Frage, dass hier noch ein dunkler Punkt in
der Untersuchung zurückgeblieben war, dass also meine Untersuchung hier den Hebel anzusetzen hatte.

Ich fragte mich zunächst: Ist die Schwärmerbildung von
äusseren Bedingungen abhängig oder nicht, und wenn das erste
der Fall ist, welche sind dann diese Bedingungen.

Dem Entdecker der Schwärmer war ihre Ausbildung gelungen bei Aussaat der Sporen der Peronospora in reines Wasser.
Ich wiederholte diesen Versuch. Ganz frisch gezogene Sporen
wurden in einen Tropfen destillirten Wassers ausgesäet und in
einer feuchten Kammer fortgesetzt unter dem Mikroskop beobachtet.
Schon nach einer halben Stunde begann die Theilung des Plasma
in den meisten Sporen, und es dauerte keine Stunde, so waren
die meisten derselben im Begriff, ihre Schwärmer, einen nach
dem andern, austreten zu lassen. An der Richtigkeit der Beobachtung war also nicht zu zweifeln, und die Beschreibung sowohl wie die Abbildungen des Entdeckers sind so korrekt, dass
ich hier ohne Weiteres auf dieselben verweisen darf.*)

Bedenklich aber war die Folgerung, welche der Entdecker
ohne weitere Prüfung aus seiner schönen Beobachtung zog, indem
er nämlich behauptete, es bildeten sich in allen Fällen vollständiger
Entwickelung erst innerhalb der endständigen Fortpflanzungszelle
die zu neuem Mycelium heranwachsenden Sporen aus.**)

Diese Behauptung hätte erst erwiesen werden müssen und
zwar in doppelter Weise. Erstlich musste gezeigt werden, dass

---

*) *A. de Bary*, Die gegenwärtig herrschende Kartoffelkrankheit.
Leipzig 1861.
**) Vgl. *Hallier*, Reform der Pilzforschung. S. 5.

die Schwärmer bei jeder beliebigen Ernährung zur Ausbildung kommen, und zweitens, dass dasselbe vom Reifezustand wirklich in soweit abhänge, als bei völliger Reife unbedingt die Schwärmer sich ausbilden. Nach beiden Richtungen hin hat man versäumt Versuche zu machen, und in Folge davon haben sich ganz falsche Ansichten über die Peronospora förmlich dogmatisch festgesetzt.

Sobald man exakte Versuche nach einer von beiden Richtungen einleitet, so fällt die Antwort rein negativ aus; die bisherige Ansicht, dass die Schwärmerbildung gewissermaassen das normale Verhalten des Pilzes sei, ist also falsch.

Es hängt die Schwärmerbildung nämlich ab von dem Ernährungszustand der Sporen. Haben die Sporenträger eine genügende Menge Plasma gebildet, so tritt niemals Schwärmerbildung ein, sondern stets Keimung. Säet man die Sporen nicht in destillirtes Wasser aus, sondern in eine für Pilze geeignete flüssige Nahrung, so keimen sie unter allen Umständen! Nicht ein einziger Schwärmer kommt zur Ausbildung. Zu solchen Versuchen bereite man sich z. B. folgende Mengung: Man nehme auf $^1/_4$ Liter Wasser 1 Gramm phosphorsaures Ammoniak, 2 Gramm Stärkezucker, 4 Gramm Holzasche. Das Ganze wird einige Minuten gekocht und abfiltrirt. Zu jedem Versuch muss die Lösung natürlich frisch bereitet werden.

Bringt man in einen Tropfen der gehörig abgekühlten Lösung die Sporen der Peronospora, so bilden sie unter allen Umständen keine Schwärmer aus; überhaupt sieht man in den ersten 10—15 Stunden keine andere Veränderung an ihnen, als dass das Plasma dichter wird. Nach etwa 15—20 Stunden, bisweilen etwas früher, treiben sie am Papillenende einen dicken Keimschlauch, der selten einfach bleibt, gewöhnlich an der Austrittsstelle sich in zwei bis fünf Aeste spaltet, welche sparrig nach verschiedenen Seiten abstehen.

, Da diese normale Keimung weniger genau bekannt ist als die Schwärmerbildung, so will ich sie noch etwas genauer beschreiben, wobei ich zugleich auf die Figuren 22—32 der fünften Tafel verweise.

Die reife Spore (Fig. 22, Taf. V) zeigt sich bei starker Vergrösserung mit kleinen Vacuolen und zahlreichen Körnchen erfüllt (schaumig-körniges Plasma).

Die Spore ist im völlig ausgewachsenen Zustand eigentlich

oval (Fig. 22), aber am Ende mit einer papillösen Anschwellung
der Wand (p, Fig. 22, Taf. V) versehen, wahrscheinlich eine
gelatinös gequollene Stelle der Wand, denn hier treten die
Schwärmer aus, und in der Nähe dieser Stelle findet auch das
Hervorwachsen der Keimschläuche statt.

Ebenso findet sich am Anheftungspunkt der Spore eine
kleine Vorragung (s t Fig. 22, Taf. V), aber diese besteht nicht
in einer Wandverdickung, sondern sie ist das hohle Ende des
die Spore abschnürenden Hyphenastes; sie stellt also einen sehr
kurzen hohlen Cylinder vor, frei von Plasma und ohne Zusammenhang mit dem Lumen der Spore.

Die beiden kleinen Vorragungen geben auch der ausgewachsenen Spore ein citronenförmiges Ansehen.

Bei der jungen Spore (s p Fig. 24, Taf. V) kommt aber noch
hinzu, dass sie sich nach beiden Enden etwas verjüngt, wodurch
sie noch auffallender citronenförmig wird.

Uebrigens ist der Querschnitt der Spore nicht genau kreisrund, sondern elliptisch, was man leicht sehen kann, wenn eine
Spore unter dem Gesichtsfeld vorüberrollt. Der eine Querdurch-
messer der Spore ist also etwas grösser als der andere. Ist die
Spore durch Schwärmerbildung leer geworden, so fällt sie zu
einem ganz platten Körper von Citronengestalt zusammen im
Sinne des schwächeren Querdurchmessers, so dass die Seiten-
ansicht der breiteren Seite nahezu dieselbe bleibt. Dieses Faktum
wird besonders deutlich, wenn die leere Spore durch Verschiebung
des Deckglases oder irgend einen anderen Zufall eingeknickt und
umgeklappt wird, wie Fig. 25 der fünften Tafel es zeigt. Man
sieht nun deutlich, dass der eine Seitendurchmesser der leeren
Spore im Verhältniss zu ihrer Breite von papierartiger Dünne
ist, denn der umgeklappte Theil der Spore (u Fig. 25) liegt
platt auf dem übrigen Theil. Einen ähnlichen Fall zeigt Fig. 35.
Die Spore enthält nur noch wenig Plasma; in Folge davon ist
die eine Längswand eingesunken und hohl.

Die Keimschläuche brechen bisweilen aus der Endpapille
hervor (Fig. 31. 33, Taf. V). In der Mehrzahl der Fälle jedoch
treten die Keimschläuche keineswegs aus der Papille heraus,
sondern brechen in ihrer Nähe hervor (Fig. 26. 27. 28. 29. 30.
32, Taf. V). Die Dicke der Keimschläuche ist verschieden;
durchschnittlich entspricht sie etwa der Dicke der die Sporen

tragenden Hyphenzweige; sie sind mindestens 3 — 10 Mal so
dick wie die Keimfäden der Schwärmer.

Die Zahl der Keimschläuche ist verschieden. In Fig. 26
sieht man nur einen, Fig. 27—29 zwei, Fig. 30. 31 drei, Fig. 32
sechs Keimschläuche hervortreten. In einem kräftigen Nährboden
schwankt die Zahl der Keimschläuche zwischen 3 und 10. Bisweilen theilt sich der einzige Keimschlauch gleich über seiner
Austrittsstelle in mehre Aeste (Fig. 31, Taf. V). Sehr selten tritt
auch am Anheftungspunkt ein Keimschlauch hervor (Fig. 33, Taf. V).

Am ersten Tage nach der Aussaat verlängern sich die Keimschläuche langsam, meist ohne sich zu verästeln. Bisweilen, aber
nur selten, gelingt es, die Keimlinge auf einem flüssigen Substrat
zur Sporenbildung zu bringen, wie das auch von Früheren schon
beobachtet worden ist.

Ungemein abhängig sind die Keimschläuche in ihrer Form
von der chemischen Zusammensetzung des nährenden Substrats.
Setzt man einer Mengung, wie sie oben angegeben wurde, einen
Tropfen Schwefelsäure zu, so treiben die meisten Sporen nur
einen Keimschlauch, dieser wächst rascher, bleibt aber weit
dünner und verzweigt sich anfangs sehr wenig.

Am zweiten oder dritten Tage fangen die Enden der Keimschläuche oder ihrer ersten Verzweigungen an, sehr stark anzu-
schwellen (a Fig. 36, Taf. V). Diese Anschwellungen füllen sich
mit feinkörnigem Plasma.

In der Regel brechen aus solchen Anschwellungen am dritten
Tage Seitenzweige hervor, welche sich rasch verlängern (z Fig. 37,
Taf. V). Ist die Nährstofflösung nicht angesäuert, so findet die
Verästelung der Keimschläuche in der Regel schon früher statt.
Die kräftigsten Keimlinge erzielte ich auf gekochtem Saft frischer
Pflaumen. Sie bleiben ganz kurz und treiben schon am zweiten
Tage nach allen Seiten sehr kräftige Zweige. Sie hatten grössten-
theils die in Fig. 38, Taf. V abgebildete Beschaffenheit.

So bildet die Peronospora in wenigen Tagen auf dem Objektträger ein reiches Mycel.

Fehlschlagen thut dieser Versuch niemals, sobald die Sporen
überhaupt keimfähig sind. Niemals kommt in solchem Substrat
Schwärmerbildung vor; ich wiederhole es nochmals ausdrücklich.
Es ist Kinderspiel, sich davon zu überzeugen, für jeden, der
überhaupt mit dem Mikroskop umzugehen versteht .

Ich habe schon erwähnt, dass es, wenn auch selten, gelingt, die Keimlinge der Peronospora auf dem Objektträger zur Sporenbildung zu bringen; es ist daher gewiss der Mühe werth, zu untersuchen, ob der Pilz nicht auch auf irgend einem festen Nährboden zur Sporenbildung gelangt.

Ich säete am 7. September Peronospora-Sporen auf eine sauber abgewaschene halbirte Zwetsche aus. Die Keimung fand genau so statt wie auf dem Pflaumensaft. Das entstandene Mycelium drängte sich zwischen den Zellen des Fruchtfleisches hindurch und verbreitete sich im Gewebe, soweit ich es beobachten konnte, nur in den Intercellularräumen, indem es überall die Zellen aus einander drängte. Erst am siebenten Tage brachen senkrechte Fruchthyphen auf der Schnittfläche hervor und fruktificirten ganz genau so wie auf dem Kartoffellaube. Im Lauf des Tages bedeckte sich die ganze Schnittfläche der Zwetsche mit einem prächtigen Rasen von Peronospora, so dass ich sämmtlichen von mir zum Verkauf angefertigten Sammlungen mikroskopischer Präparate die Peronospora von der Pflaume beifügen konnte.

Bisweilen misslang mir später dieser Versuch, weil vor dem Erscheinen der Peronospora andere Schimmelpilze die Schnittfläche überwucherten und jene nicht aufkommen liessen; tritt aber keine vorzeitige Schimmelbildung ein, so gelingt der Versuch ganz sicher.

Was folgt daraus? Dass die Peronospora nicht, wie in neuerer Zeit gelegentlich behauptet worden ist, ein auf die Kartoffelpflanze ausschliesslich angewiesener Parasit ist; dass sie vielmehr, und zwar ganz genau in derselben Form wie auf dem Kartoffelblatt, auch auf Pflanzengeweben auftreten kann, welche gar keine Aehnlichkeit oder Verwandtschaft mit dem Gewebe der Kartoffel haben.

Die Peronospora ist also gar kein Parasit in jenem strengen Sinn des Wortes, dass sie auf gewisse Pflanzen beschränkt wäre innerhalb eines engen Verwandtschaftskreises; auch hatte *Schacht* gar nicht so Unrecht, sie als eine Schimmelbildung anzusehen; wie denn überhaupt eine ganz scharfe Grenze zwischen Schimmelbildungen oder Saprophyten einerseits und echten Parasiten andererseits wohl durchaus nicht vorhanden ist.

Man darf aber sicherlich schon nach dem hier Mitgetheilten

die Frage aufwerfen: ob denn unsere Peronospora überhaupt in diese Gattung, resp. in die Gruppe der Peronosporeen gehöre? Ob sie mit den übrigen Arten dieser Gattung, welche man aufgezählt hat, verwandt sei? Diese Verwandtschaft folgerte man ja nur aus einer gewissen Formähnlichkeit und Aehnlichkeit in der Lebensweise.

Die Ansicht, dass die Peronospora ein in Europa nicht heimischer, mit der Kartoffelpflanze aus Amerika eingewanderter Parasit sei, ist jedenfalls durch vorstehend mitgetheilte Beobachtungen vollständig widerlegt.

Es können die Resultate der bisherigen Untersuchung in folgenden Sätzen ihren Ausdruck finden:

1) Die normale Fortpflanzung der Peronospora ist diejenige durch Keimung der Fortpflanzungszellen, welche am Ende der Fruchthyphen abgeschnürt werden.

2) Diese Fortpflanzungszellen sind also als Sporen, aber nicht als Sporangien aufzufassen.

3) Bei ungenügender Ernährung sind diese Sporen unter gewissen Umständen gezwungen, statt zu keimen, aus ihrem Plasma Schwärmer zu bilden, so z. B. bisweilen, wenn man sie in destillirtes Wasser aussäet.

4) Die Keimlinge der Sporen bilden bei genügender Ernährung, selbst auf einem flüssigen Nährboden, ein reiches Mycel aus, welches, wenn auch selten, auf der Oberfläche der Flüssigkeit, häufiger auf einem Pflanzengewebe wie dasjenige der Zwetsche, ganz normale Sporenhyphen erzeugt.

5) Die Peronospora ist also keine rein parasitische Form, sondern eine Schimmelbildung oder höchstens ein Halbschmarotzer.

Schon aus früheren Beobachtungen geht hervor, dass die Peronospora sich auch auf der Kartoffelpflanze nicht wie ein echter Schmarotzer benimmt. Zwar brechen die Fruchthyphen im Freien gewöhnlich zuerst aus den Spaltöffnungen der Unterseite des Kartoffellaubes hervor. Das kommt aber nur daher, weil es den Hyphen hier leichter wird, hervorzubrechen, denn sie befinden sich grösstentheils in den Intercellularräumen, können

daher leicht in die Athemhöhle eindringen und aus dieser in's
Freie gelangen, indem sie aus den Spaltöffnungen hervortreten.
Dass sie nicht an der Oberseite hervorbrechen, kommt nur daher,
weil hier wenige Spaltöffnungen vorhanden sind und weil es
ihnen ohnedies schwer wird, die dicht geschlossene Schicht der
pallisadenartigen Zellen nach oben wieder zu durchbrechen.
Dass das bloss physikalische Gründe hat, geht auf's Schlagendste
aus der Thatsache hervor, dass in einem feuchten Gewächshause
die Rasen der Peronospora keineswegs auf die Blattunterseite
beschränkt sind, vielmehr ebenso üppig auf der Oberseite und
an verschiedenen Stellen aus dem Stengel hervorbrechen.

Will man sich rasch überzeugen, dass die Sache sich wirklich
so verhält, so lege man ein Kartoffelblatt, mit der Unterseite
nach unten gekehrt, auf ein flaches Gefäss mit etwas Wasser
und besäe die obere Blattseite mit Peronospora. Etwa am vierten
Tage brechen, nur auf der Oberseite, die Peronospora-Rasen
hervor.

Der Grund ist ein sehr einfacher. Unter dem Einfluss der
grösseren Feuchtigkeit gerathen die Gewebetheile rascher in
Fäulniss, der Verband der Zellen lockert sich und nun wird es
dem Mycelium leicht, sich hindurchzudrängen und nach oben
hervorzubrechen.

Dasselbe ist der Fall in dem saftigen Gewebe des Pericarps
der Zwetsche.

Dass es weit schwerer gelingt, auf einem flüssigen Nährboden die Peronospora zur normalen Sporenbildung zu bringen,
hat keinen anderen Grund, als dass dieser flüssige Nährboden
leichter in Gährung geräth und dass die dabei entstehenden
Hefe- und Schimmelbildungen die Peronospora unterdrücken.

Ueber diese Gährungen, welche namentlich auch in der
Kartoffelpflanze dem Auftreten der Peronospora unmittelbar
folgen, theile ich in den folgenden Abschnitten dieser Arbeit das
Nähere mit.

Kehren wir nun zur Keimungsgeschichte zurück.

Wir haben gesehen, dass die Keimfähigkeit der Sporen
davon abhängt, dass ihr genügende Nahrung dargeboten wird.

Um so mehr musste es mich überraschen, zu finden, dass
die auf dem Kartoffellaub oder auf der Kartoffelknolle zur Abschnürung kommenden Sporen sich bei der Keimung in destil-

lirtem Wasser ganz verschieden verhalten. Wer sich nur wenige Tage mit Aussaaten der Peronospora beschäftigt, dem kann diese Thatsache nicht entgehen. Wenn behauptet worden ist, dass die auf dem Blatt abgeschnürten Sporen in destillirtem Wasser fast immer Schwärmer erzeugten, so kann das nur darin seinen Grund haben, dass die Zahl der Beobachtungen dieser Forscher eine äusserst geringe gewesen ist. Bei den wenigen Beobachtungen sind ihnen zufällig nur Fälle der Schwärmerbildung vorgekommen.

Es sind hier drei verschiedene Fälle zu unterscheiden:

Manche Sporen keimen überhaupt gar nicht. Diese sind entweder ganz junge, noch nicht völlig ausgewachsene. Oder sie sind zu alt. Die Sporen bleiben nur wenige Tage keimfähig. Ist diese kurze Frist abgelaufen, so keimen sie überhaupt nicht mehr, weder durch Schwärmerbildung noch direkt. Sie sehen gross und kräftig aus, sind dicht mit Plasma erfüllt, aber sie verharren im Nährtropfen ganz unthätig, ohne sich zu rühren. Ihr Plasma wird allmählig gelbbraun.

Man thut daher gut, zu Kulturversuchen mit Peronospora sich beständig ganz frische Aussaaten zu halten; sonst wird man viele vergebliche Versuche machen.

Säet man die Sporen aus an demselben Tage, wo ihre Hyphen zuerst aus dem Blattgewebe oder aus dem Parenchym der Knolle der Kartoffel hervorbrachen, so wird man zwar einzelne Sporen nicht keimen sehen, weil sie noch nicht ausgewachsen sind; die Mehrzahl der Sporen aber ist keimfähig. Geschieht nun die Aussaat in destillirtem Wasser, so tritt keine direkte Keimung ein, sondern Schwärmerbildung. Schon eine Stunde nach der Aussaat ist das Ausschwärmen in vollem Gange und man kann es noch eine Stunde lang bequem beobachten. Die Hyphen, welche am ersten Tage nach der Eruption auf dem Blatte die Sporen zur Abschnürung bringen, sind nach vollständiger Ausbildung der Sporen leer, sie enthalten kein Plasma mehr. Solche Sporen, welche an leerwerdenden Hyphen sich abschnüren, keimen selten direkt, vielmehr bilden sie in der Mehrzahl der Fälle Schwärmer aus, wenn sie in destillirtes Wasser ausgesäet werden. In einer nährenden Lösung keimen sie dagegen ohne Ausnahme durch direkte Schlauchbildung.

Säet man die Sporen von demselben Kartoffelblatt oder

derselben Kartoffelknolle am zweiten oder dritten Tage nach
der ersten Eruption aus, so tritt gar keine Schwärmerbildung
ein; vielmehr keimen diese Sporen auch im destillirten Wasser
ganz normal. Das scheint dem Beobachter anfänglich völlig unbegreiflich und doch erklärt es sich sehr einfach. Die Hyphen,
welche, später hervorbrechend, am zweiten und dritten Tage
Sporen abschnüren, sind nämlich meist nicht leer, sondern mit
Plasma erfüllt bis in die äussersten Spitzen. Das Mycel muss
also mittlerweile eine grössere Quantität Plasma zur Ausbildung
gebracht haben. Diese später entstehenden Sporen haben auch
ein etwas anderes Aussehen als die am ersten Tage abgeschnürten: sie sind namentlich deutlich mit Oeltröpfchen erfüllt
und leichter wie diese, so dass sie häufig auf dem Wasser
schwimmen.

Hat man solche Sporen ausgesäet, welche an mit Plasma
dicht erfüllten Hyphen abgeschnürt sind, so kommen darunter
selten einzelne zur Schwärmerbildung; die meisten oder alle gelangen im destillirten Wasser ganz normal zur Keimung.

Diese an plasmareichen Hyphen abgeschnürten Sporen lassen
sich am leichtesten und sichersten auf der Knolle erzielen, aber
auch auf dem Blatt kommen sie bei genügender Feuchtigkeit
zum Vorschein; so in der freien Natur bei anhaltend feuchtem
und heissem Wetter und im Zimmer oder Gewächshaus sowohl
an der Pflanze wie an einzelnen abgeschnittenen Theilen derselben in einer feuchten Kammer.

Es liegt auf flacher Hand, dass diese Beobachtungsreihe
lediglich eine Bestätigung der aus jener Versuchsreihe gezogenen
Schlussfolgerung ist:

Dass die Schwärmerbildung sowie die normale Keimung aus-
schliesslich in Ernährungsdifferenzen ihren Grund haben, so zwar,
dass die Schwärmerbildung anzusehen ist als ein Nothbehelf bei unge-
nügender Ernährung; dass die Keimung eintritt, sobald die Pflanze
selbst genügendes Plasma aufgespeichert hat oder sobald bei unge-
nügendem Plasma eine kräftige Nährstofflösung zugeführt wird.

Die Ansicht von der wesentlichen Bedeutung der Schwärmerbildung für die Kartoffelkrankheit sowie überhaupt für das Leben
der Peronospora ist damit beseitigt.

Auf die Fortpflanzung der Peronospora bei der Kartoffelkrankheit komme ich später zurück. Hier soll erst das

Produkt der Keimung und Schwärmerbildung weiter verfolgt werden.

Wenn man die Kartoffelpflanze oder einzelne Theile derselben in einem sehr feuchten Raum hält, so bekommt man nach Aussaat der Peronospora prächtige Rasen mit keimfähigen Sporen. Sehr bald verändert der Pilz in etwas seinen Habitus, wie Fig. 39, Taf. V es zeigt. Viele Zweige kommen gar nicht mehr zur Sporenbildung, sondern wachsen weiter. Alle sind sie mit körnigem Plasma dicht erfüllt. Die Sporen keimen oft schon, bevor sie von der Fruchthyphe abfallen, so bei k Fig. 39, Taf. V.

Sehr lehrreich sind Fälle, wie der in Fig. 1 der Taf. VI abgebildete, wo einer und derselbe Faden noch ganz normale Aeste mit den bekannten zwiebelförmigen Anschwellungen (z Fig. 1, Taf. VI) und ausserdem theils sterile (st Fig. 1, Taf. VI), theils dicke plasmareiche Aeste mit je einer zuletzt sehr grossen Spore am Ende (sp Fig. 1, Taf. VI) erzeugt. Die sterilen Aeste haben oft mehr das Ansehen einer jungen Hyphe eines Mucor als einer solchen von Peronospora wie z. B. bei st Fig. 2, Taf. VI.

Sehen wir uns jetzt um nach dem Schicksal der Keimlinge der Schwärmerzellen.

Es ist bekannt, dass unter den oben angegebenen Umständen, bei ungenügend aufgespeichertem Plasma und ungenügender Nahrung etwa eine Stunde nach Aussaat der Peronospora-Sporen das Ausschwärmen beginnt.

Schon im Lauf der zweiten Stunde kommen die meisten Schwärmer zur Ruhe und bilden eine zwar zarte, aber scharf umgrenzte, deutlich sichtbare Membran, die sie während des Schwärmens nicht besitzen. Gegen Ende der zweiten Stunde beginnt die Keimung. Man sieht zuerst eine zarte Papille vortreten, in welche das Plasma nach und nach aus der Keimzelle hineintritt. Die Papille verlängert sich und erreicht bis zur sechsten Stunde ungefähr die Länge, welche in Fig. 3, Taf. VI, a—g versinnlicht wird. Seltner sind die Keimfäden schon in der sechsten Stunde so lang wie es h derselben Figur zeigt.

Das Plasma verschwindet dabei allmählig aus der Keimzelle; jedoch sieht man eine Zeitlang noch einen dichteren halbmondförmigen Wandbeleg an der dem Keimschlauch zugewendeten Seite, so in a, c, d, e, f, g Fig. 3, Taf. VI. Zuletzt ist die Keimzelle ganz leer, wie es b und h derselben Figur erkennen lassen.

Der Keimschlauch verästelt sich meist schon früh, oft dicht über seiner Austrittsstelle aus der Keimzelle; so bei b, e, f, g, Figur 3.

In den folgenden Stunden des ersten Tages wachsen die Keimschläuche langsam weiter; dabei wandert das Plasma immer den fortwachsenden Spitzen zu, so dass nicht bloss die Keimzelle, sondern sehr bald der ganze untere Theil des Fadens leer und äusserst zart erscheint. Etwa nach 24 Stunden haben die Keimschläuche die in den Figuren 4—8 dargestellte Beschaffenheit. Sie haben jetzt eine beträchtliche Länge. Ihr unterer Theil ist wie die leere Keimzelle bis zu der mit s bezeichneten Stelle plasmafrei, äusserst zart und blass und oft kaum sichtbar. Das ist wohl der Grund, warum man, aber durchaus irrthümlich, behauptet hat, die Keimschläuche liessen sich nicht über 24 Stunden auf dem Objektträger kultiviren. Dieselben wachsen allerdings im destillirten Wasser nach 24 Stunden nur noch sehr wenig weiter. Wovon sollten sie sich auch im blossen Wasser ernähren? Setzt man aber jetzt eine nährende Lösung zu, so tritt energisches Weiterwachsen ein; nur wird es immer schwieriger, die Continuität mit dem Anfang des Fadens und mit der Keimzelle festzustellen, denn diese plasmaleeren Theile werden oft so durchsichtig, dass sie fast unsichtbar werden.

Es ist aber nicht wahr, dass nach 24 Stunden die Keimschläuche zu Grunde gingen. Man kann sie selbst im destillirten Wasser recht gut acht Tage lang und darüber beobachten. Bei Kulturen in einer passenden Nährflüssigkeit ist der Beobachtung gar keine andere Grenze gesetzt als diejenige durch Störung von Seiten hinzutretender Hefebildungen oder anderer, von aussen eingewanderter, Schimmelpilze.

Bisweilen bleibt in der durch Ausschwärmen entleerten Hülle der Peronospora-Spore ein einzelner Schwärmer zurück, weil er sich mit den Cilien verwickelt hat und daher die Oeffnung nicht verlassen kann. In diesem Falle führt er innerhalb der Sporenhaut unruhige ruckweise Bewegungen aus, kommt endlich zur Ruhe, bildet die Membran aus und treibt einen Keimschlauch. In Fig. 9, Taf. VI ist ein solcher dargestellt, dessen Keimschlauch das Papillenende noch nicht erreicht hat; ebenso in Fig. 10, Taf. VI, wo ausserdem in derselben Sporenhülle sich ein zur Ruhe gekommener aber noch nicht gekeimter zweiter Schwärmer befindet. Fig. 11, Taf. VI zeigt eine Hülle mit einem Schwärmer, welcher dem Papillenende ganz nahe liegt und aus demselben bereits einen ziemlich langen Keimschlauch hervorgeschickt hat.

Es ist überhaupt sehr beachtenswerth, dass das allergeringste Hemmniss, welches dem Schwärmer in den Weg tritt, ihn festhält, indem seine vorgestreckte Cilie an jedem Gegenstand festklebt, mit dem sie in Berührung kommt. Bisweilen gelingt es ihr, durch stossweise eintretende Bewegungen, sich wieder loszumachen.

Stossen zwei Schwärmer mit ihren Cilien zusammen, so arbeiten und zerren sie unruhig hin und her. Bisweilen gelingt es ihnen, sich wieder loszumachen, meist aber kommen sie durch diese ruckweisen Bewegungen in immer innigere Berührung; ihre Cilien werden kürzer; zuletzt wachsen sie zu einer Amoebe zusammen. Die beiden in Fig. 12, Taf. VI abgebildeten Schwärmer waren mit ihren Cilien in Verwirrung gerathen. Einige Augenblicke später verwirrte sich mit ihnen (Fig. 13, Taf. VI) ein dritter Schwärmer. Im nächsten Moment (Fig. 14, Taf. VI) hatten sich die zuerst an einander gerathenen Schwärmer völlig vereint zu einer kleinen Amoebe, von welcher der dritte sich wieder loszureissen suchte. Das hatte den entgegengesetzten Erfolg. Auch er verschmolz mit der kleinen Amoebe (a Fig. 15, Taf. VI), welche nun langsam auf dem Objektträger zu kriechen anfing und dabei nach der Reihe in kurzen Augenblicken die Gestalten a, b, c, d, e Fig. 15, Taf. VI annahm. Ueberhaupt hat auch der Schwärmer gar keine bestimmte Gestalt, bevor er zur Ruhe kommt. Er verändert vielmehr seinen Umriss unaufhörlich, und davon ist seine Bewegung weit mehr abhängig als von der Bewegung der Cilien; das sieht man besonders deutlich, wenn zwei Schwärmer sich verwirrt haben. Der Schwärmer hat eine grössere Vacuole, bisweilen ausserdem noch eine oder einige kleinere. Bei den Amoeben sind die Vacuolen unregelmässiger in Anzahl und Vertheilung.

Ich breche hier vorläufig ab von der Keimungsgeschichte der Peronospora und bemerke nur noch, dass auf dem Blatt, auf dem Stengel und auf der Knolle der Kartoffel sowohl aus den Keimlingen der Peronospora-Sporen selbst als auch aus denjenigen ihrer Schwärmer ein Mycelium hervorgeht, welches sich

im Innern des Gewebes verbreitet und etwa am vierten Tage
die Peronospora-Rasen hervorsendet.

Nach dieser Lage der Dinge war zunächst gar kein Grund
vorhanden zu der Annahme, dass die Peronospora noch andere
Formen besitze, welche mit ihr im Generationswechsel oder
Morphenwechsel stehen.

Ich habe indessen gezeigt, dass trotzdem die Arbeiten über
die Kartoffelkrankheit eine ganze Anzahl sehr bedenklicher
Lücken übrig gelassen haben, welche nothwendig der Ausfüllung
bedürfen; vorläufig will ich aber die Leser dieser Zeitschrift ersuchen, den Beweis für diese Lückenhaftigkeit in meiner oben
citirten „Reform der Pilzforschung" selbst nachzusehen und zu
prüfen. Ich werde später zeigen, wie diese Lücken auszu-
füllen sind.

Hier muss ich des leichteren Verständnisses halber die
weiteren Mittheilungen über den Gang der Untersuchung an
einen ganz anderen Punkt anknüpfen.

Durch einige Beobachtungen, die ich im weiteren Verlauf
der Darstellung ausführlich mittheilen werde, kam ich auf die
Vermuthung, dass die Peronospora noch eine Form besitze,
welche, ihr selbst ganz unähnlich, auch auf einen ganz
anderen Nährboden angewiesen sei. Diese Form, die ich
im Verdacht hatte, mit der Peronospora im genetischen Zusammenhang zu stehen, war dem mir wohlbekannten Rhizopus
nigricans Ehrenb. äusserst ähnlich, wo nicht gar mit ihm
identisch.

Natürlich leitete ich eine ganze Reihe von Zuchtversuchen
mit dem Rhizopus ein und über diese soll hier zunächst berichtet
werden.

Der Rhizopus gehört zu den Mucor-artigen Pilzen und fruktificirt mit grossen schwarzen Kapseln, deren kräftige Trag-
hyphen in der Regel zu 1—5 von einem Punkt des Mycels ausgehen.*) Das Mycelium bildet unterhalb eines solchen Punktes
eigenthümliche knorrige Rhizinen und läuft stolonenartig über

---

*) Vgl. E. Hallier, Parasitologische Untersuchungen bezüglich auf die
pflanzlichen Organismen bei Masern, Hungertyphus, Darmtyphus, Blattern,
Kuhpocken, Schafpocken, Cholera nostras etc. Leipzig 1868. S. 42 u. ff.

die Oberfläche des Nährbodens hinweg. Der Pilz ist an den erwähnten Merkmalen sehr leicht zu erkennen. Die in den Kapseln ausgebildeten Keimzellen keimen sehr leicht auf einer Nährflüssigkeit, zusammengesetzt wie ich oben angegeben habe. Schon nach 24 Stunden (a Fig. 16, Taf. VI) haben die meisten Keimzellen kurze Keimschläuche getrieben. Die Wand der Keimzelle wird dabei weich und dehnbar, nimmt oft unregelmässige Gestalten an, und der Umfang der ursprünglich kugeligen Zelle vergrössert sich beträchtlich. Die anfangs schwärzliche und derbe Membran wird biegsam und fast farblos (a — d Fig. 16, Taf. VI). Am zweiten Tage nach der Aussaat nehmen die Keimlinge schon eine Gestalt an, wie in b, c, d, e Fig. 16, Taf. VI; sie verästeln sich hie und da, bilden oft Auftreibungen und unregelmässige Höcker und sind, wie die Keimzelle, mit körnigem Plasma erfüllt. Sie haben ganz das Ansehen des jungen Mycels eines sehr kräftigen Mucor. Schon am dritten Tage pflegen sie auf dem Objektträger zu fruktificiren.

Bei hoher Temperatur (25—30° C.) keimen die ganz frischen Keimzellen der Kapseln des Rhizopus auch in destillirtem Wasser; aber in diesem Fall bleiben die Keimschläuche weit dünner; auch ist der Versuch nur dann gesichert, wenn man die Keimzellen in grosser Menge aussäet, so dass die Keimlinge wohl auf Kosten von zu Grunde gehenden Zellen ernährt werden. Wenn die Keimzellen erst vier Wochen trocken gelegen haben, so keimen sie im Wasser unter allen Umständen nicht mehr; wohl aber in einer nährenden Flüssigkeit.

Wie sowohl ich selbst, wie auch andere Forscher mehrfach nachgewiesen haben, ist der Rhizopus im Grunde genommen typisch einzellig, d. h. das ganze meist sehr dicke Mycelium mit seinen sämmtlichen stolonenförmigen Aesten, mit allen Rhizinen und ihren zahllosen feinen Saugästen, endlich mit allen Fruchthyphen stellen ein zusammenhängendes Kanalsystem dar, in welchem das Plasma im höchsten Grade beweglich ist. Nur die fertige Kapsel trennt sich von der Hyphe durch eine Membran, ebenso die grossen Fortpflanzungszellen, welche ich „Macroconidien" genannt habe und welche von Anderen als Gemmen, Gonidien u. s. w. bezeichnet werden. Bisweilen treten aber dennoch auch im Verlauf der Mycelfäden Scheidewände auf, und zwar häufig schon in früher Jugend. Diese Scheidewände bringt

der Pilz dann zur Ausbildung, wenn die Zufuhr von flüssiger
Nahrung eine nur spärliche ist.

So zeigten fast sämmtliche Keimlinge, welche ich vom
fünften bis achten Oktober auf dem Objektträger auf einem
Tröpfchen gekochten Traubensaftes erzogen hatte, die in Fig. 17,
Taf. VI angedeutete Beschaffenheit.

Das in den Rhizinen (rh) gebildete Plasma zieht sich in der
Keimzelle (k) und in den dickeren Fadentheilen des Myceliums
zusammen. Die kürzeren und dickeren Aeste sind daher ganz
mit Plasma erfüllt, die in feine Rhizinen sich verzweigenden
grösseren und dünneren Aeste dagegen ziehen ihr Plasma bis zu
den mit s p t bezeichneten Stellen zurück, und das Plasma grenzt
sich hier durch eine Scheidewand vom leeren Theil des Fadens
und seiner Rhizinen ab.

Dieses Zurückziehen des Plasma's ist unmittelbare Folge
des Wassermangels, wie sich leicht experimentell nachweisen
lässt. Normaliter zeigt bei diesem wie bei den meisten Pilzen
das Plasma centrifugale Bewegung, was man gewöhnlich nicht
ganz passend mit dem Ausdruck „Spitzenwachstbum" bezeichnet. Das Plasma bewegt sich von seinem Ursprungsort,
hier von der Keimzelle (k Fig. 18, Taf. VI) aus nach einer oder
nach verschiedenen Richtungen vorwärts und encystirt sich dabei
beständig an den älteren Theilen, so dass es beim Vorwärts-
schreiten die leere Zellmembran als Hülle hinter sich lässt.

Der Keimling, welcher in Fig. 18, Taf. VI dargestellt ist,
wurde in drei Tagen auf gekochtem Pflaumensaft gezogen. Das
Plasma hat schon die Keimzelle k und einen kleinen Schlauch,
den sie getrieben hat, verlassen; dagegen findet es sich in den
übrigen Keimschläuchen bis in die äussersten Spitzen ihrer
rhizinenartigen Aeste. Beim Weiterwachsen bewegt sich das
Plasma beständig gegen die Spitzen hin, kann übrigens auch
durch starke Ernährung und Wachsthum die schon leeren Theile
des Mycels wieder füllen. Wird das Plasma im Verhältniss zu
den schon gebildeten Zellwandtheilen zu profus ausgebildet, so
fliesst es aus den Enden der Aeste heraus.

Nimmt der Wassergehalt des Substrats, in welchem die Rhizinen sich verbreiten, beträchtlich ab, so bewegt sich das Plasma
rückwärts, also centripetal, nämlich gegen die Keimzelle und
überhaupt in die leeren Theile der Zelle hinein. Dass hier

wirklich die Wasserabnahme der einzige Grund dieser retrograden
Plasmabewegung ist, lässt sich beweisen, denn durch Zusatz eines
Tropfens Wasser wird sofort die Bewegung wieder centrifugal.

Diese Bewegung des Plasma von der Keimzelle gegen die
Spitzen bei genügender Wasserzufuhr und rückwärts von den
Spitzen der Zweige gegen die Keimzelle bei Wassermangel ist
im höchsten Grade interessant und lehrreich, und es sollten Versuche dieser Art in experimentellen Darstellungen der Pflanzen-
physiologie niemals fehlen. Man bedarf dazu keiner weiteren
Vorbereitung als einer sorgfältig eingeleiteten Kultur des Rhizopus
in einer passenden Nährflüssigkeit auf dem Objektträger in einem
feuchten Raum. Sobald der Pilz ein entwickeltes Rhizinensystem
gebildet hat, bringt man die Kultur unter eine Glasglocke in
einen trockneren Raum. Nach ganz kurzer Zeit, in der Regel
schon nach wenigen Minuten, tritt die retrograde Bewegung des
Plasma ein und lässt sich unter dem Mikroskop sehr leicht verfolgen, denn das Plasma bewegt sich ziemlich rasch, doch so,
dass sie sich sehr genau studiren lässt.

Durch Zeichnung lässt sich hier nicht viel mittheilen; man
muss vielmehr die Sache selbst studiren, indessen will ich doch
mit Zugrundelegung der Fig. 19, Taf. VI noch Folgendes über
die Art der Bewegung hinzufügen:

Die Figur 19 a, b, c, d repräsentirt ein kleines Mycelstück
eines Rhizopus, welcher auf dem Objektträger auf dem gekochten
Saft einer Pflaume kultivirt wurde, in vier unmittelbar auf
einander folgenden Zuständen. Das Plasma ist in Folge von
Wasserzufuhr in der Bewegung von links nach rechts, von den
dickeren und älteren Theilen des Mycels nach den feinen Rhi-
zinenästen hin begriffen. Es ist also mit einem Wort centrifugale Bewegung. Es bewegt sich das ganze Plasma mit seinem
gesammten Inhalt von Körnchen und Vacuolen langsam aber
deutlich sichtbar von links nach rechts. Die Bewegung kann
man nicht als eine fliessende bezeichnen. Es ist mehr eine
schiebende Bewegung, welche in dem ganzen grossen Röhren-
system durch die Form der Röhrenäste und durch das verschiedene Wasserbedürfniss wesentlich modificirt wird. In Fig. 19 a,
Taf. VI sieht man drei Vacuolen, v^1, v^2 und v^3. Die Vacuolen
v^1 und v^2 sind klein und eiförmig. Die Vacuole v^3 ist sehr
gross und im Bilde nicht vollständig sichtbar. In Fig. 19 b ist

der nächste Moment fixirt. Der Abstand der Vacuolen von
einander ist nicht genau der nämliche geblieben. Das ganze
Plasma ist von links nach rechts fortgerückt, so dass die Vacuole v[1] schon aus dem Gesichtsfelde herausgetreten; die Vacuole
v[2] ist bereits über die beiden Aeste z[1] und z[2] nach rechts
hinausgeschoben und hat sich dabei von der grossen Vacuole v[3]
etwas mehr entfernt. Die grosse Vacuole ist an dem Seitenast z[1]
einfach vorübergezogen, ohne in ihn einzudringen; dagegen beginnt sie an der Basis des Astes z[2] einzudringen, d. h. dem
centrifugal fortgeschobenen Plasma zu folgen. Im dritten Stadium
(Fig. 19 c, Taf. VI) ist die grosse Vacuole ziemlich tief in den
Ast z[2] vorgedrungen. Weiter links rückt eine kompakte Plasma-
masse heran; in derselben eine neue eiförmige Vacuole (v[4]).
Im vierten Stadium ist das ganze Plasma bedeutend weiter nach
rechts vorgerückt. Den Ast z[2] hat die grosse Vacuole v[3] längst
wieder verlassen. und es ist statt ihrer Plasma in die Basis des
Astes eingedrungen. Die vierte Vacuole (v[4]) liegt bereits rechts
von der Basis dieses Astes, und eine fünfte von ziemlicher
Grösse tritt von links in's Gesichtsfeld herein.

Solche und ähnliche Erscheinungen zeigt das ganze Röhren-
system des Rhizopusmycelium. Beobachtet man längere Zeit, so
sieht man unter dem die Verdunstung befördernden Einfluss der
trocknen Zimmerluft sehr bald das Plasma die entgegengesetzte
Bewegung von rechts nach links oder von der Peripherie gegen
das Centrum ausführen.

Die Bewegung des Plasma ruft sehr merkwürdige Erscheinungen bei der Bildung der Kapsel und ihrer Basalwand, der
sogenannten Columella hervor, worüber ich das Nähere in meiner
„Phytopathologie" nachzulesen bitte.

Da ich, wie schon erwähnt, gegründeten Verdacht hatte, dass
der Rhizopus auf der Kartoffelpflanze grosse Verheerungen
anrichten könne, wenn er nicht gar mit der Peronospora in
irgend einer Beziehung stünde, so hatte ich den Versuch zu
machen, ihn auf die Kartoffel und auf die Kartoffelpflanze zu
übertragen.

Auf der Kartoffelknolle keimt der Rhizopus sehr leicht, wenn
die Oberfläche mässig feucht gehalten wird. Es ist aber äusserst
schwierig, das richtige Maass einzuhalten, denn nass darf die
Oberfläche nicht sein, wenn der Versuch gut gelingen soll; ist

sie aber zu trocken, so keimt der Pilz gar nicht, und selbst wenn er schon gekeimt ist, bildet er kein Mycelium aus.

Ein solcher bestimmter Feuchtigkeitsgrad ist aber auf der durchschnittenen Kartoffelknolle ungemein schwer herzustellen und noch weit schwerer konstant zu erhalten. Es reicht dazu keineswegs aus, dass die Luft mit Wasserdämpfen gesättigt sei. Das stärkeführende Parenchym absorbirt sehr viele Feuchtigkeit und bildet in ganz kurzer Zeit eine erhärtende Kruste, welche dem Pilz den Eintritt verwehrt und sehr trocken wird. Es bleibt daher nichts übrig, als von Zeit zu Zeit die Schnittfläche mit destillirtem Wasser anzufeuchten und das, soweit thunlich, selbst die Nacht hindurch fortzusetzen. Ein konstanter Strom etwas abgekühlten Wasserdampfes würde vielleicht denselben Erfolg haben.

Ich bemerke dieses ausdrücklich für solche, die meine Versuche nachzuahmen wünschen, damit sie nicht irre werden, wenn es nicht gleich gelingt.

Die blosse Keimung des Rhizopus ist übrigens auch auf der Kartoffel leicht zu bewirken. Fig. 21, Taf. VI zeigt solche Keimlinge. Die Keimzelle (k) hat ein merkwürdig abweichendes Ansehen. Sie ist nämlich beim Austritt des Keimschlauchs geplatzt, und man sieht den Riss deshalb sehr deutlich, weil sich in merkwürdig regelmässiger Anordnung sogenannte Bakterien von aussen darauf abgelagert haben.

Dass es nicht etwas der Zellhaut Angehöriges sei, zeigte sich deutlich bei starker Vergrösserung mit guten Immersionssystemen.

Genau dieselbe Zeichnung zeigten auch kleine Amylum-Körner, auf denen sich „Bakterien" niedergelassen hatten.

Ist die Kartoffel zu nass, dann dringt der Pilz niemals in das Gewebe derselben ein, sondern bildet zahlreiche Rhizinen (rh. c Fig. 21, Taf. VI) auf der nassen Oberfläche. In diesem Fall kommt stets der Rhizopus nigricans Ehrenb. zur Entwickelung. Er fruktificirt etwa am vierten Tage nach der Aussaat der Keimzellen, oft schon am dritten Tage.

Bei völlig vorsichtiger Kultur dringt dagegen das Mycelium im ganz jugendlichen Zustand, sehr bald nach der Keimung, in das Parenchym der Kartoffel ein, indem es die sich lockernden Parenchymzellen von einander schiebt. Sehr selten freilich bricht es fruktificirend wieder hervor.

Ueber diese Kulturversuche sowie diejenigen auf dem Stengel der Kartoffel berichte ich ausführlich in dem nächsten Bande dieser Zeitschrift.

Hier seien zuerst noch andere Kulturversuche mitgetheilt, welche dazu dienen sollten, die ganze Fragestellung in dieser Sache wesentlich zu fördern.

Ich musste mir nämlich sagen, dass, wenn eine zweite Form der Peronospora existire, welche wesentlich von den chemischen und physikalischen Bedingungen des Substrats und der Umgebung abhange, man diese Form bei Veränderung dieser Bedingungen finden müsse.

Gelang es nun, die Peronospora auf dem Objektträger in einer künstlichen Nährstofflösung zu reproduciren, so war es wenig wahrscheinlich, dass sie noch eine zweite bloss von den äusseren Bedingungen abhängige Form besitze, wenigstens nicht eine aus der gekeimten Spore hervorgegangene. Ich machte deshalb eine lange Reihe von Aussaatversuchen auf dem Objektträger mit verschiedenen Lösungen.

Dabei fiel mir auf, dass bei noch so vorsichtiger Aufnahme der Peronospora-Sporen es nicht gelingt, die Kultur rein zu erhalten, was bei Kulturen mit der Monilia cinerea Bon. so leicht ist. Es stellen sich unter allen Umständen ein: Micrococcus in Gestalt von Ketten und Bakterien, Fusisporium Solani, meist auch Formen von Pleospora herbarum Tul.

Viele Aussaaten misslangen daher gänzlich.

In anderen war ich glücklicher. Am besten gelingt es, wenn man die Sporen in einem kräftigen Nährsubstrat direkt keimen lässt. Man kann in diesem Fall den Zusammenhang des Myceliums mit der Spore leicht im Auge behalten.

Ich erhielt das merkwürdige Resultat, dass genau in der nämlichen Zeit wie auf der Kartoffelpflanze, nämlich am 4.–6. Tage, je nach der Temperatur des Zuchtlokals, die Peronospora völlig normal, ganz genau ebenso wie auf der Kartoffel, fruktificirt.

Nur Störungen durch Schimmelpilze können das verhindern, sonst erhält man ein durchaus sicheres Resultat.

Es folgt daraus, dass die Peronospora ein Schimmelpilz ist, wie ich das für eine andere Art bereits im Jahre 1866 in einer Arbeit in der Botanischen Zeitung nachgewiesen habe.

Es folgt ferner daraus, dass durch blosse Aenderung der äusseren Bedingungen aus den Keimlingen der Peronospora-Sporen eine wesentlich verschiedene Fruchtform nicht gezüchtet werden kann. Sollte es dennoch eine solche geben, so muss es damit eine ganz andere Bewandniss haben.

Die hier besprochenen Kulturen gelingen ganz leicht, wenn man den Saft gekochter Früchte, so z. B. von Aepfeln, nicht zu concentrirt als Nährsubstrat anwendet. Man muss dabei häufig einen Tropfen destillirten Wassers zufügen, weil der Pilz sehr viel Wasser verbraucht.

Woher kommt nun der Micrococcus, woher die Spicaria, woher die so häufig auftretende Pleospora und der Rhizopus?

Wir wollen die Antwort auf diese Fragen in den nächsten Nummern zu geben versuchen.

Verzeichniss der Abbildungen:

Tafel V.

Fig. 22. Keimzelle (Spore) der Peronospora infestans Casp. bei starker Vergrösserung. st = Anheftungspunkt, p = Endpapille.

Fig. 23. Junge Keimzelle am Hyphenzweig, welcher noch mit Plasma erfüllt ist und bei a zwei Anschwellungen zeigt.

Fig. 24. Zwei junge Keimzellen am Hyphenast.

Fig. 25. Entleerte und umgeknickte Keimzelle.

Fig. 26. 27. 28. 29. 30. 31. 32. 33. Keimzellen, welche in einer Nährflüssigkeit Keimschläuche getrieben haben.

Fig. 34. Eine solche im frühesten Stadium der Keimung bei schwächerer Vergrösserung.

Fig. 35. Eine collabirte Keimzelle, deren Plasma nach rechts sich zusammengezogen hat.

Fig. 36. Ein Keimling.

Fig. 37. 38. Weitere Stadien der Keimung.

Fig. 39. Mycelfaden der Peronospora infestans Casp. auf dem nass gehaltenen Kartoffelblatt. Die Verästelung ist sehr unregelmässig. Manche Zweige bleiben steril. Bei k ist eine Keimzelle ausgewachsen.

Tafel VI.

Fig. 1. 2. Zweige der Peronospora infestans Casp. von einem nass gehaltenen Kartoffelblatt. Die Hyphenzweige sind zum Theil fertil und mit Anschwellungen (z) versehen, zum Theil steril und ohne solche Anschwellungen (st).

Fig. 3 a—h. Keimlinge der Schwärmzellen der Peronospora infestans Casp. in destillirtem Wasser.

Fig. 4. 5. 6. 7. 8. Ebensolche Keimlinge nach 24 Stunden. Das Plasma hat sich durch eine Scheidewand (s) vom leeren Theil der Schwärmzelle und ihres Keimfadens getrennt.

Fig. 9. 10. 11. Schwärmzellen, innerhalb der Hülle der grossen Keimzelle zurückgeblieben, daselbst zur Ruhe gekommen und gekeimt.

Fig. 12. Zwei Schwärmer, mit ihren Cilien in Verwirrung gerathen.

Fig. 13. Dieselben, an einem dritten Schwärmer hangend.

Fig. 14. Die beiden Schwärmer haben sich zu einer Amoebe vereinigt.

Fig. 15. Alle drei Schwärmer bilden eine Amoebe. Die Buchstaben a. b. c. d. e deuten fünf auf einander folgende Zustände derselben Amoebe an.

Fig. 16. Rhizopus nigricans Ehrenb., keimend auf dem Objektträger in Nährflüssigkeit.

Fig. 17. Ein Keimling mit Rhizinen (rh). Das Plasma hat sich in der Mitte konzentrirt und durch Scheidewände (spt) abgegrenzt.

Fig. 18. Keimling, dessen Plasma centrifugal fortrückt; die Keimzelle (h) ist bereits leer.

Fig. 19. Fragment eines Fadens von Rhizopus mit centrifugal sich bewegendem Plasma.

Fig. 20. Keimlinge des Rhizopus in destillirtem Wasser.

Fig. 21. Keimlinge desselben auf einer durchschnittenen Kartoffel.

Literaturbericht.

Wir lassen zunächst die neueste Zusammenstellung v. Gietls über die asiatische Cholera wörtlich folgen. Demnächst theilen wir einige sehr werthvolle Notizen über Ustilagineen und über Rhizoctonia violacea mit, welche wir der Güte des Herrn Professor Dr. Julius Kühn verdanken.

Ueber die asiatische Cholera.

Im Jahre 1831 — der ersten Einschleppung der Cholera nach Deutschland — hatte die bayerische Regierung Aerzte zur Beobachtung der Cholera in die preussischen und die österreichischen Staaten ausgeschickt. In dieses Jahr fällt die erste Reihe meiner Beobachtungen, welche ich in Berlin, Breslau, Ratibor, Troppau, Olmütz, Brünn, Wien gemacht habe. Im Jahre 1832 ward ich der Kreisregierung zu Regensburg wegen drohenden Einfalles der Cholera von Böhmen her zugetheilt. In dieses Jahr fällt die zweite Reihe meiner Forschungen in den Epidemien zu Chotiemirz und Mies in Böhmen. In den Jahrgängen 1836/37, 1854/55 und 1873/74 — den drei Epidemien in München — war ich im grossen städtischen Krankenhause l. d. J. thätig, und in diese Jahre fällt die dritte Reihe meiner Arbeiten über die Cholera. Sechs Berichte, welche im Staatsministerium des Innern deponirt sind, und fünf Druckschriften enthalten meine sämmtlichen Beobachtungen und Arbeiten über die Seuche.*)

Im Jahre 1831 kam ich in preussisch und in österreichisch Schlesien — wo kurz vor meiner Ankunft die Flüsse ausgetreten

---

*) Gedrängte Uebersicht meiner Beobachtungen über die Cholera vom Jahre 1831—1873 von *Franz X. v. Gietl.* Die Ergebnisse meiner Beobachtungen über die Cholera vom Jahre 1831—1874 in ätiologischer und praktischer Beziehung von *Franz X. v. Gietl* etc. München, Christ. Kaiser, 1874.

waren — zu dem Resultat: dass doch der Mensch das Gift verschleppe, und dessen Verbreitung durch Feuchtigkeit des Bodens, Unreinlichkeit und Fäulniss begünstigt und unterstützt werde.*) Die kleine leicht zu überschauende Epidemie in Chotiemirz brachte mir über manche Punkte Ueberzeugung, und war mir vielfach bestimmend in den Beobachtungen späterer Epidemien.**)

Chotiemirz, ein Dorf von 258 Einwohnern in Böhmen, liegt in einem sumpfigen Thal und ist von der Südseite von zwei Teichen eingeschlossen. Ein verheiratheter Mann dieses Dorfes hielt sich im Rakowitzer Kreis auf, wo die Cholera herrschte, und wurde wegen Bettelns nach Chotiemirz zurückgebracht. Auf der Rückreise ward er von Diarrhöe befallen, ohne dass sich daraus eine höhere Choleraform entwickelte oder er sich besonders krank fühlte. Dieser Mann liess nun seine verunreinigte Wäsche, weil sie sein eigenes Weib nicht waschen wollte, in einem andern Hause von einer armen Frau (Sibylla Kormann) waschen, welche die Wäsche in ihrer Stube trocknete. Zwei oder drei Tage darauf erkrankte am 10. Mai 1832 der Mann (Sebastian Kormann) dieser Frau nach 3 — 4 mal vorhergegangener Diarrhöe an sehr intensiver Cholera und starb nach 18 Stunden. Am 12. Mai erkrankte in dem Hause des Sebastian Kormann eine Frau, Anna Kochmann, und in dem Nachbarhaus eine Weberfrau, und zugleich, entfernt von diesen beiden Häusern, ein 75 jähriges Weib. Am 13. Mai wurden die Sibylla Kormann, welche die Wäsche des obenerwähnten Bettlers gewaschen hatte, und der Mann der Anna Kochmann von der Cholera befallen. So überfiel sie nun Haus für Haus, und hielt sich vorzüglich in jenen Häusern fest, welche zunächst den Teichen liegen. Im Ganzen erkrankten 26 Bewohner dieses Dorfes.

Diese Epidemie giebt nun Beweise bis zur Evidenz, dass an den Ausleerungen das Gift haftet, sich dasselbe ausserordentlich rasch vervielfältigt und mit Diarrhöe Behaftete, welche sich gar nicht krank fühlen, Epidemien veranlassen können. Von

---

*) III. Bericht über die Cholera-Epidemie in Breslau, den 28. Nov. 1831. IV. Bericht aus den Beobachtungen über die Cholera in Schlesien, Mähren und Wien, den 22. Dec. 1831.

**) V. Bericht über die Cholera-Epidemie zu Chotiemirz im Klattauer Kreis in Böhmen, Contumaz zu Höll bei Waldmünchen, den 5. Mai 1832.

Epidemie zu Epidemie habe ich immer die Beobachtungen der vorhergegangenen controlirt und geprüft, und bin allmählich zu folgenden Sätzen gelangt:

Es giebt viele Schädlichkeiten und Gifte, welche Cholera-Anfälle veranlassen, aber das Choleragift steht an der Spitze dieser Schädlichkeiten und besitzt diese Kraft im eminentesten Grade mit der Eigenschaft, sich in grossem Maasse zu verviel-fältigen. Es giebt keine Differentialdiagnose der Cholera-Anfälle nach den Ursachen, und die giftige — asiatische — Cholera kann erst diagnosticirt werden, wenn mehrere Fälle in immer kürzeren Zeiträumen aufeinanderfolgen. Ist das Gift in den Körper gerathen, so entzieht es demselben auf der Magen-Darmschleimhaut grosse Quantitäten von Gewebswasser, verlang-samt den Säftestrom und Blutkreislauf und hemmt schliesslich dieselben, aus welchen physiologischen Störungen alle die furcht-baren Erscheinungen und das rasche Hinsterben sich sattsam erklären lassen. Der Träger des Choleragiftes ist ein Staub (organischer Natur), wofür es die schlagendsten Beweise giebt*), welcher wohl desswegen mit allen Mitteln noch nicht erkannt wurde, weil dieser Giftträger, gleich einem jeden andern Staube, durch seine Form das Gift so wenig erkennen lässt, als das Mikroskop und die Chemie den Pocken-, Rotz- und syphilitischen Eiter etc. von dem nicht giftigen sogenannten guten Eiter unter-scheiden können.

Der Leib und die Leiche des Cholerakranken, wenn sie rein gehalten sind, geben keine Veranlassung zur Ansteckung; daher kommt es, dass doch im Allgemeinen die Zahl der Er-krankungen im ärztlichen und im Wärter-Personal gering ist. Die diarrhöischen Stühle aber bergen das Gift, dessen Träger noch mannigfache Metarmophosen bis zu einer zur Verbreitung befähigten Gestaltung durchzumachen hat. Dieser Giftkörper kann sich seiner Beschaffenheit nach überall niederschlagen und an allen Gegenständen festsetzen. Das Choleragift besitzt ein zähes Leben und behält seine Wirksamkeit und Kraft Monate lang. Bisher ist es nicht gelungen, Gegenstände und Dinge herauszufinden, auf welche sich das Gift mit besonderer Vorliebe niederlässt und daran festhält. Es bleibt überall da haften, wo

*) Die Ergebnisse meiner Beobachtungen über die Cholera Seite 12 und 19.

ein so feiner Körper wie Staub hingerathen kann. . Gewiss ist es, dass der Mensch nicht choleravergiftet sein kann, wenn er das Gift nicht verschluckt hat; daher vorzüglich Speisen, weniger Getränke, weil sie in mehr geschlossenen Gefässen aufbewahrt werden, eine so grosse Rolle bei der Verbreitung des Giftes übernehmen. Das Wasser giebt nur Veranlassung zu Choleraanfällen, wenn Gift in dasselbe gekommen ist.

In überwiegender Mehrzahl der Fälle treten die stürmischen Erscheinungen 3—5 Stunden nach eingenommener Mahlzeit ein. Uebrigens weisen doch meine Nachforschungen und Beobachtungen auf Speisen hin, welche eine Bevorzugung für das Festhalten und Gedeihen des Giftes zu haben scheinen. Alle Zubereitungen aus fetten Fleischsorten, aus Eingeweiden und namentlich alle Artikel aus Charkuterien — als Blut- und Leberwürste, die verschiedenen Sorten geräucherter Würste, Presssack, Leberkäs etc., welche ohnehin fast immer von Schimmel und Pilzen durchzogen sind, gehören dahin. Die eigenthümliche und häufig räthselhafte Zerstreuung, dann das blitzähnliche Auftauchen einzelner ausser allem Verkehr gestandenen Fälle finden ihre Erklärung nur darin, dass ihnen das Gift durch Speisen zugetragen wurde. Ich begegnete Bäckern und Köchinnen in Kaffeehäusern, welche mit Choleradiarrhöen behaftet noch mehrere Tage das Kneten des Teiges und das Zubereiten von Speisen bis zum Ausbruch heftigster Anfälle fortsetzten, wobei man sich des Gedankens nicht entschlagen kann, ob nicht auf diesem Wege Gift in Brod und Speisen kam. Daher gewiss Gasthöfe und Kaffeehäuser, vorzüglich aber Charkuterien, kleine Wirths- und Kaffeehäuser, wo fortwährend ein lebhafter Menschenverkehr stattfindet und in solchen Häusern auch Cholerafälle vorkamen, eine grosse Anzahl von Choleravergiftungen liefern.

Die strenge Ordnung und Aufsicht über die Soldaten der Garnison München haben die Cholera-Erkrankungen auf eine sehr mässige Zahl beschränkt. Aber unzweifelhaft haben viele der zerstreuten Fälle aus der Garnison ihre Infectionen aus den Wirthshäusern geholt. Die Nachforschungen und Untersuchungen über die Wohnungen, namentlich die Schlafzimmer, führen zu denselben Ergebnissen wie beim enterischen Typhus.[*)] Kleine,

---

[*)] Die Ursachen des enterischen Typhus in München von *Franz X. v. Gietl.* Leipzig, 1875 S. 98 u. s. f.

dumpfe, dunkle Schlafzimmer neben Abtritten und Versitzgruben geben die grösste Zahl bei den Zusammenstellungen über die Wohnungen, insonderlich die Schlafzimmer der von Diarrhöen und den höheren Choleraformen Befallenen.

Aus den Zusammenstellungen aller Umstände und Verhältnisse, unter welchen kurz vor dem Anfall die Erkrankten sich befanden, ergaben sich folgende Zahlen: ein Drittheil kommt auf die oben genannten Speisen, das zweite Drittheil auf dunkle dumpfe Schlafzimmer neben Abtritten, Versitzgruben etc., und auf Häuser, in welchen Cholerakranke waren oder noch sind, das dritte und kleinere Drittheil konnte keine Verhältnisse angeben, welche der Aufnahme des Giftes günstig gewesen wären. Dabei ist zu bemerken, dass viele den höheren Choleraformen Verfallenen unter dem Druck der Krankheit keine oder nur unsichere Angaben machen konnten, welche nicht zu verwerthen waren. Bei den Choleradiarrhöen aber fällt eine noch grössere Zahl auf den Genuss der oben erwähnten Speisen.*) Durch Speisen und in Schlafzimmern geschieht die weit überwiegende Zahl der Infektionen.

Dass unter solchen Verhältnissen nicht noch mehr Menschen vergiftet werden, mag wohl in den vielen Umwegen und Zufälligkeiten liegen, welche zur Einführung des Giftes in den Magen nothwendig sind.

Hat das Gift nun einmal einen Ort eingenommen, so bleibt

---

*) Als Beispiel und Commentar mag dienen: im Monat December 1873 wurden 167 Cholerakranke auf meiner Abtheilung behandelt, wovon 36 asphyktische Fälle, 35 Cholerinen und 96 Choleradiarrhöen waren. Von dieser Gesammtzahl wurden 79 nach dem Genusse folgender Speisen von der Cholera befallen: Frankfurter Blutwurst, Leberwurst, Milzwurst, Zungenwurst, Schwartenmagen, Leberkäs, geräucherte Würste, roher Schinken, fetter Schweinsbraten, geröstete und sogenannte saure Leber, eingemachte Lunge, eingemachtes Gekröse, Käse, übriggebliebene Speisen in Wirthshäusern; 45 hatten ungesunde Schlafstätten: diese waren dunkel, mit kleinen Fenstern oder ohne Fenster, neben Aborten oder über Versitzgruben, Ueberfüllung kleiner Zimmer mit Inwohnern, oder sie kamen von Cholera-Herden; 10 gaben Verkältung an, 3 wurden im Krankenhause, nachdem sie schon längere Zeit mit andern Krankheiten behaftet daselbst gelegen, von der Cholera inficirt; eine Kranke nahm ein Abführmittel (Salzburger Thee, dessen Bestandtheil grösstentheils Sennablätter sind); zwei wurden bewusstlos ins Krankenhaus gebracht, und 27 wussten keine Einflüsse anzugeben, welche die Aufnahme des Giftes begünstigt hätten.

es Monate lang daselbst haften, wozu dann wieder Zufälligkeiten
gehören, bis es in den Magen des einen oder andern Inwohners
geräth. Das Choleragift findet im allgemeinen sein Gedeihen
überall da, wo Unreinlichkeit und Fäulniss ist, wo alle die
niedersten der Beobachtung sich entziehenden Organismen in
kolossaler Menge ihre Entstehung und Entwicklung haben.
Daher das Gift in jenen Bevölkerungsschichten in so überwiegender Zahl seine Verwüstungen anrichtet, welche sich den
die Fäulniss befördernden Einflüssen nicht entziehen können;
während es im Verhältniss zu jenen in sehr wenigen und nur
einzelnen Fällen in die höheren Schichten hinaufreicht.

Fäulniss und faulende Stoffe können durch sich allein alle
Formen der Cholera — bis zum asphyktischen Anfall — ver-
anlassen, aber ohne Fortpflanzungs- und Vervielfältigungsvermögen.
Witterungs- und Temperaturverhältnisse haben keinen merkbaren
Einfluss auf die Verbreitung dieses Giftes; aber Elementar-
Ereignisse, wie Ueberschwemmungen, welche Fäulniss und Elend
als Begleiter haben, geben dem Gifte Gedeihen und Verbreitung.
Vielleicht vermögen Winde und Stürme dem Giftstaube grössere
Verbreitung zu geben, worüber aber keine sicheren Beobachtungen
existiren. Ebenso sind die Jahreszeiten ohne besonderen Einfluss
auf den Verlauf der Epidemie. Denn die Zunahme und das
Exacerbiren derselben im Spätherbst und Winter liegt zum
grössten Theil in der Zuwanderung von Arbeitern in die Städte,
in dem Zusammendrängen der Einwohner in enge Räume beim
Eintritt der Kälte und in dem Mangel an Reinlichkeit unter
solchen Verhältnissen; daher auch im Winter die Epidemien in
Städten bei dem für das Gift so gedeihlichen Boden nicht zu
Ende gehen wollen.

Dysenterie und Cholera sind Geschwister und Kinder heisser
Länder — der Tropen; sie entstehen nun da aus uns unbe-
kannten Faktoren, deren Keim im Menschen sich vervielfältigt
und durch den Menschen überallhin verbreitet wird. Cholerafälle mit dysenterischen Stühlen habe ich in allen Epidemien
beobachtet.

Das Choleragift kann sich daher nie und nimmermehr
autochthon entwickeln, und wird immer durch den Verkehr —
den Menschen und die Gegenstände, welche mit Cholerakranken
in Berührung waren — importirt und weiter verschleppt.

Wenn nun einmal das Gift den Menschen verlassen hat, so ist er nicht mehr zur weitern Verbreitung nothwendig, indem diese durch Tausende von Gegenständen geschieht; daher auch Gesunde das Gift verschleppen können.

Das Gift hat Intensitätsgrade, indem dasselbe einfache gefärbte Diarrhöen, Gewebswasserstühle (Reiswasserstühle) ohne weitere Ausschreitungen, Cholerinen und endlich Cholera-Anfälle, die in wenigen Stunden tödten, veranlasst. Diese Stufen liegen in den Intensitätsgraden des Giftes und in jedem Falle in viel geringerem Grad in der Disposition und Individualität als man gewöhnlich annimmt. Denn man kann täglich in grossen Spitälern sehen, wenn in einem Saale gleichzeitig mehrere Infectionen geschehen, wie die Kräftigsten von schnell tödtender Cholera befallen werden, und diesen gegenüber Schwächliche und schon Sieche mit leichten Anfällen durchkommen.

Das Choleragift verhält sich zur Disposition wie etwa der Arsenik zu derselben; man wird vom Arsenik mehr oder weniger vergiftet nach der Stärke des Giftes und der Gabe, in welcher es in den Magen kommt.

Die geringen Cholera-Infectionen, als Diarrhöen und Cholerinen, machten nach Zusammenstellungen auf meiner Abtheilung — in den Jahren 1854/55 und 1873/74 — etwas mehr als zwei Drittheile gegenüber den schweren Fällen aus. Allerdings ist eine genaue Statistik nicht möglich, weil eine Differentialdiagnose der gewöhnlichen Diarrhöen und einheimischen Choleraanfälle von den giftigen nicht besteht.*)

Uebrigens ist es eine durch massenhafte Thatsachen erhärtete Wahrheit, dass die Diarrhöen die Verschlepper und

---

*) Recht anschaulich wird dieser Satz gemacht durch die sorgfältige Zusammenstellung der im kgl. Garnisons-Lazareth vom 8. August 1873 bis 31. März 1874 behandelten epidemischen Diarrhöen und Cholerafälle.

Jahr.	Monat.	Cholera.	Epidemische Diarrhöe.
1873	August	20	119
	September	9	19
	October	1	19
	November	12	48
1874	December	26	135
	Januar	40	202
	Februar	50	99
	März	5	45
		126	686

Zerstreuer des Giftes sind, und die asphyktischen Fälle erst heraufkommen, wenn schon lange durch Diarrhöekranke und die verschiedensten Gegenstände das Gift in Städten und Ortschaften verbreitet ist. Man kann dies in Hospitälern, Kasernen und überhaupt stark bevölkerten Häusern sehen, wie lange vorher Diarrhöen den asphyktischen Fällen vorhergehen.

In Häusern, in welchen Cholerakranke lagen oder liegen, kommen viele Diarrhöen vor.

Gleichfalls macht man sehr häufig die Beobachtung, dass in einem Hause mehrere Inwohner an Diarrhöe leiden und schliesslich nur einer von diesen nach kurzer Diarrhöe einer asphyktischen Cholera verfällt, und dann keine weiteren Cholerafälle mehr vorkommen.

Es ist durch viele Beobachtungen nachgewiesen, dass ein Choleradiarrhöekranker, der weder ein besonderes Verhalten noch viel weniger ärztliche Hülfe bedurfte, eine Cholera-Epidemie veranlassen kann. (Chotiemirz.)

Die Annahme, als wenn die ganze Bevölkerung einer Stadt oder eines Ortes an dem Gifte theilnehmen könnten, was sich durch Unruhe, Beklommenheit, Kollern in den Gedärmen kundgiebt, und es nur eines äusseren Anstosses bedarf, um einem starken Ausbruch der Cholera zu verfallen, ist eine chimärische Vorstellung.

Die Epidemie im Ganzen verläuft unter Ab- und Zunahme — in Curven — macht aber nie vollständige Intermissionen, indem die Epidemie in diarrhöischen Formen noch fortläuft und die scheinbaren Intermissionen sich nur auf die asphyktischen Fälle beziehen.

In den Diarrhöen liegt der Schwerpunkt der Cholera-Erkrankungen, sie sind der rothe Faden, welcher durch die Epidemie zieht.

Die Cholera hat, wie alle die niedern Organismen, eine gewisse Lebensdauer, indem sie ihre Vervielfältigungskraft verliert, schwächer wird und abstirbt.

Jedoch die Dauer der Epidemie hat noch einen zweiten Faktor in den Verhältnissen und Unterlagen, in denen sie mehr oder weniger Nahrung für ihr Fortleben findet.

Wiederholte Infektionen von Choleradiarrhöen, aber nicht von höheren Choleraformen, habe ich beobachtet. In jedem Falle

scheint der einmal choleradurchseuchte Körper für die Wieder-
aufnahme des Giftes abgestumpft zu werden.

Die voran stehenden, aus Erfahrungen geschöpften Sätze
geben von selbst die Maassregeln an die Hand, welche als Prophylaxis und Schutz gegen die Seuche zu ergreifen sind. Es
ist hier nicht der Raum, in Einzelheiten einzugehen, und es
wäre auch überflüssig, indem die Prophylaxis in einer grossen
Zahl von Schriften*) behandelt und deren Kenntniss überallhin
verbreitet ist. Aber doch sollen hier einige Punkte berührt
werden.

Quarantänen und Absperrungen, welche vielleicht in den
asiatischen, der Cholera heimathlichen Ländern, um sie da fest-
zuhalten, in Anwendung kommen könnten, sind in Europa unmöglich, daher alle Maassregeln dahin gerichtet sein müssen: der
Seuche den Boden, auf dem sie Nahrung und Gedeihen findet,
zu entziehen. Bisher haben sich fast alle Maassregeln auf die
aus cholerainficirten Ländern kommenden Personen koncentrirt,
während noch zu wenig Aufmerksamkeit todten Gegenständen
zugewendet ist, durch welche gleichfalls das Choleragift verschleppt und zerstreut wird. Daher sollen gebrauchte Wäsche,
Kleider, Möbel, Lumpen, dann alle Stoffe und Fabrikate, welche
den Staub festhalten, als wollene Decken, fertige wollene Kleider,
aus inficirten Gegenden und Städten einer Quarantäne von
mehreren Wochen unter gehöriger Desinfektion unterzogen
werden. Aber alle Esswaaren aus Fleisch, alle Charkuterie-
Artikel, als die verschiedenen Sorten von Würsten, geräuchertes
Fleisch, Fische und die sogenannten Delikatessen, dann Speck,
Butter, Schmalz, sollen aus inficirten Gegenden nicht eingeführt
werden.

Die asphyktischen Fälle zünden seltener, und das Gift
scheint mit dem Tode des Kranken zu erlöschen. Daher in
jedem Falle die Diarrhöen so viel und wohl noch mehr Aufmerksamkeit verdienen, als die asphyktischen Fälle. Die seit
dem Jahr 1836 in München eingeführten Cholerastationen müssen
auch Diarrhöestationen sein, in welchen die Einrichtung getroffen
ist, dass die daselbst dienstmachenden Aerzte die Bevölkerung
ihrer Bezirke über die Diarrhöen belehren und überwachen, dass

---

*) Die Cholera nach Beobachtungen auf der I. med. Klinik und Ab-
theilung etc. von *Franz X. v. Gietl.* München, 1855. pag. 43 u. s. f.

jede auch scheinbar unbedeutende Diarrhöe zur Anzeige und Behandlung komme. Denn wegen Mangels einer Differential-diagnose ist während der Epidemie jede Diarrhöe als ein Ab-kömmling des Choleragiftes zu behandeln.

Die Desinfektionen der Aborte sind unerlässlich, aber sie können nur erfolgreich sein, wenn die Gruben in kurzen Zwischenzeiten geräumt werden, denn bei starker Massenau-häufung derselben wird die Desinfektion illusorisch. Aber diese Desinfektionen dürfen sich nicht nur auf die Aborte beschränken, sondern haben sich auch auf alle Fäulnissstätten der Häuser und namentlich auf die engen geschlossenen Hofräume zu er-strecken, wenn der Nutzen derselben ergiebig sein soll. Kleine Wirths- und Kosthäuser, Wurstküchen, Charkuterien, Fleischbänke, Milchhäuser, Milchläden und selbst die Kaffeehäuser müssen der sorgsamsten Ueberwachung unterliegen, weil thatsächlich aus diesen Häusern in grosser Zahl Infektionen geholt werden. Kommen Cholerafälle und Diarrhöen in solchen Häusern vor, so sind sie zu schliessen.

Nach Zusammenstellungen in den Jahren 1854—55 und 1873—74 liefern die weiblichen Dienstboden ein ungewöhnlich hohes Contingent von Cholera-Erkrankungen mit grosser Sterb-lichkeit. In der Epidemie des Jahres 1873—74 wurden im städtischen Krankenhause l. d. J. 673 Cholerakranke — davon 325 Männer und 348 Frauen — behandelt, von welch letztern 233 weibliche Dienstboden waren. Die Ursache dieses düstern Ereignisses liegt in den dumpfen, ungesunden Schlafstätten, wie sie oben beschrieben worden, und zum Theil auch in der Nah-rung aus Speisen, wie sie ebenfalls oben bezeichnet sind. Es scheint dieser giftige Staub in so dumpfen, dunkeln, wenig ven-tilirten und feuchten Räumen insbesondere Gedeihen zu finden, was er mit allen niedern Organismen theilt. Mögen die hier aufgeführten Zahlen ein Mahnruf an die Familien sein, ihren Dienstboten in der Zeit solcher Epidemien gesunde Schlafstätten und unverdächtige Nahrungsmittel zu geben.

Bei der Zähigkeit und Lebensdauer des Choleragiftes können Wohnräume und Häuser, in welchen Cholerakranke lagen und starben, nicht vor drei Monaten bezogen werden, nachdem sie vorher ausgeschwefelt, die Wände abgekratzt und frisch getüncht worden sind.

(Rabenhorst, Fungi europaei.) **1997. Ustilago Tulasnei**
Kühn, Sitzungsb. d. Naturf. Ges. z. Halle v. 24. Jan. 1874.
Tilletia Sorghi-vulgaris Tul. in Ann. d. Sc. Nat. III. T.
VII. p. 116. Tab. 5 fig. 17—22! Sorosporium Sorghi
Link, Sp. pl. VI. II. 86! ("T. sporis minutissimis atro-
fuligineis, sphaericis, admodum levibus, semipellucidis" Tul.
l. c.) In Sorghi vulgaris ovariis in horto instituti oeconomici
Universitatis Halensis 1874 cult.

Obs. Nach Art der Sporenbildung und Keimungsweise
nicht zu Tilletia, sondern zur Gattung Ustilago gehörig. Die
Keimung ist ähnlich der v. U. Carbo, weicht jedoch dadurch
ab, dass das Promycelium gleich im Beginn der Entwickelung
eine verengte Stelle zeigt, die 1 — 2 Sporendurchmesser vom
Rande der Spore entfernt liegt; auch bilden sich häufiger und
zahlreicher längliche Sporidien. — Da an den Sorghumarten
noch 2 andere Ustilago sp. (conf. folg. Nr.) vorkommen, so würde
es schon deshalb zweckmässig sein, den Speziesnamen von Tul.
und Link nicht beizubehalten; es darf dies aber auch deshalb
nicht geschehen, weil in der Gattung Ustil. der Speziesname
„Sorghi" bereits von Passerini (v. Thümen, Herb, mycol. oecon.
Nr. 63!) an eine freilich etwas fragliche neue Art vergeben ist.
Es umfasst auch die spezielle Charakteristik jener beiden Autoren
nicht den ganzen Formkreis dieses vielgestaltigen Pilzes. Er
möge den Namen der hochverdienten Begründer der neueren
Mycologie tragen!
Nach den von mir gesehenen Exemplaren kommt dieser
Pilz in verschiedenen Gegenden Afrika's, in Griechenland, Italien
und Südfrankreich vor; findet sich wohl überall, wo Sorghum
gebaut wird. Kultivirt habe ich ihn seit einer Reihe von Jahren
auf verschiedenen Varietäten von Sorghum vulgare und S. saccharatum. — Die von Tul. l. c. beschriebene und in Fig. 17 in

nahezu natürlicher Grösse abgebildete Form, bei welcher sich
ein die Spelzen überragender, im Innern mit einer Columella
versehener Brandbeutel vorfindet und bei der Fruchtknoten und
Staubgefässe zerstört sind, ist die am häufigsten vorkommende.
Es kommt aber auch vor, dass nur der Fruchtknoten in einen
kleinen Brandkörper mit Columella umgewandelt wurde (in einem
Falle z. B. mit $1^1/_2$ mm. grösster Breite, 2,5 mm. Länge),
während Staubfäden und Staubbeutel gesund geblieben sind. In
weiteren Fällen sind diese letzteren verkümmert, aber brandfrei;
in noch anderen Fällen sind sie auch vom Brandpilz heimgesucht
und bilden dann neben den brandigen Fruchtknoten biegsame
oder starre, kürzere oder längere, schmale Brandkörperchen.
Diese können bis an die Basis isolirt oder unten mit dem
brandigen Fruchtknoten verwachsen sein. Fälle der besprochenen
Art sind namentlich bei Sorgh. racchar. nicht selten, welches
aber oft in derselben Rispe auch gewöhnliche Brandbeutel von
selbst erheblicher Länge zeigt. Wo nun alle Blüthentheile
zerstört wurden und ein gemeinschaftlicher Brandkörper sich
entwickelte, ist dieser zuweilen sehr klein. Ich maass in einem
Falle nur 2 mm. Länge bei 1,2 Breite. Zuweilen ist derselbe
grösser, überragt jedoch nicht die Spelzen und springt frühzeitig auf, so dass die Spelzen bis auf den Grund klaffend
erscheinen, da das Brandpulver bald grösstentheils verstäubt.
In den häufigsten Fällen überragt der Brandkörper mehr oder
weniger die Spelzen, zuweilen in sehr bedeutendem Grade.
Bei den Original-Exemplaren *Ehrenbergs* kommen neben kurzen
Brandkörpern solche vor, die bis 10 und selbst 12,5 mm. lang,
und 3—4 mm. breit sind. Auch bei meinen Kulturexemplaren
habe ich vereinzelt bis zu 8 mm. lange und 3 mm. breite Brandbeutel beobachtet. An den langen Brandkörpern zeigt sich
häufig bei der Reife die Spitze mehr oder weniger weit nach
unten zu zerstört, und die schwarzbraune, starre Columella ragt
dann weit hervor. Bei einem von Dr. *Schweinfurth* in dem Golo-
Lande (8° n. B.) gesammelten Exemplare von Sorgh. vulg., das
ich der freundlichen Aufmerksamkeit des Herrn Dr. *Ascherson*
verdanke, ragen die Columellen bis zu 11 mm. über die Spelzen
hervor. An demselben Exemplare finden sich aber auch kurze,
kaum die Spelzen überragende Columellen. Bei meinen Kulturexemplaren beobachtete ich als bedeutendste Länge der frei-

gewordenen Columella 7 mm. und zwar bei einem Exemplare
von Sorgh. saccharat. Die Dicke der nach oben zugespitzten
Columella schwankt von dünnfädiger Beschaffenheit bis 1 mm.
Breite. In, der Regel sind sämmtliche Blüthen einer Rispe
brandig ; aber zuweilen ist auch nur ein Theil derselben befallen,
und die nichtbrandigen Blüthen sind dann in manchen Fällen
nicht zur Fruchtbildung gelangt, in anderen Fällen dagegen
tragen sie normal ausgebildete, keimfähige Samen. Auch unter
den Ehrenberg'schen Exemplaren finden sich solche, welche
neben reicher Brandbildung gut gereifte Samen und zwar von
einer Grösse bis 4 mm. und darüber zeigen. Diese im Königl.
Herbar. in Berlin befindlichen Originalexemplare von *Ehrenberg*
konnte ich durch die Güte des Herrn Prof. Dr. *Braun* selbst
untersuchen. Ich habe mich dabei ganz sicher davon überzeugt,
dass die Zweifel Tulasne's (l. c.) über die Zusammengehörigkeit
des Sorosporium Sorghi Link und seiner Tillet. Sorgh. vulg.
nicht begründet und lediglich veranlasst sind durch eine nicht
glückliche Beschreibung *Link's*, die er auf dasselbe durch *Ehrenberg* gesammelte (von diesem selbst mit der Etiquette Sorosporium
cornutum bezeichnete) Material stützte. So sind insbesondere
die Angaben Link's über die Grössenverhältnisse der Sporen, an
denen Tul. Anstoss nimmt, nicht genau. Es gehören die Sporen
unseres Pilzes an sich zu den kleinsten Brandsporen; aber
namentlich bei den Ehrenberg'schen Exemplaren sind sie besonders gleichmässig klein. Während die Sporengrösse bei dem
Schweinfurth'schen Exemplare von 4,5—9,5 Mikr. wechselt, auch
bei meinen Kulturexemplaren unter vorwiegend kleineren Sporen
einzelne bis zu 9,5 Mikr. messen, habe ich bei den Ehrenberg'-
schen Exemplaren nur eine Schwankung von 4,5—6,5 Mikr.
gefunden. Dies stimmt im Wesentlichen mit *Tulasne* überein,
der für seine Till. Sorghi 4 – 5 Mikr. angiebt. Ein klein wenig
niedrig sind die Tulasne'schen Maassangaben durchgängig, wie
dies auch *Fischer von Waldheim* fand (conf. dess. „sur la structure
des spores des Ustilaginées, Moscou 1867", p. 5 Not. 4). Während
über das Sorosp. Sorgh. Link somit kein Zweifel fernerhin bestehen kann, ist es fraglich, ob nicht die neue Spezies *Passerini's*
ebenfalls hierher gehört. Derselbe braucht l. c. in der Diagnose
seines Pilzes für die Sporen die Bezeichnung „echinulatae". Ich
habe nur zwei Originalexemplare *Passerini's* untersuchen können,

aber diese waren in der äusseren Bildung, wie in der Grösse
und Beschaffenheit der Sporen sicher nichts anderes als der
bereits von *Link* und *Tulasne* beschriebene Pilz. Obgleich ich
ein vorzügliches Immersionssystem Hartnack's ($^1/_{12}$ neuester Kon-
struktion) benutzte, konnte ich doch weder unter Wasser noch in
konc. Schwefelsäure etwas anderes sehen, als durchaus glatte
Sporen. Entweder muss bei den von *Passerini* ausgegebenen
Exemplaren zum Theil eine Verwechselung mit Tilletia Sorghi-
vulgaris Tul. geschehen sein, oder P. ist bei Aufstellung seiner
Diagnose durch die körnige Beschaffenheit des Protoplasmas
getäuscht werden, und dann müsste seine neu aufgestellte Art
wieder eingezogen werden.

Halle, den 25. April 1875.

Julius Kühn.

(Rabenhorst, Fungi europaei.) **1998.** **Ustilago Reiliana**
Kühn in litt. U. sporis laevibus, subglobosis, crassiusculis
(10,4 Mikr. inter et 13,3 Mikr. diamet. variantib.) semipellucidis, brunneis; paniculam totam contractam et obvolutam
et abortivam corrumpens. Crescit in Sorgho vulgari.

O b s. Dieser Parasit bildet die Rispe der Mohrhirse zu
einer einzigen grossen Brandbeule um. An einer solchen wurden
60 mm. Höhe, 60 mm. Breite, 50 mm. Dicke gemessen; bei
einer anderen 95 mm. Höhe, 45 mm. Breite, 40 mm. Dicke.
Dieses Brandgebilde ist ein Widerspiel jener häufigsten Form
des Hirsebrandes (Ust. destruens), bei welcher die Rispenäste
gar nicht zur Entwickelung kommen, sondern in einen geschlossenen, mit einer weisslichen Haut umgebenen Brandkörper
umgewandelt werden. Eine ähnliche weissliche Umhüllung ist
auch bei den mir vorliegenden brandigen Sorghumexemplaren
stellenweis noch vorhanden. Meistens ist diese Umhüllung allerdings zerstört und das Brandpulver zum Theil verstäubt, so dass
zahlreiche dickliche Fasern sichtbar sind, welche von den nicht
zerstörten Gefässsträngen gebildet werden. Dergleichen Fasern
finden sich bekanntlich bei dem Hirsebrande ebenfalls vor.
Diesem steht Ust. Reiliana auch in der Grösse der Sporen nahe.

Dagegen ist sie durch die, erheblich grösseren Sporen (mit
12,2 Mikr. mittleren Durchmesser) von den beiden anderen auf
Sorghum schmarotzenden Brandarten unterschieden. Die eine,
Ust. Tulasnei m. (conf. v. Nr.) ist auch dadurch abweichend,
dass sie niemals Rispenäste und Spelzen angreift; wogegen die
andere, Ust. cruenta mihi (Hamburger Garten- und Blumen-
Ztg. Bd. XXVIII, S. 177 u. f.) allerdings auch die Basis der
Rispe, die Rispenäste und die Spelzen befällt, aber in der Form
rundlicher oder länglicher, braunroth gefärbter Erhabenheiten
auftritt, welche häufig zusammenfliessen. Treten diese an den
Rispenästen massig auf, so werden dieselben mehr oder weniger
verkürzt, verdickt und mannichfach verkrümpft, bleiben aber
stets isolirt. Bei spärlicherem Vorkommen der Brandpustelchen
erlangen die Rispenäste ihre normale Länge, aber dann sind
oft die Spelzen sammt Blüthentheilen in rothbraune, zum Theil
auch röthlich graue und aschgraue, längliche, unregelmässig gestaltete Brandkörperchen umgebildet. Diese Ust. cruenta beobachtete ich bisher ausschliesslich an Sorghum saccharatum,
während ich Ust. Reiliana nur von Sorghum vulgare kenne.
Letzteren Pilz erhielt ich durch Herrn Dr. med. *Reil* in Kairo,
an welchen ich mich mit der Bitte um Zusendung von Sorghum-
brandformen gewendet hatte. Herr Dr. *Reil* schrieb mir am
24. Juni 1868: „Ihrem Wunsche nachkommend, sende ich anbei
Brand von Holcus Sorghum, im Arabischen ‚Hamari' genannt
und ebenso gefürchtet, als sorgfältig vernichtet, wo er sich zeigt.
Ich habe ihn selbst bei Sackara auf dem Ruinenfelde des alten
Memphis vor 8 Tagen gesammelt." Da ich nur zwei Exemplare
empfing, vermag ich bloss das massige Sporenpulver zu vertheilen,
glaube dies aber thun zu dürfen, um die Aufmerksamkeit auf
diese bisher unbekannte Brandform der Mohrhirse zu lenken.
Hoffentlich ist es mir vergönnt, vollkommene Exemplare nach-
liefern zu können.

Halle, im Mai 1875.

Prof. Dr. Kühn.

(Rabenhorst, Fungi europaei.) **1996. Ustilago Ornithogali**
(Schmidt & Kunze) Kühn in litt. Uredo Ornithogali *Schmidt
& Kunze,* Deutschlands Schwämme, 9. Lief., no. CCXVII! —
Ustilago umbrina *Schröter,* die Brand- und Rostpilze Schles.
(Abh. der Schles. Ges. naturw. Abth. 1869) S. 3! — Ust.
heterospora v. *Niessl,* Beitr. z. Kennt. d. Pilze S. 8 Taf. VIII.
Fig. 4! In horto instituti oeconomici Universitatis Halensis
frequens; m. Maj. ao. 1875 legi.

O b s. Ich beobachtete diesen Brandpilz seit 12 Jahren im
Garten des landw. Instituts an G a g e a p r a t e n s i s Schult.; zuweilen fand ich ihn gleichzeitig mit Uromyces Ornithogali
(Schltdl.) Lév. auf demselben Blatte. Er kommt in der Umgegend von Halle auch auf G a g e a a r v e n s i s Schult. und G.
s a x a t i l i s Koch vor. — Dass *Schmidt & Kunze* in ihrer no. 217
n i c h t ein Uromyces, wie seit *Link,* sp. pl. VII. P. II. p. 7!
angenommen wird, sondern eine Ustilaginee ˙ edirten, geht aus
den Originalexemplaren hervor, deren ich sechs untersuchen konnte.
Eines derselben befindet sich in meinem Herb., drei erhielt ich
aus dem Herb. des Herrn Dr. *Karl Müller* und zwei konnte ich aus
dem Herbarium des bot. Garten der Universität Leipzig vergleichen, deren Zusendung ich der Güte des Herrn Hofrath
Dr. *Schenk* verdankte. Alle diese Originalpflanzen von Schmidt
& Kunze stimmen völlig mit dem hier gelieferten und auch mit
den von Herrn Dr. *Schneider,* Herb. Schles. Pilz no. 180 u. 181,
als Ustil. umbrina Schröter ausgegebenen Exemplaren überein.

Julius Kühn.

A p p. Nachträglich konnte ich durch die gütige Vermittelung
des Herrn Dr. *Reichardt* noch ein Originalexemplar von *Schmidt
& Kunze* aus dem k. k. botan. Hofkabinet zu Wien untersuchen.
Auch dies zeigt kein Uromyces, sondern die obige Ustilaginee.
Die Worte der Diagnose: „ . . . . per epidermis rimam longi-
tudinalem demum effusis" passen auch mehr auf diesen Brandpilz, weil derselbe in der That, im Innern des Gewebes sich
entwickelnd, die unregelmässig eiförmig - rundlichen, nicht selten
mit einer kurzen, stielartigen Aussackung versehenen Sporen
durch einen Längriss hervortreten lässt.

J. K.

(Rabenhorst, Fungi europaei.) **1987. Uromyces Ornithogali** (Schlechtd. Lév.) Caeoma Ornithogali *Schlechtd.* fl. ber.
II. p. 125! — Erysibe rostellata f. Ornithogali *Wallr.* fl. germ.
crypt. II. 209! — Uredo Ornithogali *Sprengel* syt. veg. IV.
577! — (non Uredo Ornithogali *Schmidt & Kunze*, Deutschlands Schwämme, Lief. 9, no. 217!) Forma: **Gageae
saxatilis †.** Prope Halem frequens, mense Apr. 1874 et
1875 legit.

O b s. Ich sah diesen Rostpilz nur in den Arten der Gattung
Ornithogalum L., welche jetzt unter *Gagea* Salisb. zusammengefasst sind und zwar an G. pratensis Schult., G. arvensis Schult.,
G. saxatilis Koch und G. lutea Schult. — Das Uromyces Ornithogali f. **Ornothogali nutantis,** welches in *de Thümen*, fungi
austriaci sub Nr. 389 ausgegeben wurde, ist kein Uromyces,
sondern **Puccinia Liliacearum** Duby! — Das zu obigem Pilz
seit *Link*, sp. pl. VII. II. p. 7! von den Autoren aufgeführte
Synonym „Uredo Ornith. Schmidt & Kunze" ist nicht hierher
gehörig, da unter diesem Namen in der 9. Lief. von „Deutschl.
Schwämme" eine Ustilaginee herausgegeben worden ist. Vergl.
no. 1996. dieser Cent.

Julius Kühn.

(Rabenhorst, Fungi europaei.) **1965. Rhizoctonia violacea**
T u l. (Rhizoctonia Medicaginis DC, Helminthosporium rhizoc-
tonon Rabh., Byssothecium circinans Fuckel.). Forma: **Dauci**
Kühn, Krankheit d. Kulturgew. S. 243, Tab. X, Fig. 4—16.
Schwusen, pr. Gr. Glogau, autumno 1858 legi.

O b s. Dieser Parasit befällt lediglich die unterirdischen
Organe gewisser Pflanzenarten: die Wurzel der Möhren, der
Runkelrüben, der Luzerne, des Fenchels etc. die Stolonen und
Knollen der Kartoffel. — Dass das Helminthosporium rhizoctonon
Rabh. identisch sei mit Rhizoctonia Medicaginis DC. habe ich
schon in meinem Buche über die Krankh d. Kulturgew. S. 245
mitgetheilt. Die in *Sorauer's* Handbuch der Pflanzenkrankheiten
S. 347 als „Schwärze- oder Russthau der Runkelrüben" auf-
geführte, dem Helminthosporium rhizoctonon zugeschriebene

Rübenkrankheit ist daher aus der Reihe der Krankheitsformen zu streichen, sie ist nichts anderes als das auch von *Sorauer* S. 360 seines Buches erwähnte Auftreten der Rhizoctonia an Runkelrüben und Möhren. Ich vermag darüber um so sichrere Auskunft zu geben, als ich selbst von Gross-Krausche bei Bunzlau aus im Jahre 1854 die Exemplare für die XX. Cent. des Herb. Myocol. lieferte, nach welchen Herr Dr. *Rabenhorst* in Nr. 1970 das Helminthosporium rhizoctonon aufstellte. Die in der Diagnose *Rabenhorst's* erwähnten septirten Sporen bilden die unter dem massigen Fadengewirr des Parasiten im Allgemeinen nur sehr sparsam eingestreute (auch bei Rhizoctonia Solani mihi in analoger Weise vorkommende) helminthosporienartige Conidienform. Obgleich für diese der *Rabenhorst'*sche Name voll berechtigt ist, so dürfte doch das ganze parasitische Gebilde richtiger als Rhizoctonia bezeichnet werden, weil für dasselbe weniger das vereinzelte Vorkommen der Conidienform, als das regelmässige und zahlreiche Auftreten jener eigenthümlichen sclerotienartigen Bildungen bezeichnend ist, die ich l. c. Tafel X fig. 4—6 darstellte und die allen Rhizoctonia-Arten eigen sind. — Ob die von *Fuckel* in den Symb. Mycol. p. 142 als Byssothecium circinans beschriebenen Pilzformen wirklich in einem genetischen Zusammenhange miteinander stehen, kann wohl nur durch eine entwickelungsgeschichtliche Untersuchung festgestellt werden. Vorläufig ist nur dies sicher, dass das in den Fungi rhen. s. Nr. 730 als „Byssoth. circin. b (Mycelium sterile)" bezeichnete Gebilde mit Rhizoctonia Medicaginis DC. identisch ist, wie dies auch Fuckel selbst angiebt.

Halle a/S., den 20. April 1875.

Julius Kühn.

Aus den Sitzungsberichten

der

Naturforschenden Gesellschaft zu Halle a/S.

Sitzung am 24. Januar 1874.

Herr Kühn machte Mittheilungen über die Entwickelungs-
formen des Getreidebrandes und besprach eingehender die A r t
d e s E i n d r i n g e n s d e r K e i m f ä d e n i n d i e N ä h r p f l a n z e.

Nach den früheren Angaben von Prof. *Hoffmann* und dem
Vortragenden dringen die Brandkeime in die Achse der keimen-
den Getreidepflanze ein. *Fischer v. Waldheim*, dem eine treffliche
Arbeit über die Entwickelungsgeschichte der Ustilagineen zu
verdanken ist, konnte jene früheren Angaben nicht bestätigen.
Zahlreiche von ihm ausgeführte Infektionsversuche blieben stets
ohne Erfolg; er vermuthete, es möchte hier vielleicht eine Hete-
röcie im Spiele sein. Neuerdings wurde dagegen von *Reinhold
Wolff* bestätigt, dass die Keimfäden der Brandpilze in die junge
Getreidepflanze zu dringen vermögen. Derselbe entdeckte das
Eindringen der Brandkeime in das Scheidenblatt und konstatirte
in seinen schönen Untersuchungen über Urocystis occulta die
überraschende Thatsache, dass die Pilzfäden das Scheidenblatt
quer zu durchwachsen und in das nächstanliegende grüne Blatt
überzutreten vermögen. Durch dieses gelangen sie in die folgenden Blätter und endlich „auch in den durch Streckung der
einzelnen Internodien in den Blattscheiden höher hinaufsteigenden
Halm mit der Inflorescenz‐Anlage“. — Die *Wolff*'schen Untersuchungen erweitern in dankenswerthester Weise die Kenntniss
der Ustilagineen‐Entwickelung und insbesondere die Kenntniss
von der Art des Eindringens dieser Parasiten in die Nährpflanze;
aber man würde sehr irren, wenn man aus denselben folgern
wollte, dass das Scheidenblatt der einzige Ort sei, an welchem
eine Infektion stattfinden könne. Einer solchen Folgerung stehen
die Untersuchungsergebnisse des Vortragenden direkt entgegen.

Abgesehen von seinen früheren Wahrnehmungen, hat derselbe
auch später, mit besseren Instrumenten ausgerüstet, das Vorkommen von Mycelienfäden der Tilletia Caries in dem Wurzelknoten der jungen Weizenpflanze konstatirt. Er schloss daraus
auf ein Eindringen der Brandkeime in die Achse der keimenden
Nährpflanze. Diese schon vor Jahren gemachte Beobachtung
konnte der Vortragende neuerdings bestätigen durch Auffinden
des Myceliums in den jungen Nährpflanzen von Tilletia laevis,
Urocystis occulta, Ustilago Carbo, Ust. destruens und von Ust.
Crameri, einer erst in neuerer Zeit von Herrn Professor *Körnicke*
auf Setaria italica entdeckten Brandart. Auch bei Tilletia Sorghi
vulgaris Tul. wurde das Mycelium in jungen Pflanzen der gem.
Mohrhirse und der Zuckerhirse gefunden. Bei Gelegenheit der
Untersuchung dieser Brandart ward zugleich konstatirt, dass
dieselbe nach Keimungs- und Sporenbildungsweise nicht zur
Gattung Tilletia, sondern zur Gattung Ustilago gehört. Der
Vortragende bezeichnete sie nach dem Begründer der neueren
Mycologie als Ustilago Tulasnei. — Von all' den genannten
Brandarten ward das Mycelium nicht nur im eigentlichen Wurzelknoten und dem ersten Stengel- oder Scheidenblattknoten, sondern
auch in dem zwischen beiden liegenden Stengelgliede aufgefunden.
Dies letztere bleibt bei den meisten Grasarten sehr kurz und
undeutlich entwickelt, bei manchen Arten jedoch, so bei den
Paniceen, streckt es sich erheblich, und hier sind die Verhältnisse
besonders klar zu übersehen. Der Vortragende legte ein Präparat
von Ustilago destruens vor, welches bei circa 300 facher Vergrösserung zahlreiche Mycelienfäden erkennen liess, und das der
Achse einer jungen Hirsepflanze, 6 mm. unterhalb des Scheiden-
blattknotens entnommen war. — Derselbe fand auch an den
bezeichneten Theilen der jungen Nährpflanzen die Eindringungsstellen der Parasiten auf. Es gelang ihm ferner, auch bei Ustilago
Maydis das Eindringen der Keimfäden in das erste Internodium
und in den Wurzelknoten zu konstatiren. Bei reicher Infektion
vermag dieser Parasit in solchem Maasse schon in der jungen
Pflanze sich zu entwickeln, dass der Scheidenblattknoten bereits
massenhaft sporenbildende Fäden zeigt. In solchem Falle kommt
die Gemmula gar nicht zur Fortbildung, sondern es entsteht an
Stelle derselben eine oft recht ansehnliche Brandbeule, die
3 — 5 Wochen nach der Einkeimung des Samens schon voll-

ständiges Absterben der Maispflanze herbeizuführen vermag. Eine in so jugendlichem Alter der Vernichtung entgegengeführte brandige Maispflanze ward vorgelegt. — Bemerkenswerth ist ferner der Befund, dass, wie der Vortragende zuerst bei Tilletia laevis beobachtete, Brandkeime selbst am oberen Theil der Wurzeln einzudringen vermögen. Es wird dadurch eine Vermuthung de Bary's (Morphol. u. Phys. d. Pilze etc. 1865, S. 220) bestätigt. Endlich konnte auch noch festgestellt werden, dass die Basis des Scheidenblattes nicht völlig gegen das Eindringen der Brandkeime geschützt ist. Es wurden an dem untersten Theil des Scheidenblattes die Eindringungsstellen bei Urocystis occulta, Tilletia laevis, Ustilago Carbo, Ust. bromivora u. a. wahrgenommen. Für Tilletia laevis ward selbst bei solchen Weizenpflanzen das Eindringen an der Basis des Scheidenblattes konstatirt, die inficirt wurden, nachdem bereits das erste grüne Blatt in der Länge einiger Linien sichtbar geworden war. — An welcher Stelle geschieht nun aber die Brandinfektion am sichersten? Der Vortragende erzog zahlreiche brandige Pflanzen von Roggenkeimlingen, die mit Urocystis occulta am Scheidenblatt inficirt worden waren. Dagegen brachte eine grosse Zahl Gerstpflanzen durchaus gesunde Aehren, obgleich bei jeder einzelnen von ihnen massenhaftes Eindringen der Keimfäden von Ustilago Carbo durch Untersuchung eines kleinen, dem Scheidenblatt entnommenen Oberhautstückchens konstatirt worden war. In Nährstofflösung erzogene Pflanzen von Bromus secalinus wurden nicht brandig, obgleich auch bei ihnen massenhafte Infektion (durch Ustilago bromivora) festgestellt worden war. Mit demselben Brandpilz inficirte Pflanzen von Bromus mollis, bei denen sämmtlich das reichliche Eindringen der Keimfäden am Scheidenblatt erwiesen worden war, brachten nur zum kleineren Theil brandige Rispen. — Nach diesen Erfahrungen wird der Schluss nicht unberechtigt erscheinen, dass bei allen nicht blattbewohnenden Ustilagineen die Infektion durch das Scheidenblatt eine unsichere sei. Dagegen findet man bei dem Eindringen in die Achse der Keimpflanze nach verhältnissmässig kurzer Zeit das Mycelium des Parasiten namentlich in der Nähe der Gefässbündel verbreitet, und zwar so weit verbreitet, als dieselben bereits gebildet sind — bis in die Nähe der Knospenanlage des Hauptstengels und der Nebentriebe. Mit der Entwickelung der

Knospen vermag das Mycelium somit leicht in alle Stengeltheile zu gelangen. Die Infektion ist auf diesem Wege eine ungleich gesichertere; ohne Zweifel führt das Eindringen der Brandfäden in die Achse der keimenden Nährpflanzen am häufigsten zum wirklichen Erkranken der letzteren, es ist dies wahrscheinlich für die meisten Ustilagineen der gewöhnliche, regelmässige Weg erfolgreicher Infektion. In welchem Maasse dieselbe unter günstigen Umständen zur Neubildung des Brandes führen kann, zeigte eine im Herbst 1873 gemachte Beobachtung. Von mit Ustilago destruens inficirter Rispenhirse wurden auf 100 Pflanzen durchschnittlich 98 brandige gezählt; es waren also nur 2 $^0/_0$ der Pflanzen gesund geblieben und zur Samenbildung gelangt.

Druck von Fischer & Wittig in Leipzig.

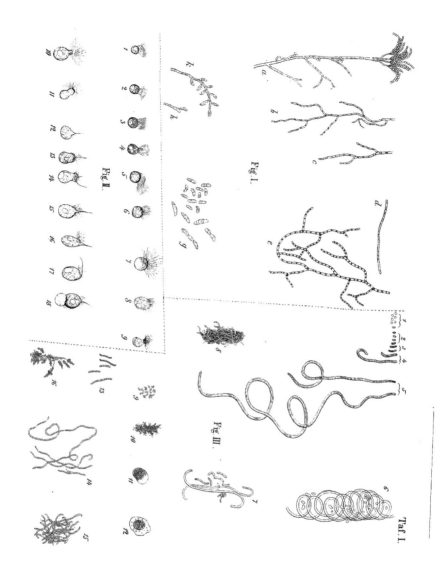

Fig. I.

Fig. II.

Fig. III.

Taf. I.

CPSIA information can be obtained
at www.ICGtesting.com
Printed in the USA
BVHW08*1517041018
529297BV00008B/382/P

9 780484 622943